2056795

D0514169

Pracująca dziewczyna

Seria π

NICOLA KRAUS EMMA McLAUGHLIN

Pracująca dziewczyna

Z angielskiego przełożyła
HANNA SZAJOWSKA

Wydawnictwo
A. Kuryłowicz

WARSZAWA 2005

Tytuł oryginału:
CITIZEN GIRL

Redakcja: Barbara Nowak
Ilustracja na okładce: Jacek Kopalski
Projekt graficzny okładki i serii: Andrzej Kuryłowicz

ISBN 83-7359-278-4

Dystrybucja

Firma Księgarska Jacek Olesiejuk
Kolejowa 15/17, 01-217 Warszawa
tel./fax (22)-631-4832, (22)-632-9155, (22)-535-0557
www.olesiejuk.pl/www.oramus.pl

Wydawnictwo L & L/Dział Handlowy
Kościuszki 38/3, 80-445 Gdańsk
tel. (58)-520-3557, fax (58)-344-1338

Sprzedaż wysyłkowa
Internetowe księgarnie wysyłkowe:
www.merlin.pl
www.ksiazki.wp.pl
www.vivid.pl

WYDAWNICTWO ALBATROS
ANDRZEJ KURYŁOWICZ
adres dla korespondencji:
skr. poczt. 55, 02-792 Warszawa 78

Wydanie I
Skład: Laguna
Druk: Łódzkie Zakłady Graficzne, Łódź

Dla Shannon, Sary, Katie, Ally i Olivii,
które były dla Girl niedoścignionymi wzorcami osobowości;
bez końca czytały, nieznużenie dodawały odwagi
i bez względu na to, co przynosiło życie dwudziestolatki,
zawsze znajdowały w tym coś zabawnego.

„(...) poszłam do swojej terapeutki
i opowiedziałam o lękach, które mnie dławią.
»Czujesz się jak oszustka? — zapytała. —
Nie przejmuj się. Wszystkie inteligentne
kobiety tak się czują«".

Peggy Orenstein

„Chcę być kowbojem, mała"
Kid Rock

Rozdział 1

Doris Wodazmózgu

Drzwi damskiej toalety otwierają się ze skrzypnięciem i wstrzymuję oddech, gwałtownie unosząc stopy i stawiając je na desce sedesowej — usiłuję w samotności popracować podczas przerwy na lunch. Gumowe podeszwy z piskiem przesuwają się po ułożonych w plaster miodu kaflach, kiedy schylam się, żeby powolutku przesunąć głębiej resztki lunchu. Zdradza mnie pióro, bezczelnie stacza mi się z kolan na powybrzuszaną podłogę.

— Kto tu jest? — moja szefowa, Doris, przekrzykuje zgiełk maszyn do szycia z zatrudniającego biedaków warsztatu, dudniący w przewodach wentylacyjnych. Rozważam opcję, żeby nie odpowiadać — może pomyśli, że z rur wykrusza się nie tylko azbest, ale i pióra. — Haloo? — Puka w drzwi ostatniej kabiny, a potem energicznie nimi potrząsa. Przy podłodze pojawiają się siwe loczki mocno skręconej trwałej. — Och, Girl, to ty.

Zmuszam się do pogodnego uśmiechu.

— Znowu masz okres, tak? — Gapi się na mnie pogardliwie i gwałtownie oblewa ciemną czerwienią z powodu pozycji do góry nogami. — Wiesz, Girl — zauważa na podłodze moje materiały do pracy — zaopatrzyłam cię w absolutnie wystarczające biurko.

— Tak, dziękuję... — Próbuję przemieścić skrzyżowane

9

nogi, nie kopiąc jej w twarz. — Korzystałam tylko z chwili ciszy, żeby dokończyć prezentację na konferencję. — Otwieram drzwi, a ona gwałtownie pcha je w moją stronę, rozchlapując na mój płaszcz kubek kawy, balansujący na wieszaku na papier toaletowy. Nowy płaszcz.

Unosi brwi, tak że wysuwają się ponad wielobarwne, jak z modeliny, oprawki dwuogniskowych okularów.

— Jesteś niezorganizowana — oznajmia. — Naprawdę powinnaś szykować sobie lunch w domu i przynosić ze sobą. Niezbyt dobrze zarządzasz finansami, jeżeli codziennie kupujesz te drogie kanapki. Ale w tym celu, jak sądzę, musiałabyś odpowiednio wcześnie wstać. — Tkwi w drzwiach kabiny nieruchomo, sugerując, że jestem jej winna wyjaśnienie.

— Powinnam — mówię i kiwam głową, zbierając z podłogi gorszące opakowania po kanapkach i swoje papiery.

Składa ręce na bujnym biuście i dalej patrzy na mnie z góry. Zanim udaje mi się powiedzieć, jak mogę odpokutować winę, drzwi łazienki znów otwierają się ze skrzypieniem i wtacza się Pam, zastępca dyrektora Miejskiego Centrum do spraw Równości.

— O, Doris, tu jesteś. — Sunie ciężko, kołysząc się na boki jak upasiony John Wayne. — Jadę do śródmieścia na spotkanie w Centrum Młodzieży i jeżeli będzie tak jak w zeszłym tygodniu, zostanę tam do kolacji...

— Są. Fantastyczne. — Doris dźga palcem powietrze, wskazując purpurowe trepy Pam, dobrane do jasnopurpurowego lnianego bezrękawnika i ciemnopurpurowego sznura afrykańskich paciorków, które ambitnie połączyła z odpustowymi fioletowymi koralikami. Gdyby miała w kuchni bakłażana, założyłaby go jako kapelusz.

— Widziałam takie zielone u Odetty, więc zamówiłam sobie parę u Świętego Mikołaja, ale wiesz, że wciąż poluję na te. — Pam kieruje wzrok na czarne trzewiki z nubuku, które nosi Doris.

— W życiu ci nie powiem. — Doris droczy się, wykręcając nogę w kostce. Jest znana z tego, że własny lniano-nubukowy strój nosi całkowicie czarny, co w miotanym sztormem menopauzy morzu antagonistek wcięcia w talii i deski do prasowania dodaje jej kosmopolitycznej aury.

— Ja tylko... — spoglądam na umywalkę przy drzwiach i drżąc, mijam je, pocierając świeżą plamę na płaszczu kawałkiem papieru toaletowego.

— Spójrz tylko na nią. — Doris niechętnie się odsuwa i wskazuje na mnie kciukiem, wprowadzając Pam w szczegóły „najnowszego kłopotu z Girl". — Nie potrafi utrzymać kawy w kubku. — Zaciska usta i mruży oczy, po czym dodaje: — Girl, kiedy się pozbierasz, przyjdź do mojego biura. Chcę coś dodać do pakietu konferencyjnego.

— Oczywiście. A ja chciałabym przejrzeć z tobą przygotowaną prezentację...

Ale gruszkowate sylwetki znikają już za zamykającymi się ze stuknięciem drzwiami. Z trzaskiem rzucam papiery na popękany plastikowy blat, wyszarpuję ostatni papierowy ręcznik z popękanego pojemnika i zrzucam z ramion znieważony płaszcz. *Wstaję z łóżka odpowiednio wcześnie, dziękuję bardzo. I skoro już pytasz, pracuję podczas nieopłacanej przerwy na lunch. Dla ciebie. A to, że jedynym miejscem z odrobiną ciszy i spokoju, które jestem w stanie znaleźć w tym wirującym tornado psychodramy, jest deska sedesowa, powinno powiedzieć ci co nieco, jakiego typu organizacją tu zarządzasz. I nie jestem kretynką. To ty. Ty jesteś kretynka.*

— Kretynka. — Celuję w pozwijany na brzegach, mający trzydzieści lat plakat sztandarowego dzieła Doris Weintruck *Teraz my: ucząc młode kobiety, jak wyjść przed szereg i przemówić!*; zwiodło mnie na tyle, by stać się kamieniem węgielnym mojej edukacji na Uniwersytecie Wesleyańskim. Uśmiech rzeźbiący dołeczki w policzkach, głowa nonszalancko odrzucona do tyłu, uniesione ramię w kitlu, kasztanowe loki wywinięte na zewnątrz w uczesaniu à la superman w interpretacji Lindy Carter. Ściskając klapę z plamą po kawie, która wsiąkła w różową wełnę, szeptem oświadczam Doris z czasów ery disco: — Rezygnuję.

Odwracam się do drzwi, rytm serca przyspiesza, w ustach mam sucho. Po prostu to zrób. Po prostu tam wejdź. Po prostu wejdź i usiądź... nie, stań. Tak, wejdź tam, stań i... powiedz jej, że postępuje nieprofesjonalnie... jest hipokrytką i, i... i jest wredna.

Albo zaczekaj do piątej, aż będzie skonana. Albo do poniedziałku, kiedy będzie wypoczęta. Może w ogóle nie rób tego osobiście. *Ej, ty. To ja. Nie wracam.* Odłóż słuchawkę i będzie po wszystkim. Skończone. Załatwione. Bez krwawej łaźni.

Bez krwawej łaźni, ale i bez zakończenia.

Odwracam się do plakatu i badam jej matowe oczy. Czyż nie jestem winna Doris Weintruck, matce założycielce Ruchu Kobiecego Głosu, tego, by przygarnęła mnie do serca i życzyła wszystkiego najlepszego, tak byśmy mogły ruszyć dalej nie jako koleżanki, ale przyjaciółki? Abyśmy za dziesięć lat, zasiadając w prezydium tej samej komisji, kiedy to ona z trudem pogodzi się z tym, że wyglądam jak astrofizyk, mówię jak astrofizyk i rzeczywiście jestem astrofizykiem, mogły z uciechą pochichotać, że dawniej traktowała mnie jak idiotkę? Przenoszę spojrzenie na blat, gdzie w torebce mam książeczkę czekową, która z trudem pokrywa świętą trójcę: jedzenie, mieszkanie i studencki kredyt.

Kurwa. Kurwakurwakurwa.

Wzdycham, raz jeszcze odkładając marzenie na półkę. Przewieszam płaszcz przez ramię, zbieram swój tekst *Bez wyrzeczeń: modelowanie praktycznych strategii dla młodych feministek*, badania, które przeprowadziłam w wolnym czasie, kiedy Doris wreszcie wyraziła zgodę, żebym po raz pierwszy wystąpiła na jej dorocznej konferencji Teraz my; roi się tam od tych właśnie czołowych aktywistek, których syrenie głosy zwabiły mnie do Centrum. *Gdyby tylko kobiety potrafiły zjednoczyć się w* _____ *mogłybyśmy zmienić* _____ . I właśnie szansa na włączenie się w tę dyskusję jest ostatnią zdechłą marchewką, która zachęca mnie do biegu.

Kolejny poranek zastaje mnie dosłownie tonącą w stosach pastelowych kserokopii. Bezmyślnie kompletując pakiety, do wtóru gdakania i brzęków grzejnika, krążę wokół stołu, głęboko pogrążona w wizji, w której opuszczam konferencyjne podium wśród fal ciepłego aplauzu, a Doris odwraca się do mnie i nisko, z szacunkiem, pochyla głowę. „Krajowa Organizacja Kobieca chce cię widzieć w swojej radzie programowej, a Hillary chciałaby się z tobą spotkać — oznajmia, wyciągając dłoń, żeby uścisnąć mi rękę. — Zatrudniam asystentkę dla nas obu".

— Girl! GIRRRRRLLLLLLL! — Wrzask Doris z biura w dalszej części korytarza sprowadza mnie na ziemię. — GIRRRRLLLL! — Jej sylwetka wypełnia drzwi do przegrzanego schowka na szczotki, który został przemianowany na salę Teraz My. — Co zrobiłaś z tym numerem?!

— Przepraszam, jakim numerem? — Zaznaczam stos, z którego właśnie biorę kartkę, kładąc na nim rękę.

— Tym numerem... do tej kobiety... z tym programem... no wiesz! — Doris osobiście zaczyna przekładać stosy papierów, żeby poszukać numeru, który zgodnie z zasadami logiki musiałam ukryć pod trzema tysiącami kartek. Rzucam się, żeby ratować liliowe stronice, zanim runą na błękitne, ale jest za późno. — Chodź, poszukaj na swoim biurku. Wiem, że go zachowałaś. — Chwytam płaszcz, a ona ciągnie mnie wzdłuż rzędu boksów i z powrotem do arktycznej części biura, odpowiedniej dla kobiet cierpiących na uderzenia gorąca.

— Na pewno go znajdziemy — mówię, oddech unosi się w postaci obłoczków pary, a Doris ciągnie mnie za rękaw. — Gdybyś tylko mogła mi powiedzieć, w którym była programie...

— Gdybym pamiętała, nie odrywałabym cię od tej zabawy z origami. Dałam ci go dziś rano. No, poszukaj na swoim miejscu. — Wskazuje stolik wielkości ławki dla pierwszaków, który szczodrą ręką mi przydzielono i przeznaczono wyłącznie do mojego użytku. Ten sam, na którym musiałam przechowywać po sześćset egzemplarzy pięćdziesięciu trzech rodzajów ulotek, ponieważ Odetta, kierownik biura, „po prostu nie może znieść, kiedy ludzie zostawiają na noc wszystkie swoje śmieci" w sali Teraz My. Sięgając po skoroszyt, w którym, nauczona doświadczeniem, prowadzę szczegółowy zapis wszystkich rozmów telefonicznych, przerzucam kartki do dzisiejszej daty i przesuwam palcem wzdłuż listy.

— Hm, jesteś pewna, że to było dzisiaj rano? — Ostrożnie wysuwam swój poplamiony kawą płaszcz z żelaznego uchwytu Doris. — Bo nie...

— Przecież powiedziałam, prawda? — Pada na kolana i przepycha się między moimi nogami, żeby rozgrzebać kosz na śmieci. — Gdybyś tylko mogła utrzymywać tu trochę porządku, Girl.

— Oczywiście. Problem jest z materiałami na konferencję... może byłoby wygodniej, *może*, gdybyśmy mogły je przechowywać w scho... sali Teraz My. I cieszę się, że mnie złapałaś, bo naprawdę nie mogę się doczekać opinii o mojej prezentacji. — Przerzucam zapiski dotyczące wczorajszych rozmów. — Masz na myśli Shelly z oregońskiego YWCA?

Zrywa się, przewracając pełny kosz.

— Tak! Tak, to ona. Widzisz, *mówiłam* — wyśpiewuje.

— Hm, tak naprawdę to dzwoniła wczoraj i zostawiłam ci wiadomość... — Wchodzę do jej biura. — Tutaj. — Odrywam samoprzylepną karteczkę z monitora i wręczam jej, gdy z szuraniem zjawia się za mną.

— Hm. — Doris bierze ją z lekkim rumieńcem.

— Super! Więc miałaś okazję przejrzeć moją prezentację?

— Girl — odzywa się surowo — to przedwczesna rozmowa. Mam wrażenie, że najpierw musisz zająć się inną kwestią. — Ruchem głowy wskazuje zapadnięte krzesło, które stoi po przekątnej, i kurczy mi się żołądek. — Proszę, siadaj — nakazuje stanowczo.

Nie cierpię tego biura, nie ma w nim okien i jest obwieszone rozpadającymi się kolażami autorstwa dawno zapomnianych młodocianych entuzjastek *wyjścia przed szereg i przemówienia*. W końcu zawsze mam na wysokości oczu kobietę w wielkim obwisłym kapeluszu, wyciętą z opakowania płynu do irygacji Summer's Eve około roku siedemdziesiątego dziewiątego, wciśniętą obok pożółkłej reklamy, która głosi: „Siostry robią to dla siebie!". Najmocniej jednak wzdrygam się z obrzydzenia na widok oprawionej okładki „Ms. Magazine"* z Doris beczącą do megafonu jak owca.

— Girl — mówi teraz. — Chcę się z tobą podzielić niepokojem w pewnej kwestii. Jej przemilczenie, moim zdaniem, przyniosłoby ci szkodę.

— Och?

— Sprawiasz wrażenie nienormalnie zaabsorbowanej przestrzenią.

— Przepraszam?

— Przestrzenią. Wolną przestrzenią. Potrzebujesz jej. Pragniesz. Cały czas o tym mówisz. Kilkakrotnie wspominałam ci, że postrzegamy nasze działanie tu, w Centrum, jako pracę w komunie. Do znudzenia, jak sądzę, wyjaśniałyśmy sobie, że musisz zaakceptować przydzielony ci obszar.

— Oczywiście. Mnie... eee... odpowiada moje biurko. Chodzi o to, że półtora tygodnia temu pakiety konferencyjne składały się z zaledwie dziesięciu rodzajów ulotek dla dwustu uczestniczek. A teraz w swojej pracy zużywam znacznie więcej papieru, więc...

— Widzisz, Girl, uważam, że twoja decyzja o przerzuceniu na mnie odpowiedzialności za własną niedoskonałość jest niezdrowa.

— Przepraszam?

---

* od 1971 jedno z czołowych amerykańskich pism feministycznych

15

Doris nachyla się i kładzie mi ręce na kolanach. Kobieta od płynu do irygacji za nią powoli kręci biodrami, a ja wstrzymuję dech.

— Chcę, żebyś nad tym popracowała. Może popracuj nad tym we własnym życiu. W twoim przypadku to, jak sądzę, oznaka innych... głębszych... problemów. Dlatego właśnie nie lubię pracować z wami, dwudziestolatkami, jesteście wszystkie takie... — Odchyla głowę do tyłu, żeby uważnie przyjrzeć mi się przez dwuogniskowe okulary. Odruchowo naśladuję jej ruchy, pochylam się. Powoli zbliżamy się do siebie, podczas gdy czekam na wyrok. — ...w potrzebie — oświadcza w końcu, po czym prawie kładzie mi głowę na kolanach. Sięga za mnie, żeby wydobyć plik pogniecionych ulotek, przez chwilę dusząc mnie biustem. — Trzeba je dodać do pakietów. Myślę o fuksjowym, limetkowym i pomarańczowym.

Wstaję.

— Zaczekaj, Girl... nie jasnopomarańczowy. Chcę mieć jaskrawy pomarańcz.

— Okej. Jasne!

— Nie, nie, może blady pomarańcz jest lepszy. Zrób kopie w obu kolorach i przynieś mi. Wtedy zdecyduję.

Spoglądam na pierwszą mającą trzydzieści lat ulotkę.

— Ta może być za stara, żeby ją kserować. Jest prawie nieczytelna...

— Tak? I? — Doris uśmiechem kwituje moje zidiocenie. — Więc będziesz musiała ją przepisać. Daj spokój, Girl.

Patrzę na zardzewiały szkolny zegar ponad jej ramieniem.

— Wydaje mi się, że wspominałam o tym wczoraj, wszystkie te materiały muszą zostać wysłane do poniedziałku. Chodzi o to, że kserokopiarka miewa humory. Więc może mogłybyśmy, no wiesz, nie dodawać zbyt wielu kolejnych... do tej pory udało mi się skompletować pięćdziesiąt z sześciuset dwudziestu dwóch...

— Sześciuset trzydziestu czterech! Właśnie zapowiedziała się grupa z Des Moines! — Doris klaszcze w ręce jak podniecone dziecko.

Wbijam paznokcie w dłoń i nie przewracam oczyma.

— Więc z sześciuset trzydziestu czterech pakietów...

— Cóż, Girl, tu chodzi o zawartość... Nie będziemy dopasowywać krajowej konferencji do twojego życia towarzyskiego, prawda? Nie zamierzam dzwonić do sponsorów w Waszyngtonie i mówić im, że nie damy rady, bo nie możesz włożyć kilku kartek do jednej czy dwóch teczek. — ALBO SZEŚCIUSET TRZYDZIESTU CZTERECH! Doris uśmiecha się irytująco. — Najlepiej zaplanuj, że zostaniesz tu przez weekend, jeżeli tak kiepsko organizujesz sobie czas. — Dzwoni telefon i czekam, by ponownie przypomnieć jej o mojej prezentacji. Uśmiechając się w przestrzeń, podnosi słuchawkę do ucha. — Tu Doris! — oświadcza dźwięcznym głosem. — Halo, Jean. Zanim odpowiem na twoje pytania... dostaniemy niedzielną okładkę? Uch, chuch, uch, chuch. Cóż, doceniam twój sprzeciw, Jean, naprawdę, ale jeżeli postawisz to sobie za cel... konflikt z wydawcą to dla ciebie szansa na rozwój. Wskaż mu, że tegoroczna konferencja będzie bezprecedensowym zgromadzeniem... Och, nie zrozum mnie źle, mówię tylko, że jeżeli dajemy się uciszyć, Jean, cierpimy. I jestem pewna, że o tym wiesz. Jak mówiłam... będzie bezprecedensowym zgromadzeniem wybitnych myślicielek, zajmujących się kwestią polityki społecznej, zorientowanej na nastolatków, i rozwoju społeczności... *Mogłam* to powiedzieć w zeszłym roku, nie potrafię sobie przypomnieć... Nie, nie sądzę, żeby moja „odmiana" feminizmu była przeterminowana... Ależ oczywiście, że biorę udział. Jak możesz o to pytać?... Inne podejście? Jakiego rodzaju?... *Gdzie są teraz?!* Ja dokładnie tutaj!... Kwestionujesz związek mojej wypowiedzi z tematem? To idiotyczny paradygmat i prawicowa taktyka wprowadzania nieporozumień i nie wezmę w tym udziału. — Doris rzuca słuchawką i odwraca się do mnie, pełne dołeczków dłonie składa na obciągniętym lnem brzuchu. — Uciszają nas, Girl. Uciszają nas. — Wygładza materiał i przesuwa między palcami koraliki. — Cała moja ciężka praca związana z organizacją tej konferencji trafia na ostatnią stronę.

17

— Może to naprawdę nie temat dla „Timesa". Czemu nie spróbować kontaktu z „Mother Jones", „The Atlantic"? Albo jeżeli chcesz mieć kontakt z lokalną prasą, mogę zadzwonić do „The Voice"...

— Jasny pomarańcz. Stanowczo. — Energicznym ruchem wyprasza mnie z pokoju.

— Przyprowadziłam ci po-sił-ki! — wyśpiewuje Doris następnego ranka na korytarzu przed salą Teraz My, gdzie tkwię w otoczeniu stosów papierów i pudeł.

Wkracza swobodnie, w czarnych sztruksowych spódnico-spodniach i kamizelce wygląda dokładnie jak elf z korpusu pokoju.

— Świetnie! — silę się na entuzjazm, modląc się, żeby sprowadziła kilka innych udręczonych, acz sprawnych fizycznie asystentek.

— Tak, nasza własna kierowniczka biura łaskawie zgłosiła się na ochotnika, żeby cię poratować.

Sapiąc, Odetta przeciska się wokół stołu, żeby do mnie dołączyć, poliestrowe spodnie wciąż jeszcze ma wetknięte w śniegowce.

— Nie zostawia tu tych rzecz na noc, prawda? — wypytuje podejrzliwie, windując swoje potężnych rozmiarów ciało na stołek. — Tego nie zniosę.

— O nie — zapewniam ją pospiesznie. — Mam swoje biurko, własne biurko, i więcej mi nie potrzeba. Co wieczór odkładam to wszystko na miejsce. Przecież to moja przestrzeń i ją kocham.

Doris wywraca oczyma do Odetty.

— Więc co tu robię? — Odetta zwraca się do niej, ponieważ nie odezwała się bezpośrednio do mnie, odkąd ośmieliłam się wspomnieć, że faks zdradza niechęć do faksowania.

— Zacznij tutaj — instruuje ją Doris z całkowitą pewnością siebie, przearanżowując wszystko, co zdążyłam już zaaranżować.

— Właściwie — przerywam w końcu, gdy Doris ustaliła już kolejność działania w taki sposób, że skompletowanie jednej teczki wymaga dziewięciokrotnego okrążenia stołu — może mogłabyś ponaklejać nalepki z nazwiskami. To by była wielka pomoc!

— W porządku, szefowo! — Doris salutuje, a ja znów wbijam paznokcie w dłonie.

Odetta zaczyna pracowicie przyklejać nalepki równiutko na samym środku.

— Czemu to jest pomarańczowe? — Doris rzuca we mnie kartką, kiedy przeciskam się obok.

— Taki kolor chciałaś.

— Zupełnie nie pasuje do tematu. Pomarańczowy do menstruacji? Może raczej fuksja? Odetto, jak myślisz?

— To ty się znasz na kolorach, Doris — grucha Odetta.

— Będziemy musiały później zdecydować — wzdycha Doris, sprawdza godzinę na swoim swatchu. — Teraz muszę pędzić na spotkanie na Brooklynie. Wrócę po lunchu. Bądź miła dla Odetty i jej nie zamęczaj, robi ci grzeczność. — Pospiesznie wychodzi ze schowka na szczotki, a Odetta posyła mi spojrzenie, które informuje, że nie zamierza znosić w milczeniu żadnych moich wygłupów.

— Tak ci dziękuję za pomoc! — uśmiecham się promiennie, usiłując podnieść jej wydajność naklejania. — Faks działa ostatnio jak złoto. Naprawdę masz do niego podejście. I słyszałam, że twoje plany co do sprzedaży wypieków świetnie się układają! — Kompletuję ulotki wokół jej nieruchomej sylwetki. — Tak mi przykro, że tego nie zobaczę... mam wystąpienie na konferencji...

— Nie. Obsługujesz stół od dziewiątej do południa. — Zanim zdążam ją poprawić, dzwoni komórka i Odetta wyciąga telefon zza elastycznego paska. — Myślałam, że odłożyłaś słuchawkę... Cóż, powinnaś przygotować więcej drobnych. Mówiłam już, mam wrażenie, że ostatnio nie masz dla mnie czasu. Nie zadzwoniłaś w święta. Ani w Nowy Rok. Zaczekaj — mówi, zauważając, że macham rękoma.

— Przepraszam, ale będę w Toledo — mówię. — W tym roku mam prezentację.

Odetta pozbywa się mnie gestem.

— Kiedy moja siostra miała tę cytologię, masę czasu poświęciłam na rozważania, co jest w moim życiu ważne, i mam swojego męża, koty i nas. Ciebie i mnie. A czułam, że przez cały ten tydzień nie mogłam na ciebie liczyć... — Klepię ją w masywne ramię. — Nie dotykaj mnie! — Zakrywa ręką mikrofon. — Tak, obsługujesz stół. Doris wczoraj cię wpisała.

— Wczoraj?! — Nie! Nienienie! Czując narastającą panikę, przyspieszam kompletowanie teczek, przy każdym okrążeniu stołu przeciskam się za jej gigantycznym tyłkiem. Odetta wzdryga się przy tym kontakcie, urągając komuś, kto przypuszczalnie siedzi w więzieniu.

— Kiedy kwitnie ukwap, wraca mi wysypka. Nie spałam całe noce, drapałam się i kąpałam w płatkach owsianych. Powinnam mieć możliwość do ciebie zadzwonić, kiedy dotrę do pracy, a skoro cię nie ma... nie mówię, że nie masz spraw do załatwienia... nie, tego nie mówię. Powiedziałam, że tego nie mówię. Jeżeli wysłuchasz... mówię, że musiałam wziąć....

Grzejnik stuka agresywnie, nieruchoma ręka Odetty zostawia wilgotny ślad i rozmazuje tusz na zapomnianej teczce, teraz nie tylko ona sama, ale i teczka staje się bezużyteczna.

Ciężkim krokiem wracając z lunchu, rozpinam płaszcz, gotowa stoczyć bitwę. Serce mi staje, kiedy wychodzę zza rogu i widzę, że moje biurko zostało splądrowane.

— Choleracholeracholera. — Każda najdrobniejsza rzecz przestawiona; akt nie ma, stosy papierów przeszukane, starannie przygotowanych list pakowania materiałów na konferencję nigdzie nie można znaleźć, skoroszyt z notatkami w kwestii, kto mógłby mnie zastąpić przy sprzedaży ciast, zaginął w akcji. Robi mi się czarno przed oczyma.

— Hm — rzucam na przywitanie, gdy potykając się,

wchodzę do biura Doris — zdaje mi się, że moje biurko zostało...

— Posprzątane. Tak, to była katastrofa. Nie wiem, jak mogłaś tam cokolwiek zrobić. Jęczałaś, żeby ci pomóc, więc osobiście zajęłam się zrobieniem porządku. Bardzo proszę. — Doris ma mój otwarty skoroszyt na biurku, na którym jak zwykle panuje bałagan. — Zupełnie nie rozumiem, czemu zachowujesz wszystkie te informacje. To trochę neurotyczne. „Niedostępna do ciasta". — Prycha i rzuca mi skoroszyt. — Co to w ogóle znaczy?

Przytomnie zamykam otwarte usta.

— No właśnie, chciałam cię o to zapytać. Zaszło chyba jakieś nieporozumienie z Odettą. Nabrała przekonania, że pracuję przy sprzedaży ciast, podczas gdy jesteśmy na konferencji.

Doris tylko na mnie patrzy.

— Więc?

— Co?

— Pracuję?

— Nie w tej chwili.

— Oczywiście. Miałam na myśli sprzedaż ciast.

— Tak.

— Ale tego dnia mam prezentować...

— Twoje zachowanie nie wskazuje, żebyś była gotowa do prezentacji. Jeżeli nie potrafisz skompletować kilku pakietów... — Wzrusza ramionami, bezradna wobec mojej niekompetencji. — Poza tym nie dostarczyłaś mi szkicu swojego wystąpienia, a wyjeżdżamy za dwa dni. Widziałaś moją notatkę? — Sięga po telefon.

— Co? Zaraz. Przepraszam, dałam ci szkic w poniedziałek. Mogę natychmiast wydrukować następny egzemplarz...

— Całe popołudnie mam spotkania. Notatka leży na twoim biurku. Dotarło to do mnie o trzeciej nad ranem, kiedy poszłam siusiu... po skończeniu pięćdziesiątki możesz zapomnieć o śnie... i uświadomiłam sobie, czego tej konferencji brakuje. — Rozmówca z drugiej strony podnosi słuchawkę i popadam w zapomnienie. — Halo! Doris Wein-truck do usług!

Wracam do swojego biurka, które, smutnie zbezczesz-czone, usiłuje okryć swoją nagość artykułem o apatii wśród nastolatków, wydartym z „Ms. Magazine". Siadam, żeby zagapić się na przypiętą do niego notatkę na cieniutkim papierze toaletowym, składającą się z dwóch słów nabazg-ranych rozlewającym się cienkopisem, z których czytelne są tylko A, S i T.

— Arogancka postawa? Aspołeczna trauma? — Zaraz... czy to K? Obok biurka przeciska się Carrie, inna asystentka związana z projektem, i chwytam ją za rękę. — Szyfr Do-ris. — Wręczam bibułkę.

— „Absolutnie konieczne".

— Dzięki.

Carrie rzuca mi szybkie spojrzenie pełne rozpaczy i ru-chem głowy wskazuje jaskinię Odetty.

— Maszyna do znaczków znów się rozwaliła.

— Zacznij od tego, jak ją uwielbiasz i że w żadnym razie nie obarczasz jej winą za to, co zaraz powiesz.

— Dzięki. — Kiwamy sobie głowami i Carrie znika za rogiem.

— GIRRRRRLLLLL. ZNALAZŁAŚ NOTATKĘ?! — wrzask Doris poprzedza jej nadejście.

Zrywam się i łapię ją za łokieć.

— Proszę, proszę, zaczekaj tu. Już robię dla ciebie kopię mojej prezentacji... mogłabyś ją przeczytać po drodze do domu. Umówmy się jutro na spotkanie i powiesz mi, co o niej sądzisz. — Chwytam jej kalendarz. — Wpiszę ci to ołówkiem po drodze do ksero, a ty tu stój...

— Oczywiście, że mogę tu stać. — Doris robi minę do przechodzącego dyrektora. — Nie musisz tak dramatyzować.

Rano, po niemal całej nocy kompletowania przesyłek, za pomocą rozmaitych drożdżówek przywabiam Doris do jej własnego biurka, żeby mogła przejrzeć moją prezentację. Machnięciem odsyła mnie z powrotem do pracy, obiecując „małego pomocnika". I kiedy ten się zjawia, okazuje się, że mówiła poważnie. Potomek przyjaciółki Doris, przeziębiony asystent, który z powodu choroby został w domu, sięga mi do pół uda. Jego pięcioletnie rączki potrzebują jedenastu męczących minut, żeby wsunąć jedną ulotkę do jednego folderu. I tak szybciej niż w przypadku Odetty. Postęp.

— Nuudnee. Chcę się pobawić zabawkami.

— Świetnie! Super! Idź się bawić. — Ruchem ręki odsyłam go, żeby smarkał nad stosem przyborów szkoleniowych, którymi obstawiono ściany sali Teraz My.

— Ej, zdejmij mi to. — Wskazuje na pakiet kolorowej kredy Tupperware.

— Co? — Podnoszę wzrok znad wykonywanej z podwójną szybkością pracy. — A, dobrze. — Zdejmuję opakowanie z półki i rzucam na podłogę.

— Ej! Chcę się pobawić markerami! — Po czym dodaje: — Nie mogę sięgnąć po to czerwone. — A następnie: — Widzisz to żółte pudełko? Zdejmij...

— SŁUCHAJ. Musisz wybrać jedną rzecz, koleżko. Tylko jedną rzecz. Mogę coś zdjąć jeszcze tylko raz, ponieważ, choć może jestem jedyną osobą w promieniu dwunastu mil, dla której to oczywiste, tak naprawdę to *ja tu pracuję!* — Dolna warga zaczyna mu się trząść i przepełniona skruchą kucam, żeby znaleźć się na wysokości jego wzroku. — Więc czym najbardziej chciałbyś się pobawić?

Kicha mi prosto w twarz, a potem pokazuje coś tak wysoko, że muszę balansować na pudłach przygotowanych na konferencję, żeby to zdjąć. Rzucam mu opakowanie i staram się nadrobić stracony czas.

— Aaachhh! — Orgazmiczny krzyk namiętności sprawia, że wzdrygam się nerwowo. — KOOOOCHAM STYROPIAN!!! KOCHAM! — Odwracam się jak na sprężynie, żeby odkryć falującą chmurę złocistych orzeszków, wznoszącą się i opadającą nad kompletowanymi teczkami w kolejnych drobnych eksplozjach. — Oooch! STYROPIAN! — Powolutku przesuwam się wokół stołu, żeby znaleźć mojego pomocnika leżącego na plecach w stercie orzeszków. Kawałki pokrytego smarkami plastiku przywarły mu do uszu, nosa i ust. Z półprzytomnym wzrokiem ćpuna przewraca się z boku na bok, obsypując sobie klatkę piersiową orzeszkami.

— Okej, dość tego. — Jednym ruchem podrywam go na nogi i kieruję się do biura Doris.

— On... — zostawiam pomocnika w drzwiach — nie pomaga. W każdym razie dziękuję.

— Powinnaś była od razu mi powiedzieć, Girl. Jak mogę ci pomóc, jeżeli się ze mną nie komunikujesz? — Doris wywraca oczyma na użytek matki Małego Pomocnika, po czym zwraca się do dzieciaka jakby był głuchy. — *Założę się, że w domu jesteś bardzo pomocny, prawda?*

— Czyszczę pędzle! — Kicha, prycha pastelowymi orzeszkami jak zepsuty automat do słodyczy, a mój wzrok pada na okryte batikiem kolana jego matki. Na których leży mocno popodkreślana i pobazgrana prezentacja.

Którą.

Ja.

Napisałam.

— Justice, chodź tutaj. Już o tym rozmawialiśmy: styropian zabija wszechświat, a to znaczy, że zabija i ciebie. — Przyciąga go do siebie, przerzucając na plecy siwy warkocz. — A teraz pobaw się tutaj, a mamusia dokończy swoje wystąpienie.

— Doris, czy mogę porozmawiać z tobą sekundę na korytarzu? — Wyrywa mi się to, zanim zdążyłam pomyśleć, co dalej.

— Przepraszam cię, Justice, będę na korytarzu, żeby ze mną porozmawiano. — Doris wygina kąciki ust w dół i unosi brwi. — Masz, może pokażesz Justice'owi zdjęcia

z naszego schroniska w Gwatemali. — Wręcza Mamie-w-
-batikach pozwijaną od wody kopertę i wychodzi za mną
na zewnątrz. — Tak?

— To moja prezentacja. Dałam ci ją do przejrzenia.
Czemu ona ją ma?

— Tworzymy zespół, a ty przybierasz bardzo oskarżycielski ton. — Doris opiera się ramieniem o ścianę. — Powinnaś
posłuchać własnego tonu.

— Przyjmuję do wiadomości, że tworzymy zespół. Ale
nie rozumiem. Te badania zajęły mi ponad półtora roku.
Poświęciłam całe tygodnie prywatnego czasu, żeby to napisać.
Podczas rozmowy z tobą...

— Kiedy zaryzykowałam, przyjmując cię, niezwykle dobitnie podkreślałam, że oczekujemy elastyczności...

— Oczywiście...

— Więc posłuchaj samej siebie. — Wpatruje się we
mnie bez mrugnięcia okiem, zachęcając, żebym mówiła
dalej.

— Zrobiłam wszystko, o co mnie prosiłaś, i myślałam,
że uzgodniłyśmy... nie pamiętasz naszej rozmowy w sierp-
niu? Kiedy wysiadła klimatyzacja i musiałam kłaść ci lód
na czoło? Kiedy powiedziałaś, że moje badania będą bez-
cenne dla uczestniczek konferencji, pomogą zmobilizować
młode kobiety przed następnymi wyborami, gdy zaczną się
dyskusje o alternatywie i opiece zdrowotnej. Że spojrzałam
na sprawę świeżym okiem. Świcżym. Okiem. Moim. Tak
dokładnie powiedziałaś. Zgodziłyśmy się, że jestem gotowa,
żeby...

— Słyszysz tylko to, co chcesz słyszeć. Nigdy nie mówiłam...

— Ależ mówiłaś!

— Mówiłam?

— Pamiętasz, powiedziałaś, że to dla mnie świetny punkt
wyjścia i jeżeli spiszę to, czego się dowiedziałam, mogę to
zrobić.

— Co zrobić?

— ZAPREZENTOWAĆ WYNIKI! — Mam wrażenie, że rozmawiam z Marsjaninem. Głucha jest?! Ja zwariowałam?! Drżąc, mierzę w jej pomarszczoną jak suszona śliwka twarz pociętym przez kartki papieru palcem wskazującym. — Słuchaj no! Wiem, co powiedziałam. Ja powiedziałam i ty powiedziałaś, i robię to, bo uzgodniłyśmy, że to właśnie zrobię. Więc po prostu przyznaj, że powiedziałam to, co powiedziałam, i że słyszałaś. Powiedz, że jestem...

— Zwolniona.

Rozdział 2

Spadochron mnie dusi

Brzęczyk rozpadającego się domofonu wprawia maleńkie mieszkanie w wibrację, wyrywając mnie z drzemki dla wzmocnienia sił, która jakimś sposobem przeciągnęła się do miesiąca. W zaciemnionym mrocznym pokoju podnoszę głowę, odrywając przyklejony do twarzy telefon. BBBBUUU-UZZZZ. Złożyłam ofertę w każdej choćby w przybliżeniu zainteresowanej problemami społecznymi organizacji kobiecej typu non profit w Nowym Jorku, New Jersey i Pensylwanii, po czym kilka dni temu odpłynęłam, starając się — bezskutecznie — dodzwonić do swojej najstarszej przyjaciółki Kiry, BBBUUUZZZ, która brutalnie mnie porzuciła, żeby kopać studnię w jakimś BBBUUUZZZZ zapomnianym przez Boga kraju bez pierdolonych telefonów i z przesadną liczbą bawołów wodnych BBBUUUZZZ. Jestem kosmicznie zdołowana, a wszyscy są w trakcie podyplomowych odysei BBBUUUZZZ, podczas gdy ja wstrzymuję kolejny szloch i czekam, żeby ten, kto mnie torturuje, zorientował się, że naciska ZŁY GUZIK.

BBBBBBBUUUUUUUUUUZZZZZZZZZ!BBBBBBB UUUUUUUUUUUZZZZZZZZZ! BBBBBBBUUUUUU-UUUUUZZZZZZZZZ!

Kuźwa.

Podnoszę się z futonu, mocniej otulam szlafrokiem i,

ciągnąc za sobą nogi, idę do drzwi przez zwały wysyłanych pro forma listów z odmowami.

BBBBUUUZZZZ!

— Halo? — pytam niepewnie, przytrzymując guzik, krew odpływa mi z głowy.

Szum.

— *Halo!* — krzyczę do ściany.

Trzask. Trzask.

— HAAALLOOO!!!

— To ja. — Szu, szu, trzask, trzask.

— Kto?

— TWÓJ BRAT! WCHODZĘ NA GÓRĘ!

Zaszokowana, mocno wciskam guzik i dodatkowo naciskam parę razy, otwieram rozliczne zamki i wychodzę na korytarz, mrugając pod gołą żarówką. Słyszę, jak Jack pracowicie wspina się na górę, waląc czymś ciężkim o każdy stopień. Wyłania się, czapka Chicago Cubs na pierwszym planie, ciągnąc za sobą staroświecką kanciastą walizę naszej mamy i patrzy mi prosto w oczy.

— Zostałem przysłany na ratunek. — Napina śladowy biceps, po czym opiera się plecami o frontowe drzwi moich sąsiadów, żeby złapać oddech. Unosi czapkę, żeby przeczesać dłonią kasztanową czuprynę.

— Na ratunek?

Jack obrzuca mój stary szlafrok wymownym spojrzeniem, potem unosi brew z niesmakiem.

— Taa. Grace mówi, że utknęłaś.

Wchodząc za nim do środka, wciągam walizkę przez wszystkie „z żalem informujemy", zamykam drzwi i ze wszystkich sił staram się odzyskać choćby ślad godności, stojąc w puchatych kapciach papugach. Ale Jack zdjął już płaszcz, rzucił na bok puste opakowanie po mallomarsach i klapnął na mój futon.

— Masz tam babeczki — mówi, włączając mecz Knicksów.

— Jack! To nie jest bezpieczna dzielnica, w której czternastolatek może się włóczyć samotnie. Tu się roi od ćpunów,

28

alfonsów i... i... akwizytorów. — Klękam, żeby szarpnąć za obłażący złoty zamek błyskawiczny walizki, i znajduję dwie plastikowe miski owsianych ciastek Grace z orzechami pecan, ustawione między moimi trofeami łyżwiarskimi z czasów liceum. Z niedowierzaniem wyciągam zakurzony kostium z *Dwunastej nocy.* — Tego teraz potrzebuję? Pantalonów? — Mama to spakowała. Stwierdziła, że musisz „odświeżyć kontakt z pierwotnymi osiągnięciami", masz tam kartkę. — Znajduję kawałek oderwany z papierowej torby z widocznym na nim czerwonym redaktorskim atramentem Grace: „Ruszaj do dzieła". Wgryzam się w babeczkę, żeby przepchnąć gulę w gardle, przełykam i wybieram numer do domu.

— Kolonia Pisarzy Chatsworth.

— Hej.

— Hej, *chica* — głos mamy przybiera intymny ton. — Mam tylko minutę, ten poeta zamknął się w spiżarni, żeby się „odrodzić". Już prawie pora kolacji, wszyscy robimy się głodni i rozdrażnieni i naprawdę nie sądzę, żebym mogła go zaprosić z powrotem. Czy Jack dotarł?

Spoglądam na Jacka, który skacze po moich skromnych siedmiu kanałach.

— Tak, jakimś cudem nie sprzedali go za crack.

— Nie sądzę, żeby osiągnął wysoką cenę.

— Mówię poważnie.

— Wiem. Mnie nie pozwoliłabyś przyjechać, więc wysłałam emisariusza. Mając czternaście lat, byłam...

— W kibucu. A piętnaście... w Finlandii. Wiem. — Jack udaje, że przykłada sobie do głowy pistolet.

— To ty powinnaś wrócić do Finlandii. Pamiętam, że kiedy miałaś trzy lata, uwielbiałaś zorzę polarną.

— Ty tak twierdzisz.

— Czujesz się lepiej?

— To nie koniec świata — kłamię.

— Wiem. My tutaj to wiemy. — Zamykam oczy, żeby nie widzieć stosu niewykorzystanych podań, nieużywanego kostiumu na rozmowę w sprawie pracy. — Kiedy już zjesz babeczki, chcę, żebyś uczciła wszystkie swoje niesamowite osiągnięcia. Włóż pantalony.

— Jasne, sztuka z dziesiątej klasy jest dokładnie tym doświadczeniem, do którego pragnę się odwołać w mojej karierze zawodowej.

— A potem chcę, żebyś nabrała dystansu. Przeczytaj jeszcze raz początek *Gron gniewu*. Wygląda mi na to, że zaczynasz trochę desperować.

— Ale tu jest jak w *Gronach gniewu*... nikt nie zatrudnia! Konkuruję o bezpłatne staże z doktorami po pięćdziesiątce, którzy przedkładali Kongresowi własne projekty ustaw! Nikt nie siedzi tu dzisiaj i nie modli się, żeby wpadła do niego przez komin jakaś dwudziestoczterolatka z żałośliwym dwuipółletnim doświadczeniem w pracy biurowej.

— Daj spokój, *chica*, ktoś, kto jako pięciolatka prowadził kwitnący interes, biorąc od pisarzy po dziesiątaku za przymiotnik...

— Mamo.

— A kto w piątej klasie zmusił durną radę szkoły do utworzenia w bibliotece działu kobiecej historii...

— Mamo...

— A jako dwunastolatka zaproponował swojej klasie skorzystanie z domowej stodoły, kiedy szkoła baletowa odmówiła nauki nowoczesnych...

— Grace...

— Czy muszę ci przypominać, że te lekcje w dalszym ciągu się odbywają? Obie wiemy, na co cię stać. Kiedy tylko przejdziesz przez próg, z wrażenia spadną im rajstopy... — Przekazany przez telewizję ryk z Madison Square Garden wypełnia moje maleńkie mieszkanie, zagłuszając Grace.

Chwytam zwiniętą w kłębek skarpetkę i trafiam Jacka w głowę. Wzrusza ramionami w niemym „jak chcesz", po czym mecz koszykówki zostaje przyciszony stosownie do przynależnych mu dziewiętnastu cali przekątnej.

— Dzięki, ale nie ma żadnych progów. Nie zapropono-

wano mi ani jednej rozmowy wstępnej. — Opadają mi ręce. — Powinnam była inaczej rozegrać tę sprawę z Doris.
— O nie, panienko May, tam nie wracamy. Od pierwszego dnia chciałaś rzucić tę pracę. Teraz z niej wyleciałaś i możesz się zarejestrować jako bezrobotna. To błogosławieństwo...
— Błogosławieństwo, że poświeciłam osiemnaście miesięcy na badania, które mogą nigdy nie zostać opublikowane? Wygrzebałam każdy najmniejszy ślad strategii informacyjnych od czasów pierwszych sufrażystek! Pojechałam do Smithsonian... za własną kasę! I wszystko będzie miało zerową siłę oddziaływania, kiedy ona wreszcie skończy przerabiać to na jakąś bzdurę, żeby brzmiało jak coś, co mogła sama napisać. Tyle pracy i żadna kobieta z tego, kurwa, nie skorzysta...
— Nie wyrażaj się. G, mam jakieś trzydzieści sekund, więc dorzucę swoje trzy centy. — Widzę ją, jak akcentuje to, co mówi, ruchem czerwonego biga. — Pomyśl o czymś własnym. Jeżeli nie możesz funkcjonować w ramach systemu, rusz własną drogą. Pomyśl o własnej organizacji...
Jej słowa echem rozbrzmiewają mi w głowie.
— O mój Boże. Mamo, robię, co mogę, żeby tylko dostać biurko. Biurko i czek z wypłatą. Chcę tylko odzyskać swoje biurko. Chcę odzyskać swój czek. Chcę odzyskać nawet ten pierdolony zepsuty faks...
— Nie wyrażaj się. Systemowe gadanie.
— Wiem! Świetnie działam w systemie. Lubię system! System i ja jesteśmy tak blisko! — Krzyżuję palce.
— W takim razie wyjdź z łóżka. Daj mi Jacka.
— Teraz ty. — Wyciągam do niego rękę z telefonem.
— Taa, uch-chuch... taa, Mamo, wiem. Dobrze. Tak, lista. Słyszałem cię na stacji. Taa, ciebie też. — Stuka w przycisk rozłączający i upuszcza telefon na futon, obok siebie.
— Oj — mruczę z ustami pełnymi babeczki.
— Kiedy ostatnio zmieniałaś te prześcieradła? — pyta, z niesmakiem unosząc kołdrę.
— Miałeś wtedy jedenaście lat. Chcesz jedną? — wycią-

gam w jego kierunku gwałtownie zmniejszający się zapas ciastek.

— Porzygam się, jeżeli zjem choćby jedno ciastko. Masz jeszcze mallomarsy?

Ruchem ręki każę mu się posunąć i podaję świeżą żółtą paczkę. Siedzimy i ciamkamy, patrząc na salonosypialnio-kuchnioprysznic, dwieście stóp kwadratowych, które w poprzednim wcieleniu były szafą mojej sąsiadki — właścicielki lokum. Jack kładzie się na plecach, czapka baseballowa mu się zsuwa, kiedy obejmuje wzrokiem łuszczącą się farbę, strzępy zwisające z sufitu, kruszące się, nietynkowane cegły i taśmę klejącą, która zapobiega przeciągom.

— Kompletnie wyzbywam się wszelkiej chęci, żeby mieszkać w mieście.

— Jeżeli to jakaś pociecha — sięgam po kolejną babeczkę — ja też się jej wyzbywam.

— Rozważałaś kiedyś pracę dla zysku? — pyta.

— Codziennie, dupku, codziennie.

— Nie wyrażaj się... Więc co powiedziała Grace? — pyta, zlizując czekoladę z palców.

— Chce, żebym założyła własną organizację.

— Chce, żebym założył własną ligę piłki nożnej. — Wzrusza ramionami, podając mi paczkę i zeskakując z łóżka. — Sugeruje genialną taktykę działań pokojowych?

Uśmiecham się, szczęśliwa, że rozmawiam z kimś, kto nie jest obleganą recepcjonistką.

— Ładna. — Stukam lekko w brzeg jego czapki. — Ooch, chyba została mi paczka popcornu.

Jack spogląda na zegarek.

— Nie, nie ma czasu. — Klaszcze w ręce. — Właź pod prysznic. Wychodzimy.

— Wychodzimy? Z domu? — Wpycham resztki babeczki do ust.

— Po prostu wstawaj. — Szarpnięciem zrywa kołdrę i zaczyna zdzierać z łóżka flanelę we wzorek w chmurki, chociaż na niej leżę.

Chwytam za obszyty gumką brzeg naciągniętego prześcieradła.

— Jack...

— G, jestem emisariuszem. Stoi za mną potęga Grace. — Wyrywa mi bawełnę z garści. — Lepiej się poczujesz, kiedy będziesz czysta — dodaje, nieświadomie naśladując mamę.

— Prawdę mówiąc, nie. — Zwijam w kulę prześcieradła, którą ciskam na podłogę. — Lepiej się poczuję, kiedy mnie ktoś zatrudni.

— Ja się lepiej poczuję, kiedy umyjesz zęby.

Wpycham pościel do kosza, montuję wąż do kranu przy kuchennym zlewie, odkręcam gorącą wodę i przysuwam sobie stołek. Jack się odwraca i wciska na oczy czapkę, kiedy ostrożnie gramolę się do starego porcelanowego zlewu, zrzucam szlafrok i zaciągam zawieszoną na kółkach prysznicową zasłonę.

— Czy Grace zaopatrzyła cię w budżet na tę wyprawę ratunkową? Bo mam ochotę na chińskie żarcie.

— Idziemy na targi pracy — woła zza plastiku.

— Co! Nie, nie dziś. Daj spokój, zjedzmy chińskie żarcie i pooglądajmy *Listę Schindlera*. — Gapię się na plastik, z nadzieją, że doczekam się odpowiedzi. — Jack, dostałam dziś rano sześć listów z odmowami. Sześć. A co robią człowiekowi, kiedy zjawia się osobiście? Plują na niego? Nie wiem, czy dam radę. — Namydlam włosy. — No więc gdzie to jest... w gimnazjum? Ze stolikami? Jakiego rodzaju praca?... Jack? — Wystawiam głowę z pianą, żeby zobaczyć, jak z niesmakiem przerzuca moje kompakty.

Bierze do ręki płytę z muzyką z *Chicago* i wywraca oczyma.

— Halo? Jakiego to rodzaju praca?

Macha ogłoszeniem wydartym z gazety, zakreślonym znajomym czerwonym atramentem.

— Po prostu musimy tam pójść. Rzecz dotyczy pracy. Ty potrzebujesz pracy. Ja chcę mieć weekend, więc bierzmy się do tego. Musimy zrobić listę.

— Czego? — Strużka piany spływa mi do oczu i podstawiam głowę z powrotem pod wodę. — Dlaczego?

— Grace — odpowiada zdecydowanie. Wywalam jęzor w stronę odłażącej farby. — Pierwsze: znaleźć pracę — zaczyna. Przez szparę w zasłonie pokazuję mu środkowy palec.

— Drugie?

— Drugie, założyć organizację. Trzecie, założyć firmę. Czwarte, oderwać się od Stanów. Piąte, wyleczyć raka. I, ee, szóste, uwolnić Tybet.

— Szóste, uwolnić Tybet. Załatwione! — Delikatnie spłukuję odżywkę ostatnimi kroplami gorącej wody. — Odwróć się! — Wyłażę ze zlewu, owijam się w ręcznik i poprzez Jacka sięgam po kostium. Rozkłada obszerną książeczkę ze składanki Rolling Stonesów, a ja ubieram się za jego plecami.

— Jak znalazłaś pracę u Dorischcemniezabić?

— Doradztwo zawodowe na uniwerku — mówię, wygładzając rękoma zagniecenia od wieszaka.

— Więc powtórz to.

— Jack, to jak powrót na pole startowe! Gdybym wróciła na uniwerek, przyznałabym, że przez dwa i pół roku zrobiłam zerowe postępy. Nie.

— Świetnie, zatem uwolnić Tybet. — Rzuca kompakt na łóżko i bazgrze na liście: „8, doradztwo zawodowe". Składa kartkę do rozmiaru pudełka zapałek i wsuwa do tylnej kieszeni. — Plan ataku!

Godzinę później wypadamy z miejsca, gdzie za tanie pieniądze robię manikiur; wymachuję palcami ze świeżym lakierem, różowym, Jack wpycha pod pachę moją teczkę ze sztucznej skóry z dokumentami i wskazuje drogę ruchem zakapturzonej głowy.

— Zaraz. Muszę najpierw kupić gumkę do włosów. — Rozglądam się po wąskiej ulicy w poszukiwaniu drogerii.

— Wszystko się skończy, zanim w ogóle tam dotrzemy.

— Jack, nie mogę iść na rozmowę w sprawie pracy z rozpuszczonymi włosami. To nieprofesjonalne, nie robię wrażenia...

— Rusz się.

Na Stanton, usadowione między opuszczonymi zakładami przemysłowymi, gdzie kwitł wyzysk pracowników, zmienionymi na firmy zajmujące się biznesem komputerowym, przekształconymi w zakłady przemysłowe, gdzie kwitnie wyzysk pracowników, znajdujemy wejście, które wygląda jak drzwi do garażu.

— Okej, gdzie jest jakieś bezpieczne miejsce, żebyś mógł zaczekać? — Wyjmuję mu spod pachy swoją teczkę i nerwowo przygładzam włosy, z nadzieją rozglądając się po opustoszałej ulicy w poszukiwaniu otwartej biblioteki.

— Niezła próba. Wchodzę.

— Muszę wyglądać profesjonalnie. Co sobie pomyślą? Że mam nastoletniego wspólnika? Że zaszłam w ciążę w piątej klasie? Nie. Musisz na mnie zaczekać. Może tam? — wskazuję na mrugające światła automatycznej pralni po przeciwnej stronie ulicy. Jack unosi brew. — W porządku — zgadzam się niechętnie. — Ale przynajmniej trzymaj się kilka kroków za mną przy stolikach. Zaczniemy od frontu i przejdziemy do tyłu.

Kierując się pomrukiem dużej ludzkiej grupy, połączonej wspólnym interesem, lokalizujemy wejście, zwykłe zardzewiałe metalowe drzwi, zamontowane w ścianie z falistej blachy. Staram się zdusić złe przeczucia, kiedy razem z Jackiem pchamy drzwi, aż wreszcie się poddają, i wpadamy do hałaśliwego wnętrza magazynu zapchanego dwudziestoparolatkami, przekrzykującymi się, żeby coś słyszeć przez pulsującą muzykę rave. Przekradamy się wzdłuż betonowej ściany, próbując unikać kontaktu z ubranymi w dżinsy i adidasy tuziemcami, odchylając się, żeby nie dotykać ich toreb. Musi tu być z pięćset osób. I ani jednego zarzuconego broszurami stolika w polu widzenia.

Młoda kobieta w obcisłym czerwonym bezrękawniku i dżinsach wychyla się z tłumu ludzi z zarumienionymi twarzami i zachęca:

— Chwytaj remy red! Podłącz się przez Bluelight*! — woła, wskazując na tłum.

— Remy red. Fajnie. — Jack bierze papierowy kubek z przesuwającej się obok tacy i szybko go wychyla. Rzucam mu miażdżące spojrzenie. — G, daj mi swój płaszcz — mówi, wiesza własny ocieplacz bez rękawów na niebezpiecznie przeładowanym wieszaku. Stadko modnie ubranych w ciuchy z Seven kobiet przeciska się między nami, niepewnie kołysząc się na obcasach, podczas gdy wpycham niemodny oficjalny żakiet do płaszcza i oddaję Jackowi. Dokonuję szybkiej oceny sytuacji, rozpinam teczkę i chowam ją za stosem skrzynek, składam dokumenty i wpycham do torebki. Jednocześnie robię przegląd swojego stroju typu „każdy mnie zatrudni, bo budzę zaufanie" pod kątem niezbędnych szybkich zmian.

— Jack, potrzebne mi pięć minut w toalecie. — Ponad morzem głów wskazuję na wypisany sprejem przy schodach znak „toaleta →". — Spotkamy się pod strzałką.

— Jasne. — Salutuje mi pustym kubkiem.

— I przekroczyłeś już swój limit. Mam na ciebie oko. Pokazuje mi palec.

Gnam w dół po chwiejnych schodach do koedukacyjnej łazienki, gdzie rozpinam dwa kolejne guziki w bluzce, pozbywam się pończoch, podwijam spódnicę i wcieram nabłyszczacz Nars pod brwiami i w kości policzkowe. Idę zmyć podkład z palców, walcząc o miejsce przed lustrem z mężczyzną, który ogląda sobie kozią bródkę, i kobietą z różowym błyszczykiem, wycierającą rozmazany po całym dniu tusz do rzęs. Nasze spojrzenia spotykają się w lustrze i dziewczyna z tuszem uśmiecha się niepewnie, ukradkiem spoglądając na mój biust. Jej koszula od Pat Benatar jest przyozdobiona

---

* amerykański dostawca usług internetowych

niebieską naklejką w kształcie latarki. Zerkam na faceta z bródką, który nosi identyczną naklejkę. Odsuwam się, żeby umożliwić osobie za mną dostęp do umywalki, i bezskutecznie rozglądam się za czymś do wytarcia rąk.

— Chyba mamy wieczór suszenia metodą naturalną. — Dziewczyna z tuszem mówi to przesadnie pogodnym tonem.

— Taa — zgadzam się. Pulsująca muzyka przesącza się na schody. Energicznie machamy rękoma, podczas gdy obok nas przeciskają się inni ludzie.

— Więc... — Uśmiecha się wyczekująco, podczas gdy facet z bródką przyłącza się do nas, wymachując dłońmi. — Z kim jesteś?

— Z...?

— Dla kogo zatrudniasz? — Wpatrują się we mnie spojrzeniami palącymi z siłą lasera.

— Och, nie, ja...

— Uch, nie masz naklejki. — Szybko wyciera ręce we własne bojówki. Facet z bródką wywraca oczyma, po czym obraca się na pięcie, żeby odejść. — Naprawdę powinnaś, wiesz. Tu jest pewien *system*. — Podwijam spódnicę jeszcze trochę wyżej, przeciskam się obok kolejki rozgadanych ludzi na schodach i za rogiem wpadam na Jacka.

— Potrzebna ci...

— Naklejka. Wiem.

Teatralnym gestem wskazuje na swój T-shirt.

— Żółta korona, zatrudniający. Niebieska latarka, niezatrudnieni. Białe buźki, obserwatorzy. — Przykleja mi na wysokości serca niebieską latarkę. — To ci wystarczy.

Mija nas facet w spodniach z zakładkami i z niebieską latarką, nieruchomiejąc na widok żółtej korony Jacka, po czym zmieszany przygląda się widniejącej obok latarce i buźce. Robi gwałtowny ruch w przód, a potem w tył i wreszcie skołowany odchodzi, niepewny, czy właśnie nie przewalił sprawy z najmłodszym dyrektorem świata. Jack zwija się ze śmiechu.

— Jack, to nie było miłe — upominam go. — Ludzie tu są wrażliwi...

— JAK LECI, LUDZIE BEZ PRACY?! JAK WAM DZISIAJ?! — Z tłumu wydobywa się głośny wrzask aprobaty, a my wyciągamy szyje, żeby zobaczyć kobietę w czerwonym bezrękawniku, która usiłuje złapać równowagę, jedną ręką opierając się o ścianę; z mikrofonem w drugiej dłoni chwieje się na blacie barowego stolika.

— JAK LECI, DEBBIE?! — Mężczyzna obok układa dłonie w trąbkę i ryczy mi do ucha.

Z dziewczyny uchodzi powietrze, chichocze z zakłopotaniem, po czym stuka pałeczką, posyłając odgłos sprzężenia w rozjaśnione dyskotekowymi światłami powietrze.

— Czy wszyscy mnie słyszą? — Ludzie klaszczą. — Super! — Szczerzy zęby w uśmiechu. — Okej, no więc dzięki, że wszyscy przyszliście, bo w ten sposób mamy dziś największe wydarzenie roku, obsługiwane przez Blue Light! A to dopiero styczeń! Na terenie miasta mamy już ponad dziesięć tysięcy członków i rozwijamy się skokowo. Co-dzien-nie. — Wysuwa biodro jak przy jeździe na nartach, niepohamowane podniecenie sprawia, że napina mięśnie, jakby szusowała w dół. — I wielkie brawa dla Remy Red za sponsoring spotkania w tym tygodniu! Nie ruszylibyśmy z miejsca bez sponsorów napojów. Nie możemy się doczekać, żeby w przyszłym tygodniu spróbować smaku marakui, a w przyszłym miesiącu awokado guava! I specjalne podziękowania dla osób rekrutujących, które dzisiaj przyszły! — Tłum kręci głowami, szukając pożądanych żółtych naklejek. — Wszyscy cieszymy się z zeszłotygodniowego sukcesu, Wendy Finn znalazła pracę. Jeżeli chcecie wpaść do Dean and Deluca w niedziele albo wtorki, Wendy z przyjemnością zaoferuje każdemu z niebieską latarką darmową dolewkę herbaty. Prosiła mnie tylko o podkreślenie, że chodzi wyłącznie o herbatę, nie kawę. I nie przeoczcie wzmianki o nas w artykule z okładki w „Time Out New York", *Bezrobotni i szczęśliwi!* Dzięki, „Time Out"! I pamiętajcie, jesteście wszyscy gośćmi Blue Ligt! A teraz jeszcze tylko czterdzieści minut w niebieskiej strefie, więc do dzieła!

W tym momencie natężenie muzyki osiąga poziom uciążliwości, ktoś coś przełącza i znikają wszystkie różnice głębi i koloru, zostawiając salę w powodzi fosforescencji, gdzieniegdzie zaakcentowanej oślepiającą bielą.

— Świetnie, ultrafiolet. Szukam pracy na zabawie dla siódmej klasy.

— Świetne — mówi Jack, jego zęby emitują światło, wszystkie pyłki kurzu na bluzie stoją dęba jak naelektryzowane ziarenka ryżu. Idę za jego spojrzeniem, które przykuł lśniący stanik dziewczyny po naszej lewej. Dziewczyna zaciska ręce na nagle przezroczystej bluzce i zmierza prosto do wieszaka na płaszcze. — Sprawdzę, ilu nieszczęśników będzie mnie błagać, żebym wziął od nich wizytówki. Zostawiam cię samą.

— Nie wychodź z nikim i niczego nie pij.

Kiwając głową, Jack znika w tłumie.

Wszędzie dookoła naklejki z niebieskimi latarkami emitują niebieskie neonowe promienie, gdy ludzie krążą po sali w poszukiwaniu korony. Przepycham się do długiej kolejki po darmowego drinka.

— Och, Trzydziesta Czwarta Ulica jest najlepsza. — Kobieta przede mną dotyka ramienia przyjaciółki, przyodzianego w pulsującą flagę Wielkiej Brytanii, żeby podkreślić swoje zdanie. — Mają kanapy i bezprzewodowe łącza. I zdecydowanie przymkną oko, jeżeli przyniesiesz własną kanapkę. Powinnyśmy się tam spotkać. Poważnie myślę, żebyśmy zaczęły biznes z porządkowaniem szaf.

— Wciąż mnie kręci ten pomysł z książką... twój szef był takim samym dupkiem jak mój.

— Możemy zdecydować w poniedziałek. Co powiesz na dziesiątą?

— Oj, będzie trudno. Zwykle miałam tę godzinę między *Today* a *The View* wolną, ale nie mogę przegapić *Ellen*.

— Ha. — Entuzjastka Starbucks starannie bada swojego palmtopa.

— Możemy obejrzeć to u ciebie i popracowałybyśmy podczas reklam — proponuje fanka *Ellen*.

— Nie da rady. Właśnie sprzedałam telewizor, przez eBay.

— Dostałam trzy setki za wszystkie sukienki dla druhen, ale nie mogę zrezygnować z telewizora.

— Ja oglądam na siłowni. Dwa, poproszę. — Palcami, w których nie trzyma papierosa, pokazuje barmanowi zamówienie. — Dział personalny nie skasował mi członkostwa, i to już gdzieś tak z rok. — Przekazuje kubek, ale dalej jak przyrośnięte stoją mi na drodze.

— Wiesz, w zeszłym tygodniu natknęłam się na kobietę, która sprzedaje na eBay własną używaną bieliznę... dostaje ponad stówę za parę. Tak się robi prawdziwe pieniądze.

Wyciągają szyje.

— Widzisz jakieś milutkie „buźki"?

Dokonując wyceny swojego nędznego stanu posiadania pod kątem możliwości sprzedaży — brytfanka, do której nie mam piekarnika, zużyty laptop, który ze skwierczeniem poniósł brzydką śmierć, toster bez rączki — przeciskam się obok nich, żeby chwycić w garść papierowy kubek z alkoholem. Jack wyskakuje z tłumu w pobliżu i nad głowami oklejonych nalepkami macha pełną garścią wizytówek. Zdopingowana w ten sposób wychylam darmowy alkohol, wypuszczam powietrze i energicznie rzucam się w ludzki rój, patrząc na biust każdego przechodzącego człowieka. Po okrążeniu całej sali zatrzymuję się przy facecie o potężnym karku, z klapami bez naklejek, żeby zorientować się w położeniu. Wymieniamy uśmiechy i rozchyla w moim kierunku skórzana marynarkę, odsłaniając koronę w głębi.

— Cześć!

— Jak leci? — pyta, przekładając papierowy kubek, żeby uścisnąć mi rękę. — Produkujesz?

— Tak — mówię z przekonaniem, przerzucając włosy przez ramię.

— Doprawdy. W jakim zakresie działasz?

— Różnie. Na wielką skalę, na małą skalę. Właśnie zakończyłam przygotowania do gigantycznej imprezy w Ohio... na skalę krajową. No wiesz.

— Świetnie. — Kiwa głową, ultrafiolet rozświetla mu przez skórę wybielone zęby, tworząc dwa makabryczne paski. — Szukamy ludzi z doświadczeniem we wdrażaniu systemów. — Wręcza mi broszurę wyjętą z kieszeni na piersi. Kątem oka zauważam rysunek satelity.

— Uwielbiam systemy. Taa, musiałam złożyć do kupy niezły system, by ta impreza w Ohio gładko poszła.

Nachyla się, żeby przebić się przez muzykę, otacza mnie jego przesiąknięty remy oddech.

— A jakie masz podejście do Sun? Czy wolisz Microsoft?

— Hm... Właściwie to jestem tradycjonalistką. Rozumiesz, listy spraw do załatwienia, fiszki, skoroszyty. Ale systemy są naprawdę ważne. Boże, po prostu takie... ważne. Ten system produkcyjny, który ustawiłam na potrzeby naszych materiałów w Ohio... — Wygląda, jakby stracił wątek. Zmieniam bieg. — Nie mam nic przeciw, w każdym razie. Pełna swoboda. Super.

Ta jes.

Ponad moją głową obserwuje salę w poszukiwaniu bardziej soczystych pastwisk. Z nadzieją unoszę broszurę.

— Zadzwonię do ciebie.

— Jasne — mówi. Już mnie minął, z trzaskiem zapina marynarkę.

— To kutas. — Odwracam się, żeby stanąć twarzą w twarz z otwarcie „ukoronowaną" bawełną, włosy na brylantynę i spodnie w wojskowym stylu mówią, że świeżo po trzydziestce. — Zjawia się tu tylko po to, żeby podrywać kobiety.

— A, dobrze wiedzieć. Czy to się udziela? To mój pierwszy raz.

— Nasz trzeci. — Nieproszone wpychają się dwie kobiety. — Ale dzisiaj jest o niebo lepiej niż ostatnio, prawda? — Szczerzą zęby w uśmiechach, a ja sięgam po przypominający syrop napój z podawanej nad naszymi głowami tacy.

— Sam byłem tylko na paru — wyznaje nasz rozmówca. Przysuwamy się bliżej, żeby słyszeć go przez hałas, i do naszej grupki dołączają dwie kolejne kobiety. — W każdym razie jestem Guy. — Niebieskie oczy uśmiechają się ciepło. — I naprawdę szukam pracowników.

Głośna reakcja ze strony kobiet.

— Naprawdę szukająca pracodawcy, do usług. — Moja ręka tnie przestrzeń jak nóż, ujmując jego dłoń i wykonując solenny uścisk.

— A jakiego rodzaju pracy szukasz?

Oknapranietoaleta*cokolwiek*.

— Ostatnie kilka lat pracowałam w sektorze non profit, ale myślę o zmianie statusu.

— Ja też, z bezrobotnej na zatrudnioną — ruda parska śmiechem. — Wszystkie pracowałyśmy dla Priceline*. — Zgodnie kiwają głowami.

— Jak długo? — pyta Guy, podnosząc kubek do ust, a my wszystkie nachylamy się kolejny cal mocniej, tworząc dźwiękoszczelną barierę dla ogłuszającego ryku Prodigy, których kawałek pulsuje wokół nas.

— Od skończenia szkoły. Było cudownie. — Wzdychają. — Straciłyśmy pracę wskutek grupowego zwolnienia personelu.

— Taa. Świetna sprawa. W każdym razie — mówię — chcę nabrać doświadczenia w sektorze prywatnym i ostatecznie spożytkować je dla tych, którzy najbardziej z tego skorzystają w sektorze publicznym.

— O? A kim są ci oni? — Guy odwraca się, żeby postawić pusty kubek na pobliskiej tacy. — Zniżki na bilety pewnie były chore — kieruje słowa do oddziału Priceline, na wstępie ucinając moją odpowiedź. Grupka niebieskich latarek, które najwyraźniej korzystają z tej okazji, żeby dać upust frustracji, robiąc zadymę, obija się o nas, zostawiając za sobą ślad w postaci poturbowanych ofiar.

---

* sieć sprzedająca bilety lotnicze i wycieczki

— Tak — mówię, gdy wykonujemy zbiorowy unik — więc dotychczas skupiałam swoje wysiłki na organizacjach feministycznych...

— *Smack my bitch up!** — „podśpiewuje" mi do ucha młody facet, zwalając z nóg jedną z uczestniczek pogo.

— ...ale zdecydowanie zamierzam się przebranżowić. Wyciągam rękę do kobiety, która upadła i teraz gramoli się, żeby wstać.

— *Smack my bitch up!* — Skokiem zrywa się na równe nogi, ramiona uniesione, jeszcze mocniej zderza się z tym, który ją wywrócił.

Guy, którego nikt nie potrącił, pogrąża się w myślach.

— Feministka. Świetnie. — Sięga po wizytówki do kieszeni na piersi. — Panie, Moja Firma. — „O" w „moja" tworzy żeński symbol. Łapczywie bierzemy po jednej. — Miło było poznać. — Wykrzywia usta w magnetycznym uśmiechu pożegnalnym. — Ale muszę porozdawać trochę wizytówek. — Oddala się na odległość mniej więcej trzech stóp i zostaje wchłonięty przez kolejne stado Latarek.

Pół godziny później, kiedy bezwstydnie się prostytuuję, żeby przedstawić w kreatywny sposób dwa i pół roku robienia odbitek na ksero i stawania się osobą bez biurka, ultrafiolet zostaje wyłączony i wszyscy, z zębami, które odzyskały naturalny kolor kości słoniowej, mrugają we fluorescencyjnym świetle.

Staję na palcach, szukając Jacka, i na wprost trafiam na parę zielonych oczu pod kręconymi blond włosami.

— Przepraszam, nie widziałeś czternastolatka, który usiłuje wyłudzać od ludzi służbowe wizytówki?

Spogląda dokładnie ponad moją głową.

— Mniej więcej takiego wzrostu? W bluzie Wesleyan?

— Aha.

---

* utwór Prodigy z albumu Fat of the Land, 1997

Prezentuje uśmiech Dennisa Quaida.

— Nie. Nigdy go nie widziałem.

Podążam wzrokiem za jego wyciągniętym palcem do miejsca, gdzie Jack rozmawia z didżejem.

— Dzięki.

— Proszę. — Przyglądamy się sobie z uśmiechem, zmarszczki wokół jego cudownych oczu wywołują mrowienie. — Cześć — mówi.

— Cześć.

— Zatem — zauważa, zerkając na moją naklejkę na wysokości serca — Latareczka z ciebie.

— Tak. — Unoszę brwi, udając pełnego entuzjazmu poszukiwacza pracy mimo braku nalepki na jego piersi. — Zatrudniasz?

— Niee, przyszedłem, żeby dać wsparcie moralne. — Wolną rękę wsuwa do kieszeni dieseli, prostuje zgarbione ramiona. — Mojego współlokatora dwa razy wylali z pracy w tym roku, więc...

— Żartujesz. — Resztka pogującej grupy popycha mnie na niego, on wyciąga ramię, żeby pomóc mi zachować równowagę, i przytrzymuje dłoń na mojej pupie, nerwowo pociągając łyk remy. Znad drinka spogląda mi w oczy. — Co mówiłeś? — pytam, rumieniąc się.

— Przepraszam?

— Twój współlokator?

— Tak, Luke. — Nachyla się, ciepły oddech łaskocze mnie w ucho. — Przynosi każdej firmie pocałunek śmierci. Chcesz popłynąć, zatrudnij Luke'a.

— Cóż. — Wyślizguję się i uśmiecham do niego. — Masa firm tylko czeka, żeby popłynąć. Stanowczo powinien podkreślić tę cechę w papierach.

Wybucha śmiechem. I *do tego* jest zabawna.

— I jak, jakieś obiecujące tropy?

— Właściwie nie. A twojemu przyjacielowi się poszczęściło?

— Może. Wyszedł z młodą damą zalaną w cztery dupy.

Urocze.

— Chodźmy, robi się nudno. — Jack potrząsa moim ramieniem. — Idziemy.

Z kieszeni bluzy wyciąga dwie pełne garście wizytówek i wpycha je do mojej torebki.

Zielonooki chrząka.

— W którą stronę idziecie? — pyta.

— Thompson Square Park — ochoczo oświadcza Jack, zawiązując sznurki i ściągając kaptur do rozmiarów sakiewki.

— Spotykam się z przyjaciółmi w Slipper Room. Mogę was odprowadzić — proponuje niepewnie. — Albo nie. To znaczy, nie chcę się narzucać czy...eee... czy coś — jąka się.

— Ee, okej — zgadzam się.

— Okej — stwierdza.

— Okej, wszystko jedno. Idziemy! — Jack wysuwa twarz z głębin kaptura.

Kluczymy wśród tłumu w kierunku wyjścia. Zatrzymujemy się w miejscu, gdzie wywróciły się wieszaki, zostawiając na zalanej podłodze kupę czarnej wełny.

— Cholera — mruczę, spodziewając się wizyty w pralni chemicznej, na co mnie nie stać.

Zielonooki kuca wśród rozzłoszczonych Błękitnych Latarek i z wyraźną przyjemnością zaczyna grzebać w mokrych ciuchach.

— Najważniejsze to sprawdzić kieszenie. W zeszłym roku wróciłem z B-bar i w domu zorientowałem się, że mam na sobie kurtkę jakiejś dziewczyny.

— I co było dalej? — pyta Jack.

— Miała w kieszeni komórkę, więc ją wytropiłem...

A teraz jest twoją narzeczoną, świetna historia...

— ...ale swojej kurtki narciarskiej nigdy więcej nie widziałem.

— Mnie to nie dotyczy. Nikt inny nie ma różowej kurtki na kołeczki.

— Różowej?

— Taa, różowej — potwierdza Jack, wkładając odzyskany bezrękawnik.

— Tej? — Zielonooki wpycha rękę w stos aż po łokieć i wyciąga na powierzchnię wełnę w kolorze piwonii.

— Dzięki — mówię.

— Teraz możesz mnie zapamiętać jako chłopaka, który odzyskał twój płaszcz.

— Nie jestem zalana w cztery dupy, więc powinno zadziałać. Czerwienieją mu policzki.

— Auu.

— Taa. Raczej irytujące.

— Pozowałem na cwaniaczka. Niezbyt atrakcyjne, co? Wzruszam ramionami.

— Niezbyt.

— Aha! — Wstaje, jedną ręką zwycięskim gestem podnosi czarną bosmankę, a drugą wyciąga z kieszeni kartkę. — Pokażcie mi innego faceta, który będzie miał ulotkę Różowego Paznokietka!

— Czy odważę się zapytać o powód? — Wkładam lekko wilgotny płaszcz, lepka plama z czerwonego remy upamiętnia poszukiwanie pracy, zasłaniając plamę z kawy po poprzedniej posadzie.

— Nie umiem odmówić przyjęcia ulotki. — Teraz naprawdę mnie zauroczył.

Gdy z szuraniem wychodzimy z tłumem na autentyczny mróz, z miejsca żałuję, że pozbyłam się rajstop.

— Jak się nazywasz? — Jack ciężkim krokiem idzie między nami, żując wiązadło.

— Buster — odpowiada, wyciągając z kieszeni wełnianą czapkę, gdy zgodnie idziemy obok stosów zamarzniętych worków ze śmieciami. — A ty?

— Jack. — Wiązadło wypada mu z ust. — Jak Kerouac. Brat G. Jak leci? — Wyjmuje rękę z kieszeni bezrękawnika i szybko potrząsa dłonią Bustera.

Buster zatrzymuje się na chwilę, żeby wyciągnąć rękę do mnie.

— Miło mi cię poznać, G.

Z uśmiechem wsuwam rękawiczkę w jego uścisk, przez warstwy wełny i skóry emanuje ciepło.

— YGames — Jack zauważa naszywkę na czapce Bustera.

— Taa. — Buster puszcza moją rękę i podejmujemy marsz. — Projektuję dla nich. Grałeś w Zarcon?

— Żartujesz? — Jack usiłuje ukryć podziw. — Hej, jak się przechodzi na poziom ósmy?

— Maczuga w trzeciej komnacie. Za androidem.

— Ja pierdzielę, co za czad. Co za odjazd, że, no wiesz... wiesz.

— Sam ją tam umieściłem.

Moja kolej...

— Pięćdziesiąt dolców za androida, za którym czeka praca.

Buster wybucha śmiechem.

— Za żywą gotówkę zobaczę, co się da zrobić. Tu wysiadam — mówi, gdy docieramy do ulicy nie wiadomo czemu noszącej nazwę Sadowej. Przed nędznymi barami właśnie ustawiają się kolejki. W blasku migających świateł ze Slipper Room Buster okręca się wokół własnej osi. — Hej, a może wejdziecie się zagrać? W piątki urządzają pokaz retro, to dobry moment. I dają zabójczy grog.

Waham się, bo nie byłam na randce z Jackiem od czasu domku na plaży w Misquamicut. Ale śliczne czoło Bustera marszczy się prosząco, a zza jego pleców pobłyskuje wnętrze stylizowane na lata osiemdziesiąte, odświeżająca odmiana po wcześniejszej imprezie w spelunie.

— Może po gorącym grogu.

— Nareszcie jakieś prawdziwe nocne życie — mruczy Jack na użytek Bustera i stajemy w szybko przesuwającej się kolejce kobiet o platynowych i hebanowych włosach. Owijają się futrami vintage i przytupują wojskowymi butami, żeby podtrzymać krążenie, gdy zbijamy się w stadko przy parującym wylocie ciepłego powietrza.

Na początku kolejki pokazuję swoje prawo jazdy z Connecticut i bramkarz kiwa głową.

— Dzieciak nie wchodzi.

— Jest ze mną, Al — mówi Buster, wymieniając powitalne stuknięcie kostkami o kostki.

Na to potwierdzenie statusu naszego towarzysza Jack szeroko otwiera oczy, a Al machnięciem wpuszcza nas do hałaśliwej, ciepłej i ciemnej sali w złotej tonacji. Nad głowami przemieszczającego się tłumu brzęczy Scott Joplin, a na scenie, przyjemna dla oka w swej pulchnej odmienności, stepuje młoda kobieta w falbaniastym staniku i szortach. Na podłodze leży marynarski strój, który sugeruje, co się działo w pierwszej części występu. Idziemy za Busterem przemykającym obok ustawionych na planie koła winylowych lóż, ozdobionych błyszczącymi zdjęciami zapomnianych gwiazdek filmowych.

— Moich przyjaciół jeszcze nie ma. — Miękkie wargi muskają moje ucho. — Po prostu znajdźmy miejsce. — Odsuwa dla nas krzesła przy małym okrągłym stoliku i zamawia dwa grogi oraz cydr. W tym czasie Jack i ja odwracamy się do sceny, stopami wystukując synkopowany rytm. Gdy rozbrzmiewają ostatnie takty *The Entertainer*, tancerka robi szpagat, unosząc ramiona nad głową.

Nachylam się do Bustera, który szeroko uśmiecha się na widok współczesnej Shirley Temple.

— Dzięki, że nas zaprosiłeś.

— Dzięki, że przyszliście. — Ściska mnie za rękę.

— Słyszałam o tym pokazie, ale nie miałam pojęcia, że jest taki uroczy.

— Postanowili wskrzesić burleskę — stwierdza, zdejmując rękę z mojej dłoni, żeby odebrać od kelnerki nasze parujące drinki. Zaczyna się następny akt, kolana z dołeczkami kręcą się w charlestonie w wirującej chmurze wstążek.

Przez godzinę nad zniszczonymi deskami podłogi fruwają boa z piór, karty do gry i pastelowe baloniki, a mnie podtrzymuje przy życiu przyjemnie odurzający strumień gorącej brandy. Pomiędzy występami na scenę wskakuje facet w garniturze w stylu lat czterdziestych i w fedorze.

— Dziękujemy, Cindy! — Ludzie klaszczą od serca, Cindy wystawia loczki zza kurtyny, żeby pomachać na pożegnanie, a Jack kładzie głowę na stoliku i znudzony wzdycha.

— Co jest? — nachylam się do niego. Opiera czoło o obrus, żeby na mnie spojrzeć i wywraca oczyma.

— Nie mów, że ci się nie podoba — odzywa się Buster. Jack prostuje się gwałtownie, udając entuzjazm.

— Cóż, mnie się podoba — mówię. Buster kładzie rękę na oparciu mojego krzesła, a dłoń na moim ramieniu; opieram się o niego, jakbyśmy od lat byli parą.

— Panie i panowie — facet w garniturze ponownie zajmuje środek sceny. — A teraz... gwiazda naszego show... Proszę o oklaski dla damy, której nie muszę przedstawiać... rozkosznej Rosie La Boom. — Z głośników wydobywa się klasyczna pościelówa, a na scenę wkracza kolejna gwiazda, sylwetka w kształcie przerysowanej klepsydry, nieruchome silikony, ciasno opięte ozdobionym cekinami bikini. Zdecydowanie przenieśliśmy się w rejony inne niż te, z których pochodziły jej słodkie poprzedniczki. Gdy Rosie wykonuje ukłon, Jack siada prosto jak strzała.

W rytm muzyki zdejmuje top, przymocowane do sutków frędzle kreślą ósemki.

Dojmująco świadoma dotyku Bustera, patrzę na Jacka, którego kompletnie zahipnotyzowały duże, niemal odsłonięte piersi przed nami. Odwracam się do Bustera, zerka na mnie z ukosa, jakby oceniał moją reakcję, której jeszcze nie ujawniłam. *Bum-czika-bum-czika.* Szybkim ruchem Rosie zrywa z wychudzonych pośladków stringi i rzuca w powietrze, w kierunku naszego stolika. Jack wyciąga rękę, jakbyśmy byli na stadionie Yankee.

— Wiesz — mówię, blokując jego ruch, podczas gdy ona swobodnie rozkłada ręce i nogi, prezentując niczym nieosłonięty efekt starannego woskowania. Cekiny spadają na stół nietknięte. — Jack jest chyba trochę zmęczony.

— Co?

— Jesteś zmęczony. — Kopię Jacka pod stołem. — Przepraszam, nie zauważyłam, jak się zrobiło późno.

Buster podciąga rękaw, żeby spojrzeć na zegarek i wzrusza ramionami.

— Okej... chyba was odprowadzę.

— Dzięki— uśmiecham się nerwowo, popychając przed sobą Jacka, który wykręca głowę, oczy ma utkwione między rozłożonymi pośladkami Rosie.

Wychodzimy, ciągnąc za sobą nogi, Buster podąża za nami. Teraz ja próbuję ocenić jego reakcję.

— Mam cię! — Tuż przed wyjściem jakiś facet w wojskowej kurtce blokuje nam drogę, opierając się o mnie, żeby stuknąć się kostkami z Busterem. — Facet, godzinę czekaliśmy w kolejce, ale wygląda, że trafiliśmy na dobry moment. — Odwraca się w stronę sceny, gdzie Rosie znów się pochyla, jej nos po operacji plastycznej widoczny jest między umięśnionymi łydkami.

— G, to mój kolega Sam. Sam, to jest G.

Sam kiwa głową, nie odrywając oczu od sceny. Między nami przepycha się kelnerka z tacą załadowaną parującymi kubkami.

Do naszej grupki dobija młoda kobieta, chuchająca w czerwone ręce. Ponieważ uwaga Sama skupiona jest gdzie indziej, Buster dokonuje prezentacji.

— G, to Camille, narzeczona Sama.

— Hej. Oooch.. jest Rosie! Uwielbiam ją, kurwa. — Camille lekko kręci biodrami do rytmu.

— Mamy stolik. — Buster wskazuje miejsca, które właśnie opuściliśmy. Camille unosi kciuki w geście aprobaty i małymi kroczkami przesuwa się na bok, żeby mieć cipkę Rosie na wysokości oczu.

— Miło cię poznać — mówię do Sama, którego narzeczona pewnie świetnie zna się na futbolu, czemu publicznie daje wyraz, pali papierosy i dokopuje mu podczas gry w Zarcon. Czuję się znacznie gorzej niż „zdołowana", wypy-

50

cham w końcu Jacka za drzwi i Buster wychodzi z nami, opuszczając rękawy koszuli, żeby ochronić się przed zimnem.

— Mam nadzieję, że było w porzo.

— Jasne, absolutnie. Absolutnie w porzo. — Kiwam głową jak na sprężynie. — Po prostu Jack jest wykończony, więc...

— Nic mi nie jest.

— Właściwie to ja jestem wykończona. Biegałam rano, pięć mil. A potem kupowałam bieliznę... wiesz, takie zakupy raz w miesiącu, dla rozluźnienia.

— Gdzie biegasz?

— Byle gdzie.

— Sam i Camille są naprawdę niesamowici. Może następnym razem? — Drżąc, Buster wbija ręce głęboko w kieszenie.

— Jasne, koniecznie.

— Co jeszcze robisz w ten weekend?

— Pewnie głównie posiedzę w Kinko's — odpowiadam, chowając brodę w szalik i pocierając o siebie gołe łydki, żeby je rozgrzać.

— Hej! — Buster wskazuje na plakat Rosie reklamujący „Brunch z burleską z okazji Dnia Martina Luthera Kinga". — Moglibyśmy się spotkać na brunchu. YGames ma wolne.

— O, świetnie! Jasne, bardzo chętnie. Ale. — Wciągam powietrze przez zaciśnięte zęby, wypuszczam porcję rozczarowania, w pośpiechu staram się wymyślić jakąś wymówkę, żeby uniknąć dzielenia się wspomnieniami z dzieciństwa nad stringami i płatkami śniadaniowymi.

— Jedzie do centrum doradztwa zawodowego. — Jack kolejny raz posługuje się planem Grace.

— Jadę.

— A jak się tam dostaniesz?

— Pociągiem. Muszę odwieźć Jacka do domu na trening pływacki, a stamtąd to już krótka przejażdżka autobusem...

— Hej, mam samochód. Absolutnie mogę cię podwieźć.

Znam takie świetne miejsce z małżami w Bridgeport. Moglibyśmy wpaść tam na lunch w drodze powrotnej.

— To bardzo miłe, ale pociąg jest naprawdę...

— Ohydny — wtrąca Jack.

— W takim razie was podwiozę. — Mam przelotną wizję powrotnej podróży bez Jacka; nasze splecione ciała namiętnie wiją się w jakimś uroczym nadmorskim motelu; moje okaleczone zwłoki podskakują w jego bagażniku.

— Okej, świetnie. — Seks wygrywa.

— Super. Gdzie mieszkasz?

— Siódma Wschodnia czterysta sześć.

— Super. — Kiwa głową.

— Zapiszę ci. — Grzebię w torebce w poszukiwaniu pióra.

— Nie, zapamiętam. — Buster znów uśmiecha się przesympatycznie. — Siódma Wschodnia czterysta sześć. Więc do zobaczenia o...

— Jack musi być na treningu o...

— Pierwszej — rozlega się głos Jacka, stłumiony przez ciasno zawiązany polar.

— Więc o dziewiątej? — pyta Buster.

— Świetnie! Rany, dzięki.

— Okej, to udanego wieczoru. J, pracujemy teraz nad grą, którą przydałoby się przetestować. Może ty i twoi kumple bylibyście zainteresowani? — Jack bez słowa kiwa głową. Buster stuka obcasami, wykonuje lekki ukłon. — G?

— B.

— Do zobaczenia w poniedziałek o dziewiątej. — Salutuje.

Jack przygląda się, jak Buster wraca do knajpy. Gdy otwiera drzwi, słychać jęk saksofonu.

— Niewiarygodne. Nie-wiary-kurwa-godne.

— Hej, nie wyrażaj się — mruczę, niechętnie odwracając spojrzenie.

Rozdział 3

Zrób lemoniadę, do cholery!

— *Nie. Wiary. Kurwa. Godne.* — Kiwam się na obcasach, żeby się rozgrzać, gdy tymczasem mój zegarek wskazuje dziesiątą trzydzieści, oficjalnie potwierdzając półtoragodzinne czekanie na siarczystym mrozie. Jestem wściekła. Potwornie wściekła.

— Nie wyrażaj się — Jack woła do mnie z miejsca, gdzie siedzi na własnej torbie, wsuwając parującego pieroga.

— Wstawaj.

— Hej.

— Jack, przestań, musimy się ruszyć, bo przegapisz trening...

Wstaje i wpycha do ust resztki przekąski.

— To nie moja wina, że Game Boy zaspał, więc nie bądź...

— Ej! — Piorunuję wzrokiem pojedyncze włoski nad jego górną wargą. — Nawet nie próbuj... nawet nie mogę... po prostu weźmy taksówkę. — Zarzuca torbę na ramię i rusza za mną. Gnam przez aleję A, co chwila wychylając się na ulicę, żeby zatrzymać taksówkę. — Okej. Okej. Plus całej sytuacji, który to sposób widzenia pożyczę sobie od naszej matki, wyznającej zasadę: „ulewa? świetnie, oszczędzisz na praniu", jest taki, że się przekonasz, zobaczysz, jak to jest... jakie to uczucie... kiedy jakiś facet pakuje ci się w życiorys tanecznym krokiem i mówi: „Jasne! Pewnie! Podwiozę cię

53

dokądś! Zjemy małże! Pooglądamy striptiz!", okraszając to stwierdzeniem: „O, mam ulotkę manikiurzystki". Czy to oryginalne, Jack? Ja mam jakieś trzydzieści ulotek z dwóch zawsze tych samych chińskich restauracji. Czy to mi dodaje uroku? Co, Jack? — Ciskam jego torbę na tylne siedzenie taksówki, która podjechała w bryzgach śniegowego błota. — Wsiadaj... Grand Central... a potem po prostu się nie zjawia! Bo nie chcesz być takim człowiekiem, Jack. Nie chcesz, żeby ludzie czekali na ciebie na rogu o dziewiątej rano i czuli się odtrąceni, kiedy na dworze jest MINUS SIEDEM! — Sapię, z oburzeniem krzyżuję ramiona, podczas gdy suniemy do centrum, a na szybach zamarza brud cywilizacji. Przy dworcu gwałtownie otwieram drzwi, szarpnięciem budzę Jacka i rzucam kierowcy cenny banknot. — Mogę dostać dziesięć reszty? I nie prosiliśmy go. Nie można powiedzieć, że emanowałam chęcią skorzystania z podwózki. Więc to lekcja z cyklu „Zastanów się, co obiecujesz". Jeżeli powiesz kobiecie, że może wystąpić na konferencji, to pozwól jej wystąpić. Nie możesz obiecywać przejażdżki, a potem kazać jej kserować dokumenty, Jack. Trzeba doprowadzać sprawy do końca. Wychowaj dziecko poza systemem, i wiesz, czego nie będzie umiało? Stworzyć własnego systemu. Bo frędzle na sutkach to nie sztuka. — Znajdujemy pociąg. — To miejsce z przodu...

— Odjazd!

— Tak nie można traktować ludzi — rzucam ostatnią myśl, kiedy drzwi się zamykają.

Jack niechętnie wyciąga lekcje do odrobienia, głowa ciężko opada mu na szare okno. Efektywnie wykorzystuję to, że niepotrzebnie się wystroiłam, pożyczam komórkę od siedzącego naprzeciw biznesmena i załatwiam odebranie nas ze stacji, po czym udaję drzemkę, żeby uniknąć jego powłóczystych spojrzeń. Oczywiście, jak każe zwyczaj, w zamian za elektroniczną uprzejmość zabawię pana. Gdy wtaczamy się na Watrebury, Robertsowie, jedni z wielu na liście „wsparcie" autorstwa Grace, czekają na nas w swoim kombi. Wycieraczki rytmicznie odgarniają śnieg z deszczem.

— Hej! — Przyjaciel Jacka, Xander, macha z samochodu. W puchatej żółtej kurtce wygląda jak hiphopowa papużka. — Znalazłeś jej pracę?

— Niee, to zajmie więcej niż jeden weekend...

— Bardzo dziękuję za podwiezienie — zwracam się do pani Roberts, ignorując depresyjnie wnikliwą obserwację Jacka. — Mama miała spotkanie z członkami rady, więc...

— Nie ma sprawy. Moja opiekunka do dzieci ma grypę, więc dzisiaj szoferuję. Dobra, Xan — mówi do wstecznego lusterka — po treningu tata was odbierze... Jeżeli się spóźni, czekajcie pod wiatą. Potem wszyscy zajedziecie do Changów i zabierzecie Janie; na kolację jest pizza, przypomnij tacie, żeby ją odebrał i że Jack ma uczulenie na paprykę. A, i odbiorę wasze nowe mundurki po drodze do domu. — W bocznym lusterku obserwuję, jak Jack i Xan potakują. Grace zawsze polegała na rodzicielskiej życzliwości obcych.

Kiedy podjeżdżamy pod salę, chłopcy gramolą się jeden przez drugiego, żeby dołączyć do kumpli, którzy z zatrzymujących się samochodów gnają pod osłonę betonowej wiaty. Jack prawie zwiewa bez należnych mi uścisków.

— Mm, przepraszam? — Łapię go. — Chodź no tu — wychylam się przez okno, mokry śnieg pada mi na włosy, a ja ściskam go mocno.

— Dobra, tulisz mocniej niż Grace.

— Zamknij się. I nie przejmuj się — mamroczę mu we włosy. — Nie daj się jej doprowadzić do szału.

Odsuwa się i szczerzy zęby w uśmiechu.

— Dasz sobie radę, G.

Kiwam głową, przygryzając policzek od środka.

— Wiem.

Oddala się, aż w końcu trzymam go tylko za rękaw.

— Okej, to do widzenia. Dzięki, że mnie podrzuciłaś. — Wyrywa się.

— KOCHAM CIĘ, JACK!!!

Wyciąga za plecami ramię, środkowy palec wyskakuje prosto w niebo i biegnie do kumpli, którzy duszą się ze śmiechu.

— Do Chatsworth. — Pani Roberts kieruje samochód na drogę wyjazdową, oderwana od codziennych zajęć, których najwyraźniej nie zawiesiła mimo narodowego święta.

— Właściwie to jadę do Wesleyan zmierzyć się z centrum doradztwa zawodowego, więc jeśli nie ma pani nic przeciw, najlepiej byłoby na dworzec autobusowy. — Przez okno wpatruję się w zacinający śnieg z deszczem na zamglonej szybie, czując nieobecność brata. — Bardzo dziękuję za pomoc.

— Nie ma za co. — Wolną ręką nakłada zestaw słuchawkowy. — Wesleyan jest mi po drodze do klienta. Może — pociąga łyk kawy z podróżnego kubka, po czym, nie patrząc, wkłada go z powrotem w uchwyt — po prostu cię podrzucę?

— Byłoby genialnie, dziękuję... — Ale ona już rozmawia przez komórkę. Moszczę się na siedzeniu, podczas gdy ona potwierdza adres klienta, dostarczenie kwiatów teściom, akcję zbierania funduszy przez komitet rodzicielski, transatlantyckie połączenie konferencyjne i wizytę u dentysty. Ta kobieta ma jakieś życie, rodzinę i dom, który, założę się, trzyma się kupy, i to nie dzięki taśmie klejącej.

— O której będziesz gotowa? — Pani Roberts wtacza się na parking, wyjmuje z torby plik kopert. — Mogłabyś wrzucić je do skrzynki?

— Jasne. — Wkładam pęk listów do skrzypiącej skrzynki. — Hmm, około czwartej?

— Do zobaczenia tutaj o czwartej! — Z piskiem opon rusza z uniwersyteckiego parkingu.

— Pa! Dzięki! — wołam za nią tęsknie. Stojąc w miejscu, gdzie dramatyczne zmiany klimatyczne Connecticut pocięły asfalt siecią pęknięć, wkładam wełniany kapelusz, izolując się przed wilgotną mgłą, która wije się i wiruje, budynki Weslayan to pojawiają się, to znikają, akademicka zaczarowana wioska.

Przypominam sobie chwile, kiedy w poliestrowej szacie i czapce podczas wręczania dyplomów wyobrażałam sobie swój powrót — szofer pomógłby mi wysiąść z limuzyny Town

Car, a ja, w idealnie skrojonym garniturze od Gucciego, ruszyłabym pewnym krokiem, żeby wygłosić wykład na temat palącej kwestii o międzynarodowym znaczeniu. Albo przynajmniej zjawiłabym się na spotkaniu z okazji dziesięciolecia uzyskania dyplomu — triumfująca, spełniona, bezpieczna, bez długów. Ważna. W swojej fantazji ani przez moment nie nosiłam wytartych sztruksów i nie musiałam omijać kup śniegu. Nie było tam miejsca na szefa, który pokazuje mi drzwi. Nie byłam tam biedna, nie na miejscu i zmarznięta.

Z silnym postanowieniem, że wyjdę stąd z co najmniej czterema solidnymi ofertami pracy, ciężkim krokiem idę przez trawę do centrum doradztwa zawodowego, mijając studentów ściskających w drżących dłoniach plastikowe kubki ze stołówkową kawą. Wchodząc do Butterfield, przytrzymuję boczne drzwi grupie dziewczyn ubranych jak Peruwianki, które po uzyskaniu dyplomów będą miały nadzieję, że po kolczykach na twarzy nie zostały im widoczne blizny, a dochód po odliczeniu podatku wydadzą na gówniane rajstopy jak reszta z nas. Idę za nimi w dół po schodach do centrum doradztwa i zaskoczona widzę wyczekujących na stopniach studentów. Poczekalnia wciąż jest pomalowana na kolor czegoś, co za długo leżało w lodówce, ale teraz na oklejonych drewnianą okleiną półkach leżą zakurzone broszury firm, których decyzje o wstrzymaniu zatrudnienia trafiły do „The New York Timesa". Mimo zniechęcającego wystroju na piętrze roi się od pobudzonych, wybladłych studentów, ściskających te same formularze, które wypełniłam trzy lata temu. Przepycham się między nimi i zajmuję miejsce w kolejce do okienka.

— Przepraszam? — nachylam się do wymuskanej starszej pani za ladą, włosy w loczkach powstałych dzięki nawinięciu na cienkie wałki ma zabezpieczone wąską opaską z rypsu.

— Tak, kochanie, o której masz wyznaczone spotkanie? — pyta z uśmiechem, podkreślając następne nazwisko na liście. — Musisz nam wybaczyć, ale mamy dziś maleńkie spóźnienie.

— Nie ma sprawy, wygląda, że macie tu spory ruch.

Kobieta uśmiecha się, kładąc rękę na biurku.

— Dobry Boże, jak zawsze. Jeżeli jesteś z drugiej, może masz ochotę przejść się za róg. Częstujemy gorącym kakao. — Tak, właśnie tego brakowało mi podczas poszukiwań pracy: gorącego kakao. Ogrzewanych pokojów w akademiku, planu obiadów i filmów za dolara...

— Więc na którą? — powtarza, jej ołówek wisi w powietrzu, żeby mnie odznaczyć.

— Och, nie mam umówionego spotkania... — Proszęoch-proszęochproszę.

— W takim razie ustalmy termin. — Dziękujędziękuję-dziękuję. Wyciąga duży kalendarz. — Kiedy czas pozwala, parę szybkich pytań można zadać w środy i piątki, ale jeżeli chcesz przejrzeć skoroszyty, możesz przyjść... — Sprawnie przewraca kilka kartek. — Co powiesz na dwudziestego pierwszego marca? Czwarta piętnaście?

MARZEC!

— Właściwie to specjalnie przyjechałam dzisiaj z miasta. Całkiem nieźle znam system, więc gdybym tylko mogła rzucić okiem...

Wyraz jej twarzy zmienia się, gdy wzdycha przez zaciśnięte usta.

— Jesteś po dyplomie.

— Tak, ale dopiero od dwóch lat. Miałam nadzieję, że mogłabym tylko zerknąć...

— Nie. Absolutnie nie. — Potrząsa głową, krzyżuje chude ramiona w spranej bluzce w kwiaty. — Znaleźliśmy ci posadę. Doradziliśmy ci. Naszym zadaniem jest odprowadzić cię do drzwi, ale dalej jesteś zdana na siebie. A jednak wy, absolwenci, codziennie wydeptujecie tu ścieżkę, przekonani, że możecie, ot, tak sobie, szturmować bramę, a my rozwiniemy dla was czerwony chodnik.

— W porządku — zmieniam taktykę. — Widzę, że bardzo ciężko pracujecie i rozumiem, że jesteście zajęci bardziej, niż kiedy ja studiowałam. Starałam się jak mogłam, ale straciłam tamtą pracę.

— Tak. Tego się domyśliłam. Teraz pomagamy tylko ludziom przed dyplomem.

— Ale kiedyś byłam przed dyplomem.

Rozkłada drobne ramiona.

— I miałaś swoją szansę.

Poczekalnia wiruje.

— To nie była *moja* szansa. Po prostu szansa. Jedna. — Sapie ze złością i przykłada palec do ust, żeby mnie uciszyć, ale nie dam się uciszyć. — W tej „pracy", którą mi załatwiliście, miałam szefową z piekła rodem. *Z piekła rodem.* I mówię o kłamstwach i kradzieży i...

— Proszę nie podnosić głosu — syczy, wskazując na gęsty tłum za mną.

Odwracam się, żeby spojrzeć w ich przestraszone twarze.

— Myślicie, że chodzi o to, żeby znaleźć pracę i do niej pójść? — Chwytam teczkę z lady i podnoszę do góry. — Widzicie? To będzie wasz nowy najlepszy przyjaciel! To będzie wasz tydzień pracy i niedzielny odpoczynek! Więc wybierzcie kolor, dzieciaki! — Drzwi za mną otwierają się z brzęczeniem i czuję, że ktoś chwyta mnie za ramiona. — Pracowałam na TOALECIE!

Loczki na Wałki wciąga mnie do środka.

— Nie ma potrzeby robić rewolucji. Piętnaście minut. Ale jeżeli prawdziwy student będzie potrzebował skoroszytu, musisz go oddać. Mam cię na oku.

W dużym zatęchłym pomieszczeniu biorę się w garść, siadam przy stole dla humanistów, wyciągam żółty notatnik i chwytam skoroszyt. Przeglądam kilka stron i widzę, że prawie wszystkie ogłoszenia opatrzone są dużymi czarnymi ptaszkami.

— Przepraszam? Co znaczą te czarne ptaszki?

— Zajęte. Ćśśśś.

— Zajęte?

— Zajęte, młoda damo, zajęte. Trzynaście minut.

— Przepraszam, ale czemu dalej trzymacie tu opisy?

Z piskiem odsuwa krzesło i maszeruje w moją stronę.

— Uprzejmie przypominam o konieczności przyciszenia głosu. Jesteś tu gościem. Jeżeli się zwalniają, wprowadzamy je ponownie. — Wraca do swojego biurka. — Zorientujesz się, co cię ominęło. Jedenaście minut.

Podwijam rękawy swetra i zaczynam szukać realnych możliwości. Jest ich mniej i szybko zaczynają mi się zlewać. Stanowisko: asystentka administracyjna, asystentka dyrektora, niewolnica. Wynagrodzenie początkowe: dziewiętnaście tysięcy, osiemnaście tysięcy, nieopłacana. Obowiązki: zamawianie papierowych ręczników, parzenie kawy lub jej zamienników dla naszych tych, którzy źle znoszą kofeinę. Organizowanie moich wyjazdów, fryzjera, woskowania i terapii. Odpowiedzialność: za brak spinaczy do papieru, marnowanie papieru do ksero, zostawione kubki po kawie, FedEx, UPS, ZNP, moje małżeństwo i wagę.

Wpadam w czarną dziurę administracyjnej żałości, ale wreszcie dostrzegam obiecującą ofertę.

Stanowisko:	współpracownik do spraw badań i polityki
Wynagrodzenie początkowe:	do negocjacji
Obowiązki:	bliska współpraca z dyrektorem w tworzeniu ofert polityki społecznej dla kobiecego wyborcy
Odpowiedzialność:	za inicjowanie i innowację planów organizacji

Ze łzami podniecenia wyciągam kartkę z plastikowej koszulki i biegnę do biurka z przodu.

— Ta jest aktualna, prawda? Nie ma znaczka.

Loczki na Wałki poprawia okulary i spogląda w dół.

— Tak, tę sama wprowadzałam. — Wpisuje kod do komputera i otwiera się okno z informacją. — Nie możesz mi czytać przez ramię — gdera. — Muszę to wydrukować.

— W porządku. — Cofam się o krok.

— Nie, zabierz rzeczy i zaczekaj tam. *Po cichu.* — Ruchem ręki wskazuje poczekalnię.

— W porządku! — Zbieram swoje drobiazgi i wybiegam, żeby ponownie spotkać się z nią z przeciwnej strony lady. Przestępuję z nogi na nogę, gdy informacje wyjeżdżają z laserowej drukarki. Znowu czytam wskanowany opis, gorączkowo przesuwając wzrokiem w dół, do najważniejszej informacji.

Kontakt:	Doris Weintruck. Miejskie Centrum do spraw Równości.
Zamieszczono:	15 listopada

To chyba żart.

Pod spodem, mdląco znajomymi bazgrołami Doris nakreśliła sylwetkę mojej idealnej zastępczyni. „Uwaga dla składających oferty: pracodawca równych szans. Do składania ofert usilnie zachęcamy mężczyzn".

Jakimś cudem udaje mi się nie zwymiotować na obciągnięte wełnianą flanelą kolana Loczków na Wałki.

— Wskanowała to pani dwa miesiące temu? Na pewno? Ściąga usta.

— Oczywiście. Domyślam się, że mimo całego zamieszania nie jesteś zainteresowana.

— Nie. — Bezsilna przesuwam kartkę z powrotem przez okienko. — Właśnie stamtąd odeszłam.

— Chcesz powiedzieć „wyrzucili cię" — mamrocze, gdy ruszam obok cofających się ludzi, którzy czekają z nadzieją. Wbiegam po schodach i wypadam przez drzwi przeciwpożarowe, rozpaczliwie łapiąc powietrze.

Siedzę w milczeniu, podczas gdy pani Roberts prowadzi wśród śniegu z deszczem, który znów zaczął padać, tak zajęta spisywaniem listy zakupów na odwrocie koperty, podczas gdy lewą ręką trzyma kierownicę, że mija wejście na dworzec i musi zrobić pętlę. Opiera rękę na moim zagłówku i odwraca się, żeby cofnąć, palcami przelotnie muskając mi włosy. W reakcji na dotyk wybucham łzami.

— Och, kochanie. — Gwałtownie hamuje i kładzie mi rękę na ramieniu.

— Przepraszam. — Smarkam, walcząc z chęcią, by wpakować się jej na kolana, wdzięczna za barierę, którą tworzy pas. — Ja tylko, to tylko... takie trudne. Nie wiem, czemu ona...

— Traktujesz to strasznie osobiście. — Pani Roberts patrzy mi w oczy, wycieraczki z piskiem przesuwają się tam i z powrotem. Sięga w dół, żeby otworzyć schowek na rękawiczki, wysypując mi na kolana górę zabawek, mapy i psujące się resztki fast foodów. — Cholera — mruczy.

— W porządku. — Nachylam się, żeby pomóc jej wepchnąć wszystko w ciasną przegródkę.

— Myślałam, że mamy chusteczki. Mogą być nawilżane?

Kiwam głową, posłusznie wydmuchując nos w wilgotną aseptyczną chusteczkę.

— Po prostu tak się boję, że nikt mnie nie zatrudni. — Że Doris miała rację. Że jestem do dupy. — Gdyby tylko udało mi się pójść na jakąś rozmowę w sprawie pracy albo dostać jakąś wskazówkę...

— Oczywiście, że ktoś cię zatrudni, to śmieszne. Może uda mi się namówić nowojorskie biuro, żeby się z tobą spotkali... wciąż jeszcze prowadzą rozmowy wstępne. Zadzwonię do nich wieczorem.

— Och Boże, byłabym taka wdzięczna... — Pociąg ze szczękiem przecina ulicę, co zmusza panią Roberts do skrętu; z piskiem opon podjeżdża pod stację.

— Lećlećleć! — krzyczy, od razu sięgając po zestaw słuchawkowy, podczas gdy ja odpinam pas, ślizgam się i potykam na schodach i dopadam oblodzonego wagonu.

Czwartkowy poranek zastaje mnie pod markizą Radio City Music Hall, gdzie kartkuję swój organizer Filofax w poszukiwaniu adresu z wiadomości zostawionej przez panią Roberts. Szóstą Aleją gna lodowaty wiatr, od którego łzawią mi oczy, gdy z trzepoczących kartek orientuję się, że jestem po niewłaściwej stronie pięciopasmowej ulicy. Między dymiącymi maskami trąbiących taksówek lawiruję w kierunku wieżowca, który wznosi się na co najmniej pięćdziesiąt błyszczących pięter w kierunku nieba nad centrum. Popycham obrotowe drzwi i z ulgą staję w strumieniu gorącego powietrza, niechcący powodując spiętrzenie się za moim plecami wrogo nastawionych biznesmenów w kaszmirach.

Po dokładnej rewizji osobistej na stanowisku ochrony zostaję skierowana do wind, które obiecują ominięcie pierwszych trzydziestu czterech pięter. Gdy kabina wystrzela w górę, ponownie maluję usta i staram się nie wyglądać na zdenerwowaną.

Na trzydziestym piątym szklane drzwi otwierają się z kliknięciem i zostaję wpuszczona na teren szarej, posępnej recepcji, w której gdzieniegdzie widać rajskie ptaki i personel w czarnych garniturach, co nadaje miejscu wyraźnie pogrzebową aurę. Po wpisaniu się, wygładzam tył własnego czarnego garnituru i zajmuję miejsce na ustawionych w podkowę krzesłach w poczekalni. Ukradkiem zerkam na innych, także przyciskających do piersi skórzane teczki, i próbuję wyobrazić sobie pracę w miejscu, którego nie rozjaśnia len w technikolorze. Podoba mi się to.

— Okej. — Pojawia się mężczyzna z podkładką, chrząka. — Weźmiemy następną grupę; ty, ty, ty i ty. — Zapinam żakiet i przygładzam koński ogon, podczas gdy nasza grupa wchodzi za przewodnikiem do sali konferencyjnej bez okien, w której ustawiono dwa koncentryczne kręgi krzeseł: pięć i byłby Dante. Wykonuje w tył zwrot, zatrzymując naszą grupę w drzwiach. — Jestem Chip i chcę was powitać na dzisiejszej sesji. — Robi pauzę.

— Cześć Chip — z przestrachem odpowiadamy unisono.

— Świetnie, tylko ściągnę swoich współpracowników i zaczniemy ćwiczenia grupowe. — Mam przelotną wizję nas wszystkich uprawiających tae bo. — Wchodźcie i siadajcie. Wygląda na to, że wszyscy wiedzą, iż należy zająć miejsca w wewnętrznym kręgu i wsunąć teczki pod krzesła. Chociaż tylko ostrożnie się sobie przyglądamy, widzę, jak w nadchodzących miesiącach wspominamy ten moment przy automacie do kawy; Chip przejdzie obok i podniesie kciuki w geście aprobaty. Kilka wybranych osób zostanie moimi kolegami, będziemy omawiać nasze małżeństwa, ciąże, rozwody...

Chip wraca ze współpracownikami, są w naszym wieku, ale otacza ich świeża aura ludzi zatrudnionych. Ceremonialnie sadowią się w zewnętrznym kręgu krzeseł, podczas gdy Chip wręcza arkusze papieru w kolorze miętowym, który stanowił dla Doris powód do „głębokiego niepokoju". Wytłuszczonym drukiem napisano na górze „SCENARIUSZ". Uważnie studiując zawartość kartki, dowiaduję się, że jestem teraz Sheilą Smith, oddelegowaną ostatnio „na czas określony" do firmy „Makijaż dla Nastolatków", a moim celem jest przekonać zespół, żeby „przeformatował strategię ze sprecyzowanej na rozproszoną".

— Będziecie mieli na tę symulację piętnaście minut — grzmiący głos Chipa dobiega nas z odległości dwóch stóp, które dzielą kręgi, jego i nasz. — I... start!

Facet z przesadnie nażelowanymi włosami zaczyna:

— Chcę poddać pod dyskusję plan działania, który, jak sądzę, z wielu powodów należy rozważyć pod kątem łatwości przystosowania. Chciałbym zacząć od naszych udziałów w rynku...

A ja nic, kurwa, nie rozumiem. Ani słowa. Wiem tylko, że za moimi plecami ktoś, kto użył o wiele, wiele za dużo wody toaletowej Polo, gorączkowo sporządza notatki. Wszyscy w grupie przerywają sobie, używając terminów, jakich nigdy wcześniej nie słyszałam: „dane emocjonalne", „tektoniczne przesunięcie bazy klientów", „jednostka zarządzania systemowego", „zaproszenie ofertowe", jest też masa gadania o „modelu zarządzania aktywami wielooddziałowymi". Potem blondynka z ciemnymi odrostami oświadcza:

— Jestem Sheila Smith i pracuję dla firmy Makijaż dla Nastolatków...

— Zaraz, ty jesteś Sheila? — Wszyscy patrzą na mnie z niedowierzaniem. Sheila piorunuje mnie wzrokiem. — Odwracam się do otaczającego nas kręgu.

— Czy to w porządku? Powinnyśmy być dwie? — Wszyscy rozdziawiają usta.

Chip jako pierwszy odzyskuje równowagę.

— Cóż, po czymś takim nie możemy kontynuować, więc po prostu przejdziemy do rozmów indywidualnych.

Sheila wybałusza na mnie oczy i pod nosem syczy:

— Dzięki. Piękne dzięki.

— Girl — odzywa się Chip, kiwa palcem w moim kierunku. — Zaczniesz ze Stu. — Zabieram swoją teczkę i idę za Stu długim korytarzem do pustego boksu, gdzie oboje zajmujemy miejsca. Stu zdejmuje okulary i szybkim ruchem mocno pociera czoło, po czym skupia wzrok na mojej historii kariery zawodowej, a potem na dołączonej notatce od pani Roberts. — Z jakimi innymi firmami konsultingowymi masz spotkania?

— Z żadnymi. To znaczy to jest pierwsze. Dopiero zaczynam się rozglądać, więc...

— Jasne. Ile lat doświadczenia w konsultingu wewnątrzfirmowym masz za sobą?

— Przez ostatnie dwa i pół roku pracowałam jako asystentka programowa, co pozwoliło mi uczestniczyć w wielu ciekawych projektach badawczych...

— Aha. Więc co byś zrobiła? — Stu upuszcza moje papiery na biurko. — Będąc Sheilą, jaki wykonałabyś następny ruch? — Wracam myślą do mojego znerwicowanego nemezis z włosami w kolorze blond o mysim odcieniu. Pasemka i karmelową płukankę?

— Przepraszam, tak się tylko chcę upewnić, ta rozmowa dotyczy miejsca w dziale non profit, prawda?

— Niezłe — chichocze. — *Oni* nie zatrudniają. Mówimy tu o ubezpieczeniach, majątku trwałym i aktywach.

— Och! Okej, cóż, gdybyś mógł mi tylko nieco wyjaśnić to całe ćwiczenie, z pewnością będę w stanie podać ci informacje, których potrzebujesz. Może mógłbyś mi trochę przybliżyć, jakiego rodzaju pracę tu wykonujecie... mogłabym się odnieść bezpośrednio do tego.

Chip wystawia głowę zza ściany jak marionetkarz.

— Stu?

— Taa?

— Monica może się już przyłączyć?

— Jasne.

Zza rogu wychodzi brunetka, dopasowana bluzka koszulowa idealnie układa się na obcisłej, prostej spódnicy. Przenoszę wzrok z jednej nagiej ściany na drugą, gorąco pragnę znaleźć choćby nalepkę na zderzak z informacją o firmie, a nie tylko samą nazwę, która bije w oczy z każdej powierzchni. Ubezpieczenia, majątek trwały i aktywa? Mówi to komu coś? Cokolwiek?!

— Przepraszam, ale miałam wrażenie, że będę rozmawiać z waszym działem non profit...

— Monz, Sheila chce, żebyśmy ją wprowadzili.

— Tak, naprawdę byłoby mi łatwiej, gdybyście mogli powiedzieć mi trochę, wyjaśnić, czym się tu zajmujecie? — dodaję z nadzieją.

Skupiając uwagę na własnym zegarku, Monica zaczyna mówić. I mówić. I mówić. O rynkach, liczbach, zespołach i, przesadnie często, o generowaniu. Tonach generowania. „Generować" to jedyny czasownik, którego używa podczas tej prezentacji. Stu potakuje, tu i ówdzie dorzucając dane statystyczne i akronimy, a ja daję się oczarować ich entuzjazmowi, wielomówności i kolosalnemu poziomowi spożycia dietetycznej coli, zegarkom, które zdecydowanie nie zostały nabyte w Chinatown. Ogarnia mnie zdumienie; jesteśmy w tym samym wieku, ale oni po pracy wskoczą w swoje wozy z napędem na cztery koła, zaparkują je w garażach na dwa samochody i nakarmią swoje wielkie psy. Z ciężkim sercem zastanawiam się, co właściwe robiłam przez te dwa i pół roku, zabawiając się w politykę społeczną, w dodatku z przekonaniem, że to wystarczy. Co było takie ważne, że powstrzymało mnie przed wypełnieniem kluczowej wagi zadania, jakim jest nabycie umiejętności generowania dowolnej pierdolonej kwestii?!

— Jestem wolna. — Kobieta najpierw do nas zagląda, a potem wchodzi. — Whitney. — Potrząsa moją ręką jednym płynnym ruchem, światło załamuje się w czterokaratowym diamencie na jej palcu, rozświetlając ponurą przestrzeń.

— W porządku. — Różowy kaszmirowy kardigan leży na niej idealnie, studiuje moją historię kariery zawodowej. — Girl. — Zauważa, że mam ręce zaciśnięte na kolanach. — Widzę, że nie porobiłaś żadnych notatek. Zdążyłaś zapamiętać to wszystko?

Oblewam się rumieńcem.

— Byłam taka zaabsorbowana tym, co mówiła Monica.

— Jasne. — Wymienia spojrzenie z kolegami. — Porozmawiamy chwilę. — Wstają i zatrzymują się tuż przed boksem, gdzie dyskutują na mój temat przyciszonymi głosami. Pracodawcy ze Stepford, ci ludzie nawet szeptać potrafią perfekcyjnie.

— Girl. — Whitney wraca sama i siadając naprzeciwko mnie, delikatnie splata ręce na wysokości podbródka. — Problem w tym, że nie widzimy, żebyś chciała zarabiać pieniądze. Pieniądze. Najwięcej jak się da. Dla siebie. Naszych klientów. Dla nas. Po prostu tego nie widzimy. — Nachyla się. — Czy chcesz zarobić tyle pieniędzy, ile tylko się da? Czy naprawdę tego chcesz i tylko niewłaściwie cię odbieramy? — Wpatruje się we mnie, a ja serdecznie jej nie znoszę, jej i całego tego wydarzenia. A jednak wciąż jestem chorobliwe oszołomiona pierścionkiem, co dowodzi, że skończę jako przymierająca głodem czterdziestopięcioletnia zwolenniczka Greenpeace, która ślini się przed wystawą Tiffany'ego. Biorę głęboki oddech.

— Chcę zarabiać pieniądze... ile tylko, eee, się da. No wie pani, dla was i dla siebie, i dla klientów, i dla wszystkich. Nie udało mi się po prostu zorientować, jak chcielibyście, żebym to robiła. — Właśnie. — Whitney wstaje. — Okej! — woła przez ścianę do Stu. — Kto następny?

Przewracam się, żeby sprawdzić godzinę na zegarku na skrzynce na mleko, która „dorabia" jako nocny stolik, odsuwając nieduży stosik wizytówek zebranych na „targach pracy". Jedenasta pięćdziesiąt trzy. Robię głęboki wdech, starając się odwieść mój wibrujący mózg od odtworzenia wszystkich rozmów telefonicznych, które odbyłam, idąc każdym nawet najgłupszym śladem z plamami po remy. W chwili zapalania lampy wypuszczam powietrze i zdaję sobie sprawę, że mój oddech tworzy chmury pary. Pewnie znów zamarzają rury.

— POTRZEBNA MI PRACA — wrzeszczę do rybika, który odbywa niespieszną wędrówkę po podłodze. Gwałtownie umyka w cień przez białą karteczkę, która wpadła między drewniane szczeble. Owijam się kocem, sięgam i wyjmuję ją; wykonany metodą termografii kobiecy symbol gładko przesuwa mi się pod palcami. Moja Firma.

Rozważając problem, czy nie wyjdę na zdesperowaną, uznaję, że warto zaryzykować, by położyć się spać z uczuciem, że wykorzystałam wszelkie szanse. Zgodnie z postanowieniem odchrząkuję i wybieram numer, szykując się do zostawienia wiadomości w tonie dynamicznego gracza zespołowego, który w najmniejszym nawet stopniu nie odczuwa desperacji. Wyobrażam sobie, że jestem Whitney. Whitney o ósmej rano, z miotaczem płomieni na palcu i uśmiechem na żądnej pieniędzy twarzy.

— Taa — wyczekująco odzywa się męski głos, biorąc mnie z zaskoczenia. Przygryzam usta. — Halo? — pyta ponownie.

— Tak! Cześć! Cześć. Mogę rozmawiać z... — odginam wizytówkę w stronę lampy — z Guyem?

— Taa, Guy przy telefonie.

— O, świetnie. Cześć, spotkaliśmy się na tej... sieciowej imprezie niedawno wieczorem...

— Hm.

— Przepraszam, nie spodziewałam się, że tak późno cię zastanę...

— Poznaliśmy się na imprezie Bluelight?

— Tak! — Przebiegam w pamięci naszą rozmowę i z przerażeniem orientuję się, że nie rozmawialiśmy o niczym, co by się dało zapamiętać. — Mam brązowe włosy, eee, tej długości, i jestem wysoka. — Do zapamiętania: żadnych więcej sieciowych telefonów po zmroku.

— Taa. I jak leci? — Jego głos nabiera seksownego brzmienia. — Chcesz, eee, umówić się na drinka czy coś takiego?

— No może. Właściwie to rozmawialiśmy o mojej pracy dla organizacji non profit. Dzwonię w sprawie...

— Oczywiście. — Głos wraca do normalnej barwy. — Rozmawiałaś z tym zabawowym gościem, co za dupek. Pracujesz z kobietami. — Dzyń, dzyń, dzyń!

— Tak! Tak. Pracuję. — Pracowałam. — Chciałam się skontaktować, bo wspominałeś, że zatrudniacie, a ja akurat zmieniam pracę, więc pomyślałam...

— Świetnie. Możesz przyjść jutro po południu o eeee.... — słyszę szybkie stukanie w klawiaturę. — Szóstej trzydzieści?

— Oczywiście!

— To świetnie. Do zobaczenia. — Odkłada słuchawkę.

Wstaję i jednym szybkim ruchem włączam górne światło. Uruchamiam sprzęt, podkręcam dźwięk i w towarzystwie wokalistki z Blondie starannie prasuję i czyszczę wystrzępiony garnitur z H&M.

— No dalej, kochanie, mama potrzebuje nowej pary *wszystkiego*.

Rozdział 4

Ten jedyny, odpowiedź, przyczyna

Po całym dniu wydeptywania ścieżek do biur pośrednictwa pracy, zapchanych ludźmi z niedoborem ofert, pędzę do biblioteki publicznej, żeby przejrzeć w necie wszystko, co znajdę na temat Mojej Firmy. Po konfrontacji z zapowiadającą się na dwie godziny kolejką dzieciaków i dziwnie wyglądających facetów w zbyt obszernych płaszczach przeciwdeszczowych gnam do Kinko's, przeklinając swój spalony laptop. Za mdlącą stawkę dolara za godzinę wklepuję URL i znajduję ekscentryczny kolaż dziewcząt w stylu Gibsona i okładek „Vogue'a". *Sto lat kobiecej historii w zasięgu ręki.* Kursor wskazuje, żebym wprowadziła wyszukiwany temat. Poniżej firanki rzęs Twiggy przewijam dostępne opcje — głównie produkty do pielęgnacji urody — i klikam na „tusz do rzęs". Na marginesach pulsują logo Almay, Revlonu i niezliczonych innych firm, a ja dowiaduję się, że znaleziono dwa tysiące siedemset dwanaście pasujących wyników. Otwieram pierwszy artykuł z kobiecego magazynu „Galatea" ery sufrażystek. *Uczernij końce rzęs zwykłą pastą z sadzy i oleju z wątroby dorsza.* Fuj.

Uboższa o dziesięć dolarów, ale wyposażona w praktyczne rady, jak zrobić szminkę ze starych świec i pasty winnej, klikam na ikonę przedstawiającą małe ręczne lusterko, żeby sprawdzić „Historię firmy". *MF spółka handlowa jest wielo-*

krotnie nagradzanym projektantem wysoce innowacyjnych programów do obsługi wyszukiwarek i z dumą zarządza chronionym patentem portalem sieciowym, który zawiera linki do wszystkich większych magazynów kobiecych, od początku ubiegłego stulecia poczynając. Piętnaście minut później mam portal MF i ich przesłanie wyryte w pamięci, w razie gdyby podczas rozmowy zrobili szybki quiz.

Idę na zachód w kierunku Hudsonu i przebijam się przez lodowaty wiatr jak łosoś podążający na tarło. W milczeniu układam tekst, który pozwoli mi przedstawić Grace Moją Firmę jako zgodne z moim sumieniem wykorzystanie stopnia naukowego z polityki społecznej. Potykam się, wielki palec wyłazi mi przez dziurę w ostatnich rajstopach.

O tak, rozegram to jak Whitney, rozegram tak stanowczo, że Guy nawet się nie zorientuje, skąd padł cios.

Na Dwunastej Alei mijam ekipy robotników budowlanych, przekształcających walące się warsztaty samochodowe w galerie sztuki, których anemiczni pracownicy ukradkiem popalają papierosy w gasnącym blasku słońca. Podmuch wiatru znad rzeki kłuje mnie w twarz i przyciska bliżej ceglanej fasady budynku, do którego zmierzam.

— HEJ, PANIUSIU! CO JEST, KURWA?

Uskakuję na bok, a wyładowany wózek widłowy cofa się na chodnik. Kierowca pokazuje mi ze złością, że mam iść, więc pospiesznie schodzę mu z drogi, chroniąc się w zimnym miedzianym holu dawnego magazynu, gdzie strażnik skulony jak rybak siedzi przy grzejniku nad egzemplarzem „New York Post".

— Pomóc? — mruczy.

— Tak, ja do Mojej Firmy.

— Dziesiąte. — Kciukiem wskazuje szereg wind. — Ale najpierw podpis. I zobaczmy jakiś dokument.

Gdy winda mija kolejne piętra, na spisie podświetlają się nazwy robiące wrażenie — ciuchy, które chciałabym nosić, meble, które chciałabym mieć. Spodziewając się przepychu, wysiadam... na opuszczoną rampę załadunkową. Odruchowo cofam się i jeszcze raz naciskam dziesiątkę. Drzwi zasuwają się i ponownie otwierają na tę samą gigantyczną betonową przestrzeń. Zmieszana i mocno przekonana, że tak właśnie giną kobiety, których zdjęcia umieszcza się potem na kartonach z mlekiem, ostrożnie robię krok do przodu. Brudne rampy zdolne pomieścić osiemnastokołowe ciężarówki stoją puste wokół ogromnej dziury w podłodze, gdzie prawdopodobnie mieściła się winda towarowa. Zaglądam w ziejącą otchłań i widzę, że sięga aż do poziomu ulicy. To nie jest bezpieczne.

Gdy odwracam się w stronę windy, z ulgą dostrzegam litery z wypolerowanej stali, tworzące napis Moja Firma; kobiecy symbol jest podświetlony tak, jakby wisiał w powietrzu. Przechodzę na drugą stronę i zaglądam przez podwójne szklane drzwi wejściowe. Zakochuję się od pierwszego wejrzenia. Na pierwszym planie mam co najmniej sto biurek z jasnego drewna, a za nimi sięgające od podłogi do sufitu okna ze szprosami, zapewniające gigantycznemu, wibrującemu hałaśliwą aktywnością pomieszczeniu widok na usiane gwiazdami niebo nad rzeką Hudson.

Chcę to mieć.

Otwieram drzwi, przygotowując się do dokonania syntezy tego, co wiem o kobiecych czasopismach (coś) i oprogramowaniu (nic), z silnym postanowieniem, że będę wygłaszać wyłącznie entuzjastyczne potwierdzenia.

— Jestem umówiona z Guyem na szóstą trzydzieści.

Recepcjonistka podnosi słuchawkę. Wpisując się w styl miejskiej elegancji, któremu hołduje też reszta personelu, ma pod garniturem koszulkę z Myszką Miki.

— Okej, proszę za mną.

W dowolnym kierunku.

Pomaga mi zdjąć płaszcz i prowadzi przez salę obok młodych pracowników, którzy są na różnych etapach podsumowywania tygodnia pracy, szykują pocztę do wysłania, przerzucają się nazwami barów. Zostawia mnie u stóp trzech schodków prowadzących do szklanej ściany, która biegnie przez szerokość pokoju, wydzielając obszerne biuro. Przyglądam się, jak mężczyzna w środku pochyla się, żeby podnieść piłkę, jednocześnie prowadząc ożywioną rozmowę telefoniczną przez głośnik. Czekam, żeby skończył, dopiero potem wspinam się po stalowych stopniach i wchodzę.

— Hej! — Guy uśmiecha się do mnie szeroko, błękitne oczy mu błyszczą, kiedy podrzuca w powietrze pomarańczową piłkę. — Świetnie, że mogłaś wpaść. Super, że tak po prostu do mnie zadzwoniłaś. Podoba mi się to. — Przytrzymuje piłkę łokciem, po czym lekko podciąga granatowe sztruksy i opada na krzesło przy biurku. — Jak leci?

— Dobrze, dziękuję. — W odpowiedzi uśmiecham się promiennie. — A tobie?

Śmieje się, powietrze wokół niego przesyca arogancka charyzma mężczyzny, który czerpie maksymalne korzyści ze swojej urody w stylu „miłość z liceum". Podnosi kubek pokryty osadem kawy, pociąga wielki łyk, szybko ociera górną wargę i rozsiada się.

— Świetnie, Girl.

Biorąc za wzór Whitney, pewnym krokiem idę do miejsca naprzeciw niego i siadam bez zaproszenia.

— Guy, przede wszystkim muszę ci powiedzieć, że jestem wielką fanką Mojej Firmy... robicie tu genialne rzeczy: udostępniacie kobietom informacje. To taka ważna usługa.

Uśmiecha się, patrzy mi w oczy i ustawia sobie piłkę na kolanach.

— Robi niezłe wrażenie, co? Codziennie kobiety w każdym wieku logują się z pytaniami w kwestiach dotyczących urody, mody, zdrowia... — Uderza rękoma o blat biurka, grzechoczą pióra w pojemniku z nierdzewnej stali. — Infekcje drożdżakami mają pierwsze miejsce na liście wyszukiwanych tematów!

— Coś takiego! — Dopasowuję się do jego entuzjazmu.

— Chcesz T-shirt z reklamą Pochwosilu?

— Eee, jasne... tak! Stanowczo! Z rozkoszą!

— Świetnie, masz to u mnie. — Uśmiechamy się i kiwamy

do siebie głowami. — Super — mówi. — Więc teraz chcę wykorzystać sukces MF i wygenerować...

— Zdecydowanie. Wszystko powinno się generować. Bo jeśli nie, po co sobie zawracać głowę? Ostatnie kilka lat spędziłam na prowadzeniu badań na temat potrzeb nastolatek, a potem generowaniu opartej na tych informacjach polityki społecznej. Naprawdę interesująca praca. — Odchylam się na oparcie i krzyżuję nogi.

— Aha. — Kiwa głową. — No więc chodzi o to, Girl, że chcę podłączyć tę ostatnią część rynku, która uparcie zachowuje powściągliwość. „Ms. Magazine". Mój zespół twierdzi, że to kawał solidnego dziennikarstwa. Chciałbym dołączyć ich archiwum do naszych zasobów.

— Oczywiście! — Tusz do rzęs i... okaleczenia kobiecych genitaliów. — To oczywisty wybór.

— Tak sądzę. Ściągnąłem cię tutaj z powodu tej inicjatywy, okazji do zmiany wizerunku, i pomyślałem, że możesz tu dobrze pasować. — Podwija rękawy bawełnianej koszuli w niebiesko-białe paski. — Jako dyrektor generalny jestem zawalony robotą. Potrzebuję kogoś, kto by to poprowadził, kogoś takiego jak ty.

— Interesujące. — Inicjatywę? Ile osób ma być zaangażowanych? Co to dokładnie znaczy „poprowadzić"? Ja? „Ms."?! Ale pytania stwarzają wrażenie braku pewności. — Guy, jestem zaszczycona, że bierzesz mnie pod uwagę. — Uśmiecha się, ja się pocę. — I muszę powiedzieć, że wygląda mi to na idealne trafienie. Po pierwsze, całe życie pracowałam dla organizacji typu non profit. Moja matka prowadzi Kolonię Pisarzy Chatsworth w Connecticut, gdzie nikt nie słyszał...

— Jasne, czy aby Plath tam nie pisała?

— Owszem. — Uśmiecham się zaskoczona, bo nie wygląda mi na wielbiciela Plath. — Więc pomagałam matce w staraniach o granty, dostęp do pomocy społecznej i z administracją od czasu, kiedy sięgałam głową na wysokość twojego biurka. Studiowałam politykę społeczną ze specjalizacją

74

gender, jak zobaczysz w moim CV. — Sięgam do torebki i podaję mu dokument, starając się powstrzymać drżenie ręki. — I, jak wspominałam, moja praca w Miejskim Centrum do spraw Równości w dużym stopniu polegała na zaspokajaniu potrzeb dojrzałych kobiet...

— No i *jesteś* kobietą! — Śmieje się.

— Tak. — Jestem kobietą. Czytam „Ms. Magazine". Miałam infekcję drożdżakową. Jestem czytającą „Ms." weteranką infekcji pochwy, kobietą bezrobotną.

— Znakomicie. — Guy powoli potrząsa głową i odkłada moje CV tekstem w dół. — Mam wrażenie, że czujesz temat.

— Owszem — odpowiadam bez wahania. — Czuję go i chcę. — Także opłaconego czynszu, jedzenia w restauracjach, nowych rajstop, chcę tego wszystkiego.

— Cholera, dziewczyno, patrzę na ciebie i mam wrażenie, że znaleźliśmy twarz, która będzie firmować tę inicjatywę.

Nie całuj go, nie całuj, nie całuj.

— Guyser. — Kij golfowy rozsuwa drzwi i pojawia się bardzo wysoki, bardzo opalony mężczyzna koło sześćdziesiątki.

— Rex! — Guy wstaje, idę w jego ślady, drżąc ekstatycznie, gdy odwracam „twarz" w powitalnym geście.

— *Que pasa*, przyjacielu? — Przed zajęciem miejsca na szezlongu obciągniętym końską skórą mężczyzna wolną ręką energicznie podciąga kaszmirowe spodnie.

— Jakieś wieści od rady? — pyta Guy, wyraźnie widoczne nerwowe drgnienie przebiega mu przez policzek.

— Głosowanie się powiodło. — Rex kładzie kij golfowy na karku i przez wystające końce przekłada nadgarstki, sugerując blokadę. — Dzięki tobie najwyraźniej spadły im skarpetki. — Guy uśmiecha się promiennie, a Rex ciągnie: — Zielone światło. Ale trzymają cię na krótkiej smyczy. Chcą mieć umowę z klientem podpisaną do maja.

Biorąc od Guya faks, Rex upuszcza kij, który odbija się od dywanu, o włos mijając moje palce. Z zamyśleniem odrzuca z czoła białą grzywę, przegląda kartki, a Guy i ja niezgrabnie czekamy z boku. Prawdę mówiąc, to ja stoję niezgrabnie, Guy wygląda, jakby miał pełną piersią ryknąć hymn narodowy.

— Teraz wreszcie widzę, na co idą moje pieniądze. — Rex klepie Guya faksem w kolana.

— Obiecałem ci, Rex. Kobieta się z nami spotka.

— Ty fiucie! — Szczerzą do siebie zęby w uśmiechach, po czym starszy mężczyzna unosi głowę, pytająco patrząc w moją stronę.

— To Girl — wyjaśnia Guy, a Rex z zaciekawieniem mierzy mnie wzrokiem od góry do dołu. — Rozmawiamy właśnie o naszej feministycznej przemianie. Girl, to Rex, prezes MF.

— Halo, Rex. Miło mi. — Podchodzę, żeby wymienić z nim uścisk dłoni, ale nie zadaje sobie trudu, żeby wstać.

— Więc poznałaś Guysera — mówi Rex, ściskając mi palce tak, że pierścionki wbijają się w kości. — Mój rekin numer jeden w banku. Jestem dumny jak cholera, że dałem mu wolną rękę z MF... dźwignie tę firmę na inny poziom, prawda?

— Nie dam wyrzucić was na złom, Rex.

Korzystam z szansy.

— Cóż, jestem tu, żeby w tym pomóc.

Rex puszcza do mnie oko.

— Świetnie, Girl. — Guy kiwa głową, ramiona ma skrzyżowane. — Nie mogę się doczekać. Naprawdę.

I koniec? Żadnych dantejskich kręgów? Żadnych testów z pisania cyrylicą?

— Ja też. Więc kiedy mogę się spodziewać...

— Jasne, zadzwonię, kiedy będę miał wszystko zorganizowane. — Guy siada przy swoim komputerze.

— Świetnie! Masz jakieś rozeznanie co do czasu?

— To priorytetowa sprawa — stwierdza, już pochłonięty tym, co ma na ekranie.

— Prosto z mostu, cholera — mruczy Rex, ponownie czytając faks.

Ostatni raz usiłuję uzyskać oficjalne potwierdzenie.

— Więc jestem...?

— Idź prosto, aż miniesz biurka. Windy są za recepcją. A, zaczekaj! Nie zapomnij tego. — Chwyta T-shirt z otwartego pudła i rzuca mi ruchem z dołu. — Masz nosić dumnie!

— Okej, no to cóż, bardzo miło było cię poznać, Rex. Dziękuję, że wzięliście mnie pod uwagę. — Macham na pożegnanie białą bawełną, wychodząc w łopocie logo Pochwosilu wysokości pięciu cali.

W upojeniu ponownie przechodzę przez ogromną salę, obok reszty pracowników, którzy uwijają się przy swoich zajęciach — stukają klawiatury, dzwonią telefony, powiewają proporce. Jasna. Cholera. Poprowadzić — *poprowadzić* to! Ktoś taki jak ja! Moje ciało rozluźnia się w poczuciu ulgi, kręci mi się w głowie od nadmiaru możliwości. Co najpierw — dzwonić do domu, płakać, kupić coś. Wyjmuję z szafy płaszcz i ściągam z wieszaka szalik, ale utknął. Ciągnę mocniej, skutecznie zaciskając pętlę. „Ms. Magazine", zmiana wizerunku — łamię paznokieć, wyciągam ze splotu długą nitkę — twarzą czego właściwie mam zostać? Szarpię wieszak, wyrywam kolejne nitki.

— Jestem umówiona z Guyem na siódmą. — Zaalarmowana, wbijam wzrok w uderzającej urody brunetkę, która opiera się o ladę recepcjonistki, żeby palec za palcem zdjąć rękawiczki z cielęcej skórki. Rzuca je na pikowaną zamszową torebkę, gdy wreszcie uwalniam szalik. — Jestem Seline.

— Pani nazwisko? — Recepcjonistka woła za nią, bo już się odwróciła, żeby usiąść.

— Saybrook. — Z eleganckiej skórzanej teczki na dokumenty wyjmuje gruby arkusz, ale dość niezgrabnie i kartka frunie do moich stóp. Schylam się, zauważam zrobioną ołówkiem notatkę „Ms. Magazine" na samoprzylepnej karteczce, która niemal zakrywa jeszcze bardziej niepokojące „Stanford" i „Columbia MBA". Nie! To zadanie z informacją dla kobiet, zmianą wizerunku, wymachiwaniem sztandarem Pochwosilu jest przeznaczone *dla mnie*. Chrząka i oddaję jej CV. — Jesteś tu w sprawie pracy? — pyta.

— Właśnie miałam rozmowę wstępną.

— Cóż, powodzenia.

Dobra, nie trzeba, panno MBA. To ja jestem „twarzą".

Na dole przechodzę przez ulicę, żeby ostatni raz obrzucić tęsknym spojrzeniem pękatą bryłę budynku, i w oknie zauważam sylwetkę Guya. Odtwarzam w pamięci rozmowę. Nie, stanowczo, stanowczo mam tę pracę. Był mną zachwycony. Mam ją.

Kątem oka widzę pulsujące czerwone światło, purpurowy młot i sierp, wyświetlone na chodniku trochę dalej. Bella Russe, miejsce na kolację stosowną w chwili triumfu. Mijam limuzyny z Town Cars, wypuszczające swoich „nie patrz na mnie, ale mnie zauważ" pasażerów w ciemnych okularach i czapkach baseballowych, odźwierny w stroju Kozaka projektu Helmuta Langa wprowadza mnie od środka. Schodzę z drogi jednej z sióstr Hilton, która do kogoś macha, i krążę po zatłoczonym barze w poszukiwaniu hostessy.

— Witamy — uśmiecha się wdzięcznie. — IMG ma osobną salę. Rene panią zaprowadzi. — Ruchem ręki wskazuje kolegę.

— Przepraszam, nie mam rezerwacji.

— Och. — Zapał z niej ulatuje. — Tylko rezerwacje. Wszystkie miejsca zajęte.

— Nie szkodzi! Wezmę w takim razie coś na wynos. — Nachylam się, żeby było mnie słychać przez otaczającą nas muzykę.

— Nie sprzedajemy na wynos. — Cofa się z obrzydzeniem, jakbym poprosiła o dokładkę.

— Naprawdę? — Ostatnie tygodnie wymusiły na mnie nieustępliwą uporczywość, więc nie ustępuję. — Może pani sprawdzić w kuchni?

— Nie mamy tych, no jak im tam.

— Pojemników?

— Nie mamy pojemników.

To śmieszne. Powinnam po prostu pójść do domu i wygrzebać resztki ze słoika z masłem z orzeszków ziemnych. Dziewczyna wraca do uważnego studiowania mocno pokreślonego schematu ustawienia stołów. Ale nie mogę. Nie potrafię sobie tego odpuścić.

— A może folia aluminiowa? Możccie mi to po prostu zawinąć.

Wzdychając pojednawczo, rzuca mi menu. Szybko sprawdzam, jaki mam wybór, żołądek mi się kurczy na widok cen.

Stuka piórem.

— Co dla pani? — pyta złośliwie. — Makaron jajeczny?

Nie, Cerebusie*, makaron jajeczny jest dobry dla asystentki asystentki (kolorowe foldery, noce nad kserokopiarką, praca na desce sedesowej).

— Homar.

— Świetnie. Proszę zaczekać w barze.

— Tak zrobię.

Manewruję wokół jaja Fabergé wysokości sześciu stóp. Siadam na aksamitnej otomanie i obserwuję ubrane w ciuchy od Cavallego pary wychylające wódkę z topiących się lodowych szklaneczek. Biorę pełną garść darmowych suszonych wiśni z lakierowanej misy i zastanawiam się, jak często pracownicy Mojej Firmy wpadają tu podczas „szczęśliwych godzin". Na lustrze nad barem ktoś czerwoną szminką wypisał wina — specjalność firmy. Patrzę na niewyraźne odbicia i zatrzymuję wzrok na pewnej kręconej blond czuprynie.

Uśmiech Dennisa Quaida.

Do mnie.

U nasady szyi czuję napływający rumieniec. Cholera. No nie, nie wiem, za kogo on się ma, do cholery, macho jeden. Opuszczam wzrok na prawy obcas. Studiuję sztuczną krokodylą skórę w poszukiwaniu zadrapań, wykręcam kostkę na prawo i lewo. Proszęniechsięzjawijedzenieproszęniechsięzja-

---

* postać z komiksu autorstwa Dave'a Sima, irytujący człekokształtny mrówkojad

79

wijedzenieproszęniechsięzjawijedzenie. Podnoszę wzrok — wciąż szczerzy zęby. Układam usta w kwaśny uśmiech.

Buster zabiera piwo i zaczyna przeciskać się do mojej otomany. Nie ma mowy, nie ma mowy, żebym...

— Hej! Siostro Kerouaca, co tu robisz? — Przykuca i znajdujemy się twarzą w uroczą twarz.

— Czekam na kolację — odpowiadam zdawkowo.

— Super. Spotykasz się z kimś?

— Hm.

— Nawet nie wiedziałem, że jest tu takie miejsce, a YGames mieści się tylko dwie przecznice dalej. Miałem spotkać się z przyjaciółmi na kolacji. Czy tu kiedyś nie było taniej jadłodajni?

Wzruszam ramionami.

— Mam wrażenie, że tak. — Kiwa głową w kierunku swoich camperów. Wszystko jedno, kutafonie. — Jak tam twój brat?

— W porządku. Ja też. Pójdę i zaczekam kawałek dalej. — Wskazuję na wolną lożę po przeciwnej stronie sali. — I nawet jeśli cię kusi, żeby mi zaproponować podwózkę w tamtym kierunku, nie fatyguj się, okej? — Wstaję.

Buster uderza się w czoło.

— Cholera! Kobieto, przepraszam... wypadło mi wtedy coś w pracy, resztę weekendu spędziłem przy biurku. Chciałem zadzwonić, ale nie miałem twojego numeru. Jesteś kompletnie wkurzona? — Uśmiecha się szeroko i pociąga mnie w dół. — Poważnie. — Odstawia butelkę na stolik i odwraca się twarzą do mnie — Przepraszam, gówniane zagranie.

— Owszem.

Pociera oczy i znika gdzieś jego energia.

— Miałem zabójczy tydzień... w zasadzie siedziałem przykuty do monitora już parę godzin po naszym rozstaniu. Walczymy, żeby nas nie wykupili. Po prostu synchronizowałem narzędzia i tak w kółko, zmieniały się zapytania...

— Okej, proszę, żadnego więcej żargonu. Wyrobiłam normę gdzieś tak do końca życia.

— Przepraszam. Jak polowanie na pracę?

Ponad jego głową wypatruję hostessy.

— Też miałam zabójczy tydzień, nagadałam się aż do wyrzygania już parę godzin po naszym rozstaniu.

— Do dupy.

— Taa.

Mój homar pozostaje zaginiony w akcji, ale za to tłum jak na zmówienie rozstępuje się i otwiera mi idealny widok na Seline Saybrook, która płaci za zmrożoną wódkę. Zerkam na zegarek. Trafiony! Tylko dziesięć minut — przewaliła sprawę.

— Hej, może podarujesz sobie tę kolację, zjemy po hot dogu i obejrzysz ze mną mecz w Piers? Całkowicie odprężające i bezżargonowe doświadczenie. — Oglądam się, gdy Seline poprawia grzywę ciemnych włosów, stuka się lodową szklaneczką z facetem obok i wychyla wódkę jednym ruchem. — No, proszę, daj mi szansę, żebym wynagrodził tamto.

— Pani homar. — Hostessa z pogardliwą miną macha mi przed nosem plastikową torbą.

— Mam homara. — Tłum ponownie się rozstępuje i wpada mi w oko biało-niebieska koszula w paski partnera Seline. Ocholeratochybajakiśżart.

— Weź go z sobą — mówi Buster i na widok torby potrząsa blond grzywką.

— To będzie czterdzieści dwa pięćdziesiąt. — Kwadratowe czerwone paznokcie pstryknięciem przywołują mnie do porządku. — Tylko gotówka.

Powinnam była zamówić makaron jajeczny.

Buster bierze torbę, gdy ja wyciągam z portfela kilka ostatnich banknotów, żeby zapłacić za posiłek, który w jednej chwili z fety dla uczczenia sukcesu zmienił się w nagrodę pociesznia dla bankrutów. Kątem oka widzę, że Guy podnosi palec, żeby przerwać Seline, i przechodzi przez restaurację, aby osobiście mnie zawiadomić, że mnie nie chcą.

Buster podejmuje kolejną próbę.

— Więc...

Zrywam się na równe nogi.

— Świetnie, tak, chodźmy!

— Super! Zaczekaj minutkę, polecę tylko i zobaczę, gdzie są moi przyjaciele. — Znika gdzieś w pobliżu drzwi, mijając zbliżającego się Guya.

— Girl! — Guy jowialnie trąca mnie w udo, zanim zdążyłam ukryć swoje pozbawione tytułu MBA ja pod karmazynową kanapą. — Fantastyczne miejsce, prawda? — Oczy mu błyszczą. — Jadam tu pięć razy w tygodniu, prawie mi się znudziło. Musisz spróbować gołębia. Spotykasz się z kimś?

— Tak, tak, owszem. Mam do załatwienia coś w kobiecych kwestiach. Urządzamy sobie coś w rodzaju burzy mózgów przy kolacji... wiesz, jak to jest. Właściwie spotykamy się dwa razy w miesiącu. — Ta, która mnie pokonała, maluje usta przy barze. — Kobiety potrzebują tylu informacji i jest tak mało czasu...

— To była solidna prezentacja. Naprawdę solidna. — Guy potrząsa głową, cały jaśnieje z powodu dwóch brunetek, po jednej na otwarcie i zamknięcie wieczoru.

— Dziękuję. Jak powiedziałam, usilnie podziwiam waszą pracę i sądzę, że po zastanowieniu przyznasz, że mogę wnieść w nią cenny wkład.

Zerka bokiem na Seline, kiwa do niej głową.

— Znakomicie, Girl. Będziemy w kontakcie. — Jego ciało zaczęło już orbitować z powrotem w jej kierunku.

— Świetnie, no tak, też muszę lecieć! Jeszcze raz dzięki za rozmowę! I T-shirt. Naprawdę nie mogę się doczekać, żeby dla was pracować, więc na razie cześć — wołam za nim, cofam się w stronę wyjścia, uśmiechając się i kiwając głową. — Sprawdzę tylko, co się dzieje z moimi przyjaciółkami od burzy mózgów. Mogły się zgubić, więc...

Lśniące czerwone drzwi gwałtownie zamykają mi się tuż

przed nosem i ponownie stoję na zimnie. Głęboko wzdycham i spoglądam na własne buty.

Kiedy udaje mi się podnieść głowę, widzę Bustera, który opiera się o jakiś zaparkowany samochód z dwoma innymi chłopakami, obrazek jak z reklamy Abercrombiego; sprany dżins i wypracowany bałagan na głowie.

— Gotowa? — Buster macha do mnie, kołysząc homarem. Okej, jest seksowny. I nie mogę spędzić całego wieczoru, gapiąc się w sufit, na obsesyjnych rozważaniach każdego zasranego słówka, które powiedziałam, które powinnam była powiedzieć, żeby nie wypadło tak gówniarsko, i tego, co właśnie w tej chwili oznajmi Seline Saybrook, żeby wszystko, co powiedziałam, wypadło jak kompletne gówno. No i jest seksowny.

Uśmiccham się do jego przyjaciół, ale jedyna reakcja, jaką uzyskuję, to zaciśnięte zęby. Buster robi krok do przodu, oddech ulatuje w postaci chmurek pary.

— Hej, to moi dwaj współmieszkańcy, Tim i Trevor.

— Cześć! — macham przyjacielsko.

— Jak leci — wyduszają z siebie, z miejsca robią zwrot i ruszają. Ustalają szybkie tempo, do którego Buster przystosowuje się bez wysiłku. Ja muszę podbiegać, oni sadzą wielkimi krokami w pełnym napięcia milczeniu.

Doganiam ich na światłach i próbuję zagadnąć.

— Hej, jak tam twoja kurtka?

Buster szczerzy zęby w uśmiechu.

— Przez cały tydzień wracaliśmy razem do domu, jesteśmy na terapii dla par. — Tim i Trevor odwracają się, żeby rzucić spojrzenia pod tytułem „idiotka".

— W ostatni weekend nie mogliśmy znaleźć swoich kurtek — wyjaśniam.

— Wszystko jedno. — Tim odbija się i chwyta poprzeczkę latarni, jego adidasy przejeżdżają mi po łokciu, kiedy ląduje.

— Stary — mówi Trevor, chwytając Bustera ręką za szyję i odciągając go ode mnie. Ukradkiem badam ślad buta na swoim wymęczonym płaszczu, któremu jakoś nie udaje się

83

znaleźć chwili wytchnienia. — Sam dzwonił, znalazł w końcu miejsce w pobliżu tego wiesz.

A, miejsce w pobliżu tego wiesz. Ciągnie Bustera w zapaśniczym uścisku i rozmawiają o zaletach różnych miejsc w pobliżu różnych tych wieszów. Widząc, jak bez wysiłku wskakują na betonową balustradę, oddzielającą nas od autostrady West Side, wspinam się na górę bez żadnej pomocy. Kiedy siadam okrakiem, puszcza mi szew w spódnicy. Gdyby Buster był teraz w towarzystwie moich przyjaciół, nosiliby go w lektyce i karmili winogronami, żeby czuł się częścią grupy. Z coraz bardziej mieszanymi uczuciami w ślad za moim stygnącym gwałtownie homarem przechodzę przez sześciopasmówkę w drodze do Chelsea Piers, kompleksu sportowego wielkości stadionu, zbudowanego nad rzeką. Już całe wieki idziemy przez słabo oświetlony gigantycznych rozmiarów garaż i w końcu włażę w lodowatą kałużę.

— Wiesz co? — wołam za nimi, mój głos wywołuje echo.

— Tak? — Buster wrzeszczy przez ramię, nawet się nie zatrzymując.

— Chyba już pójdę. Gdybyś tylko oddał mojego homara. Lepiej będzie, jak wezmę taksówkę.

Buster wraca truchtem, podczas gdy jego przyjaciele znikają w budynku.

— Co? Nie! No chodź, hot dogi. Będzie zabawnie!

— Dzięki. —Wskazuję na swoją kolację. — Mam wrażenie, że psuję ci wieczór.

— Nie, absolutnie nie. Wejdźmy do środka, tu można, cholera, zamarznąć. — Chowa torbę za plecami i jednocześnie sięga po moją dłoń w rękawiczce, ściska ją. — Poważnie, zatrzymuję homara jako zakładnika.

— Okej — śmieję się. Jedno za drugim jedziemy ruchomymi schodami w górę, do rozjaśnionego świetlówkami holu. Policzki mnie pieką od przyjemnego ciepła, gdy przez wyłożoną linoleum podłogę idziemy do podwójnych drzwi, oznaczonych napisem „Arena". Buster pcha jedno skrzydło i z miejsca uderza we mnie lodowate powietrze, zimniejsze niż to, przed którym co dopiero uciekliśmy. Smutna godzina.

— Byłaś kiedyś na lodowisku? — Buster uśmiecha się szeroko. Gracz rozpłaszcza się na pleksiglasowej przegrodzie parę cali ode mnie i zanim zdążam odpowiedzieć, fala gladiatorów w kaskach porywa go z powrotem na lód.

— Nie, raczej nie.

Wchodzę za nim na widownię, zajmuję zamarznięte miejsce między Busterem a Timem, który wydobywa z siebie okrzyk wojenny, kiedy zaczyna się gra. Zapinam płaszcz aż pod brodę i usiłuję zorganizować sobie ucztę, kładąc plastikową torbę na kolanach i wyjmując aluminiowy pakunek wielkości homara.

Buster szczerzy do mnie zęby.

— Szczypce? — proponuję, wycierając krzepnące masło serwetką.

— Dzięki, zamówiliśmy w pracy burritos. Ale wygląda pysznie. — Wyciera mi brodę kciukiem. Opuszczam wzrok, żeby ukryć rumieniec.

— Już zimny — przyznaję się do porażki. — Jutro zrobię z niego sałatkę. — Ale Buster jest już pochłonięty grą. Wpycham resztę swojego posiłku do torby i chrząkam. — Więc wszyscy mieszkacie razem?

— Taa. — Mówiąc, śledzi wzrokiem pomykający krążek. — Jest nas siedmiu. Ten na lodzie to Luke I PIEPRZY TAM SPRAWĘ! — macha w kierunku kupy ludzi leżących na lodowisku. — Mój chłopak; wszyscy chodziliśmy razem do Chapel Hill.

— Twój chłopak?

Buster nie przestaje głośno zagrzewać uczestników awantury przez kolejną minutę, zanim ponownie skupia uwagę na mnie.

— Hę? Co mówiłaś?

— Że Luke jest „twoim chłopakiem".

— Nie w taki sposób. Te, Trev, podaj piwo!

— Okej, bo już sobie wyobrażałam koleżków — mruczę,

85

podczas gdy butelka w papierowej torbie zostaje rzucona tuż obok mojej głowy. Drużyna przeciwna zdobywa punkt i niezbyt liczna grupka mężczyzn siedzących wokół lodowiska wznosi okrzyki i klaszcze. Czas pełznie, marzną mi kolana, zero obiecanych hot dogów. Podczas gdy mróz zaczyna wspinać się w górę po moich obciągniętych pończochami nogach, zabijam czas, zginając i prostując palce, żeby mi nie zamarzły.

Wreszcie drużyna Luke'a zdobywa punkt.

— PIZDA! — wrzeszczy wielki facet za nami, sprawiając, że krew z powrotem napływa mi do głowy. — *Pizda!*

Potrącana z obu stron łokciami moich wrzeszczących towarzyszy, spoglądam w górę na kopulaste sklepienie.

— *Pizda! PIIIIIZDAAA!* — Krople budweisera opryskują mi z tyłu szyję.

Czekam, żeby Buster się skrzywił, przewrócił oczyma albo w inny sposób odniósł się do ginekologicznej tyrady, ale jego uwaga pozostaje skupiona na krążku.

Mężczyzna za nami zwraca się do kolegi.

— Mój syn za cholerę nie może trafić.

Wstaję.

— Wiesz co, pójdę do toalety, żeby trochę odtajać.

— Co? Jasne, jasne. — Buster skutecznie ucisza mnie machaniem ręki.

Mam. Cię. W dupie.

W łazience znajduję schronienie pod suszarką do rąk, pozwalając, żeby kilka porcji gorącego powietrza przywróciło mi krążenie w sinych palcach. Więc dokąd idziemy w przyszły weekend? Kopalnia węgla? Genialnie, ja się piszę. I skorzystamy z twojego latającego dywanu? Wspaniale. Nie mogę się doczekać!

W pewnym stopniu ogrzana wychodzę na korytarz, kiedy Buster wypada przez podwójne drzwi prowadzące na lodowisko.

— Okej, to dzięki! — Macham mu na do widzenia przez szerokość pokrytej gumą podłogi.

— Hej. — Podchodzi wielkimi krokami, policzki ma zarumienione od kibicowania, podaje mi moją plastikową torbę. — Chyba nie wychodzisz?

— Owszem.

Sięgam po swoją kolację, lecz Buster chwyta mnie za nadgarstek, przytrzymuje razem z torbą i zniża głos.

— Okej, to może pomogę ci zanieść to do domu i przerobić na sałatkę? — Szczerzy zęby w „tym" uśmiechu i widzę, że dla niego to takie proste.

— Nie sądzę, żebyśmy byli gotowi na wspólne szykowanie sałatki. — Wypuszczam powietrze. — Słuchaj, to był potwornie długi dzień na zakończenie potwornie długiego tygodnia i chcę tylko wziąć gorący prysznic... — Gryzę się w język. — Ale tego już nie musisz wiedzieć... Gdybyś tylko mógł mi pokazać drogę do taksówek.

— Pozwolisz przynajmniej, żebym cię odprowadził? Lepiej się poczuję, kiedy będę wiedział, że bezpiecznie dotarłaś do domu. — Nic nieznacząca gówniana galanteria. Ale mając w perspektywie samotny spacer przez opuszczony parking, ustępuję, pozwalając, żeby dostosował krok do mojego tempa. Przecinamy autostradę i idziemy do Jedenastej, gdzie w milczeniu spoglądamy w dół pustej ulicy. Buster opuszcza głowę. — Czuję, że kompletnie to spierdoliłem.

— Co? — pytam zaskoczona jego oświadczeniem. — Nie. Nie... przecież to nie była randka. Jarzące się światła taksówki zbliżają się w naszym kierunku.

— Spierdoliłem. — Samochód zwalnia i się zatrzymuje. — Uważasz mnie za dupka.

— Nic nie uważam. Nawet cię nie znam. — Sięgam do drzwi, oficjalnie przyjmuję do wiadomości, że dopadło mnie zmęczenie.

— A chciałbym, żebyś poznała. Mogę do ciebie zadzwonić?

— Prawdę mówiąc, nie.

Buster wygląda na poruszonego. Taksiarz niecierpliwie stuka w okno. Wślizguję się na tylne siedzenie, rozsypuje mi się zawartość torebki. — Przepraszam. Ale, ee.... proszę — wypycham przez okno zwitek bawełny. — Masz tu T-shirt! — Bierze go z mojej wyciągniętej ręki, a taksówka odbija od krawężnika.

Masz trzy nowe wiadomości. Pip.
Wiadomość pierwsza, przyjęta w środę o jedenastej trzydzieści cztery: „Cześć, tu Estelle z Kuszących Prac. Nie przyjmujemy teraz nowych zgłoszeń. W obecnej chwili nie mamy żadnych zleceń...".
*4
Wiadomość usunięta. Wiadomość druga, przyjęta w środę o dwunastej trzynaście: „Tak, tu Kobiety w Akcji. Jeśli chodzi o tę posadę, to z rozkoszą cię zatrudnimy. Z rozkoszą zatrudnimy całą setkę, tylko po prostu nie mamy funduszy...".
*4
Wiadomość usunięta. Wiadomość trzecia, przyjęta w środę o drugiej czterdzieści trzy: „Halo, tu mówi Stacey, asystentka Guya z Mojej Firmy, w związku z rozmową w sprawie pracy sprzed dwóch tygodni. Nasz prezes Rex poprosił właśnie, żebyś spotkała się z nim w klubie dziś o czwartej. Pięćdziesiąta Trzecia Wschodnia róg Sześćdziesiątej Dziewiątej. Proszę, zadzwoń, żeby to potwierdzić".

Bez tchu wpadam do rezydencji, mijam odźwiernego w liberii, który pakuje jakiegoś osiemdziesięciolatka do limuzyny Town Car, i przepycham się przez ażurowe żelazne drzwi, wpadając do okazałego holu klubu. Przy jednej pokrytej wapieniem ścianie znajduje się biurko recepcji, przy drugiej, pod portretem Roberta E. Lee, wyłożona drewnianymi panelami szatnia, wszystko puste. Idąc za dźwiękiem chrapliwych śmiechów i szczęku sztućców, gnam w górę jednym z dwóch ciągów schodów i wysłanym perskim dywanem korytarzem, obok płócien z trzymającymi cygara założycielami. Końcami palców popycham mahoniowe drzwi i wchodzę do sali jadalnej, gdzie wita mnie zawiesisty aromat zapiekanki z kurczaka oraz przemyconych hawańskich cygar. Przez dym widzę Reksa przy narożnym stoliku z widokiem na Park Avenue, jedzącego ze wzrokiem utkwionym w porządnie złożonej gazecie.

— Rex, cześć. — Wyginam się jak hostessa w stroju króliczka i obwieszczam swoje przybycie, przypadkowo przejeżdżając torebką po łysej czaszce osoby siedzącej za mną. — Przepraszam. — Odwracam się z przeprosinami w kierunku zaczerwienionej od dżinu twarzy, jeszcze bardziej poczerwieniałej po kontakcie ze mną.

— Młoda damo? — rozlega się surowy głos i zwracam się w drugą stronę, żeby zobaczyć falangę czarnoskórych mężczyzn w białych marynarkach, uzbrojonych w szczypce i kelnerskie ściereczki, czekających w napięciu, jakby mieli schwytać krokodyla. W sali zapada cisza.

— Młoda damo! — Obrażony starszy dżentelmen potrząsa poznaczoną piegami pięścią. — Nie wolno pani! — Szef obsługi emfatycznie kiwa głową zza jego pleców, podczas gdy tłum zwisających podgardli z plamami wątrobowymi trzęsie się z oburzenia.

— Strasznie przepraszam — mówię upokorzona. — Czy miałam się wpisać? Przepraszam, nie wiedziałam. Na dole w recepcji nikogo nie było. — Odwracam się do Reksa, który ledwie oderwał się od artykułów.

— Girl — instruuje mnie, spokojnie odkładając widelec. — Zaczekaj na dole.

— Strasznie przepraszam, w wiadomości było tylko tyle, że mam się tu z tobą spotkać. Nie chciałam... — Główny kelner stanowczo ujmuje mnie za ramię. Pewnie już wezwali oddział w kombinezonach przeciw zagrożeniu biologicznemu, ale na razie zostaję wyprowadzona. Mijamy odsuwających się z niechęcią członków klubu i personel, który z kamiennym wyrazem twarzy patrzy w podłogę w oczekiwaniu na to, że obedrą ich ze skóry za niedopuszczalne zaniedbanie. Szybko zostaję sprowadzona na dół i uwolniona przed Poczekalnią dla Pań.

— Może pani zaczekać tutaj — oświadcza wśród grobowej ciszy ten, który mnie schwytał.

Cholera. Zapadam się w ozdobnie pikowany kwiecisty fotel z falbankami i w lustrze naprzeciw wpada mi w oko własna rozpalona twarz. *Cholera*. Krzywię się, wspominając swoje wejście. Choleracholeracholera!

Po półgodzinnym pełnym nadziei wyczekiwaniu w fotelu, który doprowadziłby Rose Kennedy do orgazmu, staje się jasne, że zostanę tu na dłużej. Opieram się o ozdobne pikowania i wyciągam z torebki pocztę. Rachunki, rachunki, rachunki, poczta lotnicza od Kiry — *W końcu oba plemiona uzgodniły, gdzie studnia powinna zostać wykopana. Tylko że teraz mówią, iż nie możemy jej wykopać, dopóki nie uświęcę ziemi, zgadłaś, tańcem deszczu, co jest oczywiście kurewsko mało prawdopodobne, skoro przelecieliśmy sześć tysięcy mil, żeby wykopać im pierdoloną studnię* — absurdalny katalog sieci meblowej Pottery Barn i odręcznie napisany liścik, który musiał zostać wepchnięty przez szparę na listy osobiście przez autora.

Hej, Girl!
Super było mieć Cię w naszym małym Aneksie (ha, ha), ale Zeldy sprzedała w tym tygodniu sporą pracę (!) i wreszcie pozwala mi odzyskać szafę. Mamy wyburzyć tę ścianę w końcu miesiąca, zapraszamy na przyjęcie dekonstrukcyjne. Zeldy zamierza zrobić swoje ciasto z burbonem!
Buziaki,
Eva

Nie. Wychodzę stąd. Bez pracy.

— Nie wolno — przestrzega mnie głos z karaibskim akcentem, gdy zmierzam do drzwi.

— Przepraszam? — rozglądam się i wśród roślin doniczkowych dostrzegam starszą kobietę o kakaowej skórze, w stroju pokojówki, metodycznie składającą ręczniki.

— Powiedział, żeby czekać. Paniom nie wolno być w budynku poza wieczorami dla żon.

Ależ oczywiście. Ustawiam swój fotel w drzwiach i zawzięcie wpatruję się w dolną część schodów. I wpatruję. I czekam. I znowu wpatruję.

Dwóch leciwych mężów stanu z szuraniem zbliża się do ławki pod Robertem E. Lee, żeby założyć kalosze.

— Moim zdaniem nikt nie przebije Connery'ego. Ale w tym, który wypożyczyliśmy, była ta ciemnoskóra dziewczyna, jakże się ona nazywa?

— Jak owoc. Berry jakaś.

— Tak, właśnie ta. Ożywiła trochę całość.

— Tak, Jefferson miał dobry pomysł.

Odnajduję wzrok kobiety składającej ręczniki, która zachowuje kamienną twarz.

Nie, poważnie, to *idealny* klub dla prezesa firmy, która w całości zajmuje się obsługą kobiet. Augusta* w białych prześcieradłach. *Wstyd*, zniesmaczony głos Grace dźwięczy mi w uszach. *Wstydwtydwstyd*.

Mam też w ręku plik niezapłaconych rachunków i artystyczne aspiracje Zeldy, które obejmują mój pokój.

Zupełnie jakby skończyła się lekcja, na schodach nagle roi się od kaszmirowych płaszczy i szalików w barwach uniwersyteckich. Pędzę do holu i z tłumu twarzy w pośpiechu udających się na kolację przed wyjściem do teatru staram się wyłowić Reksa. Okno rozświetlają reflektory samochodu i wybiegam na ulicę.

— Rex! Rex!

Zatrzymuje się, jedną nogą już w srebrnym jaguarze, rozchylona kurtka Barbour odsłania biały strój do squasha.

— Strasznie mi przykro — powtarzam, gdy odźwierny umieszcza w bagażniku torbę z rakietami. — Naprawdę przepraszam za swoje wejście. Nie wiedziałam o waszej — przełykam ślinę — polityce.

---

* ekskluzywny klub golfowy w Augusta, w stanie Georgia

Rex się uśmiecha, chichocze sam do siebie, gdy przytrzymują mu drzwi.

— Girl, widziałem wszystko, co chciałem zobaczyć. — Zgina się wpół, żeby wsiąść, odźwierny miażdży mnie wzrokiem, zatrzaskując drzwi.

Patrzę na oddalające się tylne światła, łzy rozmazują mi widok.

— Proszę wypełnić formularz i zająć miejsce. — Chudy jak ołówek mężczyzna owinięty zielonym zmechaconym swetrem siada pod powybrzuszanym od wody napisem NOWOJORSKIE STANOWE BIURO ZATRUDNIENIA i sprawnie podaje mi podkładkę oraz króciutki ołówek.

— Czy mogę tylko zapytać... nie dostałam jeszcze żadnego czeku. Próbowałam dopytać się przez telefon, bo naprawdę, *naprawdę* potrzebuję pieniędzy.

— Tak?

— Więc kiedy to będzie? Bo w książeczce...

— W książeczce?

— Tak, w rozdziale o schemacie wypłat...

— Cóż, jeżeli tak jest w książeczce, to na pewno prawda.

— Więc...

— Więc moim zdaniem ma pani swoją odpowiedź. — Podaje podkładkę i ołówek osobie w kolejce za mną. — Proszę tylko wypełnić formularz, zająć miejsce i zaczekać na spotkanie.

— Czy pan może mi pomóc?

Wpatruje się we mnie.

— Powinnam z kimś porozmawiać?

— Rozmawia pani ze mną. — Unosi wyskubane brwi, nie przerywając rozdawania. — Proszę tylko wypełnić formularz i zająć miejsce.

— Muszę uczestniczyć w spotkaniu, żeby porozmawiać z kimś o wypłacie?

— Proszę tylko wypełnić formularz.

— Jasne, ale może właściwie nie muszę...

— I zająć miejsce.

Gapimy się na siebie.

Przesuwa okulary ze szkłami przypominającymi denka butelek wyżej na nosie i podaje podkładkę oraz ołówek następnej osobie w kolejce. Przckładam plecak na drugie ramię.

— Okej... później to wyjaśnimy! Po prostu wypełnię teraz formularz.

— A potem może pani — mówi, wskazując na grupę stłoczoną w szkolnych ławkach — zająć miejsce. Z tą cholerną książeczką — mruczy.

Wzdycham i robię, co mi polecono. Ukradkiem przypatruję się towarzyszom niedoli na bezrobociu i natykam się na spojrzenie blondynki z ciemnymi odrostami ze spotkania w sprawie pracy przy pięciu kręgach — kolejna Sheila, której się nie powiodło. Rumienię się i podążam za jej głową, wskazującą przesadnie żelowane włosy faceta, który, jak się wydawało, zaliczył tamto ćwiczenie praktyczne. Widać za słabo.

Uśmiecham się blado. Sheili szklą się oczy.

— Halo. — Zmechacony Sweter wstaje i zaczyna mamrotać. — Halo — powtarza, bo wszyscy przeglądamy papiery. — Halo. To moja koleżanka, pani Kamitzski. — Wyglądająca na wyczerpaną kobieta z okularami na łańcuszku robi krok w naszą stronę i wykonuje słabe machnięcie, gdy tymczasem Zmechacony otwiera skoroszyt i zaczyna monotonnie czytać. — Halo i witamy w Nowojorskim Stanowym Biurze Zatrudnienia. Zostaliście państwo poproszeni, żeby zgłosić się tu osobiście dziś... poproszeni, żeby zgłosić się tu osobiście dziś... dziś. — Robi pauzę, ostrym wzrokiem spogląda na panią Kamitzski.

— Trzynastego lutego — wygłasza swoją kwestię kobieta.

— Dziś, trzynastego lutego, w celu odbycia okresowej rozmowy na temat przydatności i szans na zatrudnienie. Wymaga się od państwa, abyście pisemnie dokumentowali wszystkie wysiłki podejmowane w celu znalezienia pracy, z datami, nazwiskami, adresami i numerami telefonów pracodawców, z którymi się kontaktowaliście, stanowiskami, o które się staraliście, i wynikami starań. Jeżeli nie macie państwo pisemnej dokumentacji wszystkich waszych starań o znalezienie pracy, z datami, nazwiskami, adresami...

Ciepło sprawia, że gubię wątek i wyłączam się, ukradkiem czytam dział nieruchomości w „Village Voice" w poszukiwaniu wolnych mieszkań.

— Czy mogę zadać pytanie? — odzywa się potężna kobieta w zwojach gniecionego aksamitu z mojej prawej.

— Oczywiście. — Zmechacony unosi okulary i patrzy na nią. — Może pani.

— Jestem śpiewaczką. Mam klasyczne wykształcenie operowe i praktykę sceniczną, ale w ostatnim miesiącu miałam tylko kilka imprez. Chyba trzy... nie, cztery... zaraz. — Grzebie w swojej przesadnie wypchanej patchworkowej torbie, znajduje kalendarz biurowy z fotografiami kotów o czerwonych oczach, wylegujących się na grzejnikach. — Mmm, raczej cztery, bo chociaż czwarta to była bar micwa mojego kuzyna, mieli zamiar zapłacić mi za przejazd na miejsce i z powrotem. I miałam mnóstwo prób do podkładania głosu... czy te też się liczą?

— Czy dostaje pani czeki z wypłatą? — Zmechacony wpatruje się w nią.

— No tak, jeżeli tak się to nazywa. Czasami biorę pracę, żeby wyrobić sobie kontakty. Miałam świetną imprezę w Boca Raton na pokazie samochodów w zeszłym roku...

— Pani pytanie? — Zmechacony kurczowo ściska przed sobą biały skoroszyt, wygląda jak kolędnik, ale ma mord w oczach.

— Nie mam informacji kontaktowych na temat każdej próby, na którą dotarłam, mimo że poświęciłam czas i wysiłek, żeby tam pójść, co nie było łatwe, ponieważ mój brat jest chory i opiekuję się jego papugą, którą czasami zabieram na przesłuchania, ale czasami muszę ją tylko karmić. Wróciłabym do Boca, gdybym mogła, ale zasadniczo wolę pracę w operze, południowa Floryda ma jednak ograniczoną liczbę miejsc w dobrej klasy operze.

Zmechacony mruga.

— I?

— No więc może nie powinnam wymieniać tych prób? Czy wymieniać? Czy w ogóle się nie liczą, bo uważam, że cała ta praca, którą wykonuję przy okazji opieki nad papugą brata, powinna się jednak liczyć, Bóg jeden wie, że to prawdziwa praca... każdy, kto miał okazję sprzątać ptasią klatkę przyzna, że powinno być za to jakieś wynagrodzenie...

Długo wyczekiwany ratunek nadchodzi wreszcie w postaci faceta z żelem na włosach.

— Chcę się tylko upewnić, że to zebranie potrwa półtorej godziny. — Mówi przyjemnym tonem, jakby w przeciwieństwie do reszty nas, zakładników, znajdował się w kurorcie wypoczynkowym. — Mam zaplanowane obiecujące spotkanie w sprawie pracy i za nic nie chciałbym go przegapić. — Uśmiecha się zwycięsko.

— Och, tak, tak. — Pani Kamitzski potwierdza kokieteryjnie, zwracając się do Operowej Damy. — Będziemy musieli zająć się pani sprawą na osobności, po zakończeniu sesji.

Zmechacony mówi coś monotonnie przez kolejne czterdzieści parę minut, po czym zostajemy pouczeni, by po wywołaniu naszych nazwisk przynosić im formularze. Kolejne pół godziny i zostajemy tylko ja i facet z żelem, który bazgrze coś na brzegu swojego stolika, zasłaniając to, co pisze.

— Girl?

— Tutaj! — Podchodzę, wręczam swój formularz i wkładam płaszcz. — No więc, jak pani sądzi, ile dokładnie potrwa, zanim dostanę pierwszy czek?

Pani Kamitzski uważnie bada dokument, a potem pokazuje Zmechaconemu coś w swoim skoroszycie. Zmechacony uśmiecha się słabo.

— Pani podanie zostało odrzucone.

— Co? — Oblewam się świeżym potem. — Jak to możliwe? Zostałam zwolniona.

— Z danych wynika, że straciła pani stanowisko z powodu niewłaściwego zachowania, i to panią dyskwalifikuje.

— Jakie dane? Nie było żadnego niewłaściwego zachowania. Zostałam zwolniona!

— No cóż — szczebiocze pani Kamitzsky — zawsze może się pani odwołać, jeżeli chce pani postarać się o prawnika i umówić na przesłuchanie, ale to należy załatwić telefonicznie. Jeżeli pani usiądzie, damy pani numer, kiedy tylko załatwię sprawę z tym cierpliwym młodym człowiekiem, tak żeby zdążył na swoje spotkanie. — Facet z żelem podchodzi tanecznym krokiem, radośnie poprawiając krawat. Wciskam się na jego miejsce, zbyt oszołomiona, żeby protestować.

— To bardzo miło, że znalazła pani czas, żeby się mną zająć przy tym zamieszaniu, które ma tu pani na głowie — mówi słodko, co skłania panią Kamitzski do wybuchnięcia czymś, co zapewne uważa za dziewczęcy chichot, gdy wszyscy troje wychodzą.

Zaczyna mi się robić ciemno przed oczami. Jestem kompletnie bez gorsza. Koniec zabawy. Będę musiała przeprowadzić się z powrotem do domu i spędzić resztę żałosnego życia, wytrzymując nieustające pogadanki „Zacznij po prostu własną _____", wypełniając jednocześnie obowiązki, których zakres przerósłby nawet Kopciuszka. Spoglądam na swoje drżące ręce i zauważam radę Nażelowanego dla pani Kamitzski, starannie wypisaną w długiej kolumnie na blacie. „Kamitzski, ty tłusta suko, chuj ci prosto w tę obwisłą dupę...".

— Proszę. — Zmechacony rzuca mi nową książeczkę. — Miała pani rację. Nie musiała pani czekać.

Łapię ją, wypadam na lodowatą ulicę, mijam desperatów ustawiających się na zewnątrz w kolejce i biegnę całą drogę na peron metra, dopiero tam staję, żeby nabrać tchu. Opieram się o wykładaną kaflami zimną ścianę, wpatruję w długi korytarz stacji przy Pięćdziesiątej Dziewiątej Ulicy. Oddycham z trudem, policzki mam mokre.

— Choleracholeracholera — mruczę do własnych tenisówek. Wycieram nos rękawem płaszcza i ważę w dłoni ciężką broszurę, przynajmniej pięćdziesiąt stron wyjaśnień na temat przebiegu przesłuchania wymaganego, żeby stawić czoło Doris. Rzucam okiem na numery wymienione na okładce z tyłu i podchodzę do automatu telefonicznego, grzebiąc jednocześnie w torbie, żeby wyjąć kartę. Ma ośle uszy, miękkie od ciągłego używania.

— Moja Firma. Z kim mam połączyć?

— Z Guyem proszę.

— Chwileczkę.

— Halo, tu Stacey.

— Tak, czy jest Guy? Dzwonię w sprawie rozmowy kwalifikacyjnej, którą odbyłam z Reksem. Miało miejsce nieporozumie...

— Chwileczkę, proszę.

Trzymam telefon obiema rękami, modląc się, żeby odezwała się w ciągu trzech minut, bo nie mam teraz drobnych. Zamierzam go błagać.

— Hej, Girl. — Na linii odzywa się Guy. — No więc Reksowi spadły z wrażenia pieprzone portki. Był tobą *zachwycony*. Mieliśmy zadzwonić, ale jesteśmy po uszy zawaleni w związku z klientem, którego usiłujemy ściągnąć z zagranicy. Czy możesz przyjść o... powiedzmy dwunastej trzydzieści w piątek?

— Tak! Tak, zdecydowanie mogę. Ee, przepraszam za drugą rozm....

— Do zobaczenia w piątek. — Połączenie zostaje przerwane.

Promień słońca przebija się przez sześćdziesiąt ton nowojorskiego betonu i świeci dokładnie na moją głowę.

Rozdział 5

W każdym razie potrzebna

Po własnych śladach wracam przez nierówny bruk dalekiej zachodniej części Chelsea, śmiało kiwam głową ochroniarzowi, macham prawem jazdy i wpisuję swoje nazwisko. Ale kiedy drzwi windy rozsuwają się w stęchłej pustce rampy załadunkowej, duch we mnie upada. Tak mi dopomóż Bóg, wyjdę stąd jako osoba zatrudniona albo rzucę się z tych idealnych okien.

— Girl, hej. — Wzdrygam się nerwowo, gdy Guy nadchodzi z tyłu, wrzucając kubek po kawie do pobliskiego kontenera na śmieci.

— Cześć!

— Super. — Mija mnie, jego dudniący głos wypełnia niemile wilgotne powietrze. — Cieszę się, że przyszłaś. Jesteśmy tu w trakcie czegoś, w czym chcę, żebyś wzięła udział. — Wita mnie jak Virgil*, przytrzymuje drzwi do zalanego słońcem biura.

— Dziękuję. Ależ tak, z rozkoszą wezmę udział... — Dzwoni jego komórka i podczas gdy kiwa głową i potakuje do miniaturowego urządzonka, gwałtownie odżywa we mnie miłość do wszystkiego, co składa się na Moją Firmę, napeł-

---

* postać z opowiastek T.K. Remingtona, publikowanych w necie na www.laughmain, złośliwiec, lubi wprowadzać w błąd turystów

niając serce dziecięcą czułością dla każdego bonsai i kosza na śmieci z polerowanej stali.

Z trzaskiem zamykając telefon, Guy gwałtownie zatrzymuje się dokładnie w progu małej przeszklonej sali konferencyjnej, blokując mi drogę. — Hej, ludziska, to jest Girl. Spodziewamy się, że poprowadzi naszą inicjatywę. — Przeciskam się obok niego i uśmiecham do patrzących wyczekująco twarzy, wysuwam krzesło z metalowej siatki w kolorze tytanu. — Girl, to niektórzy kluczowi gracze z naszej rodziny, właśnie na nich musisz zrobić wrażenie: Matt, projektowanie; Stan, informatyka; Angel, nasza kierowniczka biura, i Joe, ten tu, personalny, który wykańcza nas całym tym gównem z zakresu HR. — Joe z łagodnie siwą broda wydaje się najstarszym pracownikiem. — Coś mi obiecałeś, Joe. Wszystkie zasady obowiązujące w Mojej Firmie powinny się mieścić na jednej fiszce. Jak przy prowadzeniu wózka z hot dogami. — Joe śmieje się nerwowo, reszta kiwa do mnie bez entuzjazmu. — Nie marnujmy czasu na wstępy — ciągnie Guy. — Mamy na tapecie pytanie, co przyciągnie kobiety z kręgu „Ms."; to niesamowita szansa dla wszystkich tutaj. Niesamowita. — Uderza dłońmi w poręcze swojego krzesła. — Girl?

— Tak — potakuję entuzjastycznie, nie mogę się doczekać szczegółów. — Stanowczo.

— Słusznie. Girl, przejmij pałeczkę! — wszyscy zwracają się do mnie wyczekująco. Mam przebitkę ze snu, w którym zdaję egzamin końcowy z biochemii, chociaż nigdy nie chodziłam na żadne zajęcia, do tego naga.

— No... zakładam, że znane jest wam środowisko „Ms.".

— Mnie? — pyta Angel.

— Ta strona sieciowa?

— Nie, mam na myśli prawdziwe życie, ich czytelniczki. — Wszyscy patrzą pustym wzrokiem. Ależ świecę gołą dupą. Dzwoni komórka i Guy na szczęście wychodzi, pozwalając mi miotać się bez nadzoru. — No tak, niech się zastanowię, z tego, co wiem, czytelniczki „Ms." są świadome politycznie. Aktywne towarzysko i pod każdym względem zaangażowane w sprawy równości płci. No więc gdybyście sami nimi byli...

— Kim? — przerywa mi Angel.

— Czytelnikami „Ms.".

— Chcesz powiedzieć „gdybyśmy byli kobietami" — pomaga mi Joe.

— Tak! Tak, gdybyście byli kobietami pasującymi do charakterystyki, którą właśnie przedstawiłam...

— Czy Guy mówił, jak długo musimy tu siedzieć? — Stan znudzony wkłada palce za brzeg T-shirta, który wystaje mu spod bawełnianej koszuli. — Bo mam wizytę u dentysty.

Joe podnosi się z krzesła, strzela mu w kolanach, i z hukiem stawia na stole podniesioną z podłogi białą tablicę. Skrzypiącym markerem wypisuje na niej KOBIETY. Reszta się na mnie gapi.

— Może powinniśmy podejść do tego z przeciwnej strony. — Przenoszę wzrok z jednej męskiej twarzy na drugą. Stan bez skrępowania spogląda na zegarek. — Jakie cechy Mojej Firmy byłyby waszym zdaniem szczególnie atrakcyjne dla kobiet w opisanym przeze mnie typie?

— Łazienki! — wyrywa się Angel. — Zapewniamy darmowe tampony.

— Poważnie? — pyta Matt. — W męskich toaletach nie ma niczego za darmo.

— Może skupmy się na tym, co znaczące. Jak możemy wykorzystać informacje na temat urody i zdrowia, te, które nasza firma ma do zaoferowania — serce mi staje przy dzierżawczym „nasza" — i wygenerować, opierając się na nich, zainteresowanie typowej czytelniczki „Ms."? — Cisza. Matt rzuca spojrzenie Stanowi. Pewnie szykują się do rozpętania rebelii, żeby uzyskać w męskich toaletach darmowe prezerwatywy.

— Okej, co mamy? — Guy wraca i błyskawicznie obejmuje spojrzeniem pustą tablicę i milczącą grupę.

— Wybacz, Guy, ale trochę się pogubiliśmy — wyjaśnia

Joe. — Może nabralibyśmy rozpędu, gdybyś wyjaśnił, czego MF chce od kobiet z „Ms.". — Dziękuję.

Guy wzdycha z rozdrażnieniem, szarpie skórę u nasady nosa.

— To kompletnie niepotrzebne — stwierdza Stan, nagle ożywiony. — Mówiłaś coś, Girl.

— Jasne. — Gorączkowo usiłuję z tego wybrnąć. — Bo wiecie, kiedy się przyjrzeć zainteresowaniom kręgów „Ms. Magazine"... kultura, polityka, sprawy społeczne... to zasadniczo kwestie, którymi zajmuje się większość organizacji non profit. — Whitneywhitneywhitneywhitney. — No więc może moglibyśmy dotrzeć do kobiet pracujących dla organizacji non profit i dowiedzieć się, jak mogą skorzystać z naszego profesjonalizmu. — Cokolwiek to, kurwa, znaczy.

— Mów dalej. — Guy kołysze się na palcach, podczas gdy wyciągam jedynego asa z zawodowego rękawa.

— Myślę, że Moja Firma powinna zostać sponsorem konferencji, zgromadzić te organizacje i... sprawdzić, co im siedzi w głowach. — Mam wizję, że zbliżam się do sztywnych loczków Doris ze szpikulcem do lodu.

Guy dwukrotnie klaszcze w dłonie i szeroko się uśmiecha.

— Genialne.

Serio?

Na ten sygnał Stan i Joe wstają.

— Niesamowite — ziewa Matt.

— Niesamowite. — Angel podąża prosto do drzwi.

— Tak. — Uśmiecham się, czując nieznaną radość z docenionej kompetencji. — Wygenerujmy coś z ich wiedzy.

— Jasne, niesamowite. — Stan wychodzi za Mattem, Guy zamyka pochód.

— Znakomite. Po prostu znakomite — mówi. — Dzięki, że przyszłaś. Masz czas coś przegryźć? Umieram z głodu.

— Tak, też umieram z głodu.

Głodu pracy.

— To było super — oznajmia, wybierając numer.

— Dzięki, strasznie jestem zaintrygowana tą inicjatywą.

— Świetnie. Tylko wezmę płaszcz.

Guy wraca, żeby zgarnąć mnie z okolic recepcji, pociąga colę z puszki i z ożywieniem wyłuszcza swój punkt widzenia przez komórkę.

— Po prostu mnie pierdolą... Nie... pierdolą *mnie*. Ich współczynnik zatrzymania wiąże mi ręce... — Przez trzy kolejne aleje idę obok, wysłuchując szczegółowej relacji, w jaki sposób następny kwartał będzie wiązał się z sytuacją, w której Guy jest poddawany wspomnianemu pierdoleniu... w jakich pozycjach, z jakim wyposażeniem i czy będzie z tym miała coś wspólnego jego matka. Gdy przecinamy Dziewiątą Aleję, gwałtownie zamyka telefon i chowa go do kieszeni sztruksów. — No więc — odzywa się z uśmiechem — lubisz włoską kuchnię?

— Uwielbiam.

— Dawniej szło się całe mile i nie było tu przyzwoitego miejsca, żeby zjeść, a potem w ciągu jednej nocy wyrosła ich cała masa. — Przytrzymuje mi drzwi do maleńkiej restauracyjki, ładniutko udekorowanej powiększeniami fotografii makaronu na tle czarno-białego marmuru. — Ale większość nie przetrwała.

— Oczywiście. — Automatycznie dopasowuję się do jego sceptycznego tonu osoby dobrze poinformowanej. Oboje zamawiamy specjalność zakładu, po czym Guy krzyżuje ręce na blacie z kararyjskiego marmuru. — No więc, Girl, czym się zajmujesz?

— Och, no wiesz, jestem po prostu...

— Właściwe mam ochotę na espresso... też chcesz?

— Jasne.

— Kelner! — Macha. — Dwa podwójne!

— No tak, po prostu tam byłam — mówię pewnym głosem. — Staram się znaleźć odpowiednie środowisko, aby wykorzystać umiejętności, które nabyłam przez ostatnie kilka...

— Chleba?

— Dziękuję — mówię, kiwając głową.

102

— Taa, sytuacja tam wygląda dość gównianie, dlatego właśnie moim zdaniem ważne jest, żeby rodzina MF pomagała ludziom z dołu łańcucha pokarmowego, ludziom, których tradycyjnie się pierdoli, kiedy czasy są ciężkie: kobietom i mniejszościom. — Odrywa kawał chleba na zakwasie, macza w oliwie i wrzuca cały do ust. — Ludzie potrzebują środków, informacji. Albo noga się im powinie. U podstaw Mojej Firmy leży kwestia przekazywania kobietom informacji. Masz problem? Wpisujesz go, i bum! Informacja.

Grudki w tuszu do rzęs, główna przeszkoda w rozwoju cywilizacji.

— A skąd pochodzą zyski? — pytam, pociągając łyk wody z lodem.

Wybucha wielkim śmiechem, łzy zwilżają ciemne kręgi, które ma pod oczami.

— Walisz prosto z mostu, prawda, Girl? Świetne pytanie. Zawsze myślisz... podoba mi się to. — Pociąga długi łyk espresso. — Reklamodawcy. Plus czasopisma, które płacą nam za aktualizację i umożliwienie dostępu do ich archiwów.

— A Rex? — pytam z namysłem.

— To jego dziecko, ja tylko popycham kołyskę. — Guy macza w oliwie kolejną porcję chleba, rozlewając ją wokół talerzyka. — Był moim mentorem w banku, nauczył mnie wszystkiego, co wiem o sztuce przetrwania...

— Rigatoni? — pyta kelnerka, ustawiając na naszym stole dwa dymiące talerze.

— Dziękuję — odpowiadam, gdy wyciąga w moim kierunku młynek do pieprzu.

— Rex należy do tych nielicznych osób, które przez to przeszły i nie uważają, że przedsiębiorca jest brzydkim słowem. Ściągnął mnie tutaj, żebym zasilił to miejsce odrobiną mojego DNA. — Kiwam głową, wyobrażam sobie Guya, który ociera się o każdy szczegół wyposażenia biura. — Poważnie, Girl, codziennie odwiedza jego portal milion kobiet. Jeżeli chodzi o tę firmę podległą, Rex i bank trzymali w garści pieprzoną dojną krowę, ale miał tu jakiegoś fiuta, który marnował szansę, poddając się recesji, bo bał się wyjechać przy kolorowaniu poza linię. Nie miał jaj, żeby wygenerować coś, wykorzystując to, co jest w tej firmie najcenniejsze.

— I tu wchodzisz ty?

— Taa, mam je. Wielkie. Niektórzy mówią, że za duże. — Uśmiecha się od ucha do ucha. Czy to kolejna metafora, czy teraz naprawdę omawiamy wielkości twoich jąder? — Wizja jest taka, okej? — Pożera swoje rigatoni, mówiąc dalej: — I dopuszczam cię do samego najświętszego przybytku... nie dzieliliśmy się tym z resztą naszej rodziny w MF ani ze społeczeństwem. Rada właśnie rzecz zaaprobowała, więc to tylko sprawa między tobą, mną i bankiem. Jasne? — Entuzjastycznie kiwam głową, a on odstawia pusty talerz na bok, policzki mu płoną, przesuwa rękoma po marmurze. — MF zna od podszewki miliony kobiet. Śledziliśmy każdy ich ruch przez całe miesiące, co dało nam cholerną kupę poważnych danych na temat tego, co chcą wiedzieć, jakiej wiedzy są spragnione. Cholera, mógłbym nawet wejść im do komputerów, gdybym chciał, ale oczywiście nie chcę.

No tak, to faktycznie coś.

Wyciera usta serwetką i upuszcza ją na stół.

— Codziennie kierujemy na naszych reklamodawców dwa miliony oczu. Jeśli się to właściwie rozegra, jesteśmy w stanie skierować ich uwagę na cokolwiek. — Z piskiem odsuwa krzesło, przeciąga się, poprawia śladowy brzuszek widoczny nad paskiem z monogramem. — Wlazłem na ten pieprzony szczyt, rozejrzałem się i pomyślałem, kurwa, to jest zmarnowana szansa. MF mogłaby przekształcić się z firmy technologicznej w konsultingową. Wiem, wiem, wszystkie firmy konsultingowe rozłożyły się na całego, bla, bla, bla. Ale nie miały tej co my gotowej bazy wiedzy. Wiedzy, która sprawia, że zechce nas przelecieć każda firma nastawiona na masowego żeńskiego konsumenta.

— Taka jak?

— Nike, na przykład.

— Masz oko na Nike'a?

— No cóż, trzymamy za ogon parę srok. Ściągnięcie archiwum „Ms." do naszego portalu stanowiłoby demonstrację niezaprzeczalnego oddania się całej tej sprawie. W sytuacji kiedy cały biznes konsultingowy wlecze się żółwim krokiem, to chwila, w której wszystko aż się prosi, żeby zacząć konkurować na poziomie małych agencji reklamowych. Jak to widzisz?

— Rany. Myślę... to mi wygląda na niesamowicie ekscytujący moment, żeby włączyć się w waszą krucjatę.

— Genialne, że masz tyle energii! — Przechyla się przez stolik, łapie mnie za ramiona i potrząsa. — Tego tu właśnie brakowało, odrobiny pieprzonego entuzjazmu! — Puszcza mnie, żeby wysuszyć resztę espresso. — Masz feministyczny rodowód, gramy w jednej lidze. Trochę trwało, zanim udało się skaptować Reksa...

— Tak, ta historia z męskim klubem była trochę dziwna. — Opuszczam wzrok, żeby złożyć serwetkę. — Nie wiedziałam nawet, że takie miejsca są w dalszym ciągu legalne.

Z brzękiem odstawia filiżankę na spodek.

— Coś musiało im zostać.

Uśmiecham się promiennie, zacierając ślady po odruchowym grymasie.

— Nie, nie, chodzi mi tylko oto, że wydawało się to nieco... staroświeckie. — WYCOFAĆ SIĘ! — Ale oczywiście ludzie mają pełne prawo, no wiesz, spotykać się ze znajomymi w podobnym wieku i... — Guy powoli kiwa głową, a ja bezsilnie milknę.

— Hm. — Z każdym ruchem jego głowy w dół pogłębia się przepaść między nami, wygląda, jakby się spodziewał, że poinformuję go teraz o swojej głębokiej czci dla pogańskiej Bogini Matki.

Taksuje mnie wzrokiem przez mdląco długą chwilę.

— Ale z ciebie fiut.

— Dzięki!

Uśmiecha się niepewnie. Ja zwycięsko szczerzę zęby. Nachyla się do mnie konspiracyjnie.

— Więc, co oczywiste, mamy kupę konkurentów. Całe stada rekinów. — Słucham z uwagą tego, co mówi, tętno wraca mi do normy. — To, czym się teraz z tobą podzielę, jest ściśle poufne, ale mam wrażenie, że cholernie się ucieszysz, kiedy się dowiesz. — Stosownie ostrzeżona, nastawiam się na odpowiednio długie przytrzymanie uśmiechu. — MF nie pokazała jeszcze czarno na białym entuzjazmu, z którym odnoszę się do tej feministycznej inicjatywy i z którym ty odnosisz się do tej feministycznej inicjatywy. Podjęliśmy więc decyzję, by dowieść zaangażowania w sprawy kobiecej społeczności, oferując milion dolarów na rozruch jakiejś początkującej organizacji non profit, która podziela naszą troskę o kobiety. — Rozjaśnia się w uśmiechu, wyraźnie rozkoszuje się faktem przekazania mi tej informacji, i nic dziwnego.

Wciąż nie wiem, o co tu chodzi, nie umiałabym wyjaśnić tego człowiekowi z ulicy, ale chcę mieć tę pracę jeszcze bardziej, niż pragnęłam godzinę wcześniej.

— Co za niesamowita hojność. W takim wypadku konferencja z udziałem organizacji non prfit będzie podwójnie korzystna. Jednym ruchem zaprezentujecie się masie potencjalnych odbiorców i zademonstrujecie „Ms.", że Moja Firma bierze sobie do serca poruszane przez nich kwestie.

Guy pochyla się, żeby oprzeć brodę na złożonych rękach, pierwszy raz widzę, że stracił energię, twarz mu obwisa, wyczerpał zapasy entuzjazmu.

— Świetnie. — Machnięciem ręki prosi o rachunek. — Muszę wracać. Chcesz się przejść ze mną?

Wciąż opcjonalnie?

— Oczywiście, z wielką chęcią wyskoczę...

Komórka Guya wydaje modulowany dźwięk, przysuwa ją do ucha, wkładając marynarkę, a mnie nie pozostaje nic innego, jak truchtać u jego boku.

— Guy, księgowość na ciebie czeka — wita nas recepcjonistka.

— Okej. — Z klaśnięciem łączy dłonie. — Girl, może, eee... opracowałabyś listę ludzi, do których, twoim zdaniem, powinniśmy... dotrzeć z tą sprawą. I pamiętaj, poufne kwestie są, no wiesz, poufne. Na razie. — Ludzie uśmiechają się znad swoich biurek, kiedy mija ich w pędzie.

— Cześć. — Odwracam się do recepcjonistki. — Gdzie mam się zainstalować?

— Och, nie zajmuję się przydziałem biurek. Musisz się zobaczyć z Joe z HR... to znaczy z personalnego. Zadzwonię po niego.

Parę chwil później z szuraniem nadchodzi Joe, ręce w kieszeniach swetrowej kamizelki, gruby skoroszyt wetknięty pod pachę.

— Witam ponownie — mówi, siadając przy mnie, tuż obok często uczęszczanej drogi między przegródkami na korespondencję personelu a toaletami.

— Cześć. Nie mogę się doczekać, kiedy poznam swoje biurko.

— Więc oficjalnie cię przyjęli? — Przechyla głowę i pstryknięciem otwiera skoroszyt.

— A nie?

— No cóż... — Joe potakuje nad pierwszą stroną, przedstawiającą drogi do wyjść ewakuacyjnych. — Nie dostałem jeszcze potwierdzenia w twojej sprawie, ale to u nas nic niezwykłego. Pewnie powinienem się wstrzymać z wygłoszeniem zwyczajowej mowy. — Z trzaskiem zamyka skoroszyt. — Żeby uniknąć nieporozumień z Guyem. — Prycha jak koń.

— Czy dostanę biurko?

— Tak — śmieje się. — Przypominasz mi moją córkę. Tak, dostaniesz stanowisko pracy, żeby przejść chrzest bojowy. I mam nadzieję, że zostaniesz wciągnięta do programu adaptacyjnego, który próbuję ponownie uruchomić. Mam się dzisiaj spotkać z Guyem w związku z tym wszystkim, więc niedługo będę wiedział więcej. Ale nie mogę cię posadzić przy komputerze, dopóki nie dostanę od niego potwierdzenia, że droga wolna. Przykro mi, będziesz musiała cierpliwie zaczekać.

— Okej — wzdycham. — Dzięki.

— Będę trzymał kciuki. — Joe spogląda w kierunku okien i podążam za jego wzrokiem, zimowe chmury kłębią się nad Hudosnem.

— Ile ma lat? Twoja córka? — pytam. Śnieg miękko muska szyby.

— Siedemnaście. Właśnie skończyła składać papiery do szkół.

— Uuu — wzdrygam się. — Strasznie trudny moment.

— Najgorsze jest czekanie. Zostań tu na razie. — Ojcowskim ruchem klepie mnie po kolanie, po czym znika w morzu biurek.

Z silnym postanowieniem, że nie wyjdę stąd bez pisemnej, podpisanej, opieczętowanej i potwierdzonej notarialnie informacji o zatrudnieniu, wyciągam swój żółty notatnik i książkę adresową, żeby wypisać wszystkie kontakty nawiązywane podczas pracy z Doris. Do siódmej mam spisane nie tylko informacje kontaktowe i osobiste dziwactwa dyrektorów każdej kobiecej organizacji, którą z rozkoszą będę nagabywać o coś innego niż znalezienie dla mnie posady, ale posunęłam się nawet do napisania długich, odrażająco szczegółowych listów do moich kumpli za granicą. Jestem całkowicie pochłonięta przeznaczonym dla Kiry opisem faktury włochatego swetra recepcjonistki, kiedy dochodzi do mnie znajomy głos, pytający o Guya.

— Czy oczekuje pani?

— Owszem. — Seline Saybrooke rzuca spojrzenie w moim kierunku, energicznie rozpina karmazynowy kożuszek i pewnym krokiem przecina biuro, połyskliwe włosy kołyszą się na boki. A ja wstaję i podążam za nią w odległości kilku kroków. Pchnięciem otwiera drzwi gabinetu Guya i rzuca kożuszek na jego puste krzesło, odsłaniając kolejny nieskazitelnie skrojony garnitur.

— Cześć — mówię, stojąc w progu.

Mierzy mnie spojrzeniem.

— Cześć.

— Masz spotkaniem z Guyem?

— Czeka na mnie — wyjaśnia, obchodząc biurko, żeby wyprostować wielki na całą ścianę plakat Metropolis. — A czemu, spotyka się z tobą?

— Owszem. Nie miałam pojęcia, że w dalszym ciągu prowadzi rozmowy wstępne.

— A prowadzi? Nie wiedziałam. — Przerywa nam szum spuszczanej wody i Guy dołącza do nas, wychodząc z osobistej łazienki i wycierając ręce o przód spodni.

— Cześć. Super. Gotowa do wyjścia?

— Tak.

— Nie.

Przenosi wzrok z potwierdzającej Seline na przeczącą mnie.

— Seline, potrzebuję pięciu minut. Cały czas odkładałem to pieprzone spotkanie z Joem. Girl, jesteś gotowa? — pyta, spoglądając na żółty notes w moich rękach, jakby to był papirus z urągliwym „Ha".

— Sporządziłam listę — mówię, czując silny opór, żeby wspomóc w ten sposób *jej* inicjatywę.

— Guy, w Bella Russe nie przedłużą nam rezerwacji. — Seline sprawdza godzinę na prostokątnym złotym zegarku.

— No tak, mam przyjaciela, który może nas później wprowadzić do Smith & Wolensky, bez obawy.

— Okej, w takim razie świetnie. — Uśmiecha się do niego szeroko, po czym z teczki z tłoczonej skóry wyjmuje skoroszyt i siada na szezlongu, żeby popracować. — Prawdę mówiąc, jadłam na lunch sushi, więc tak będzie idealnie. Nie spiesz się.

— Co? — Guy odrywa wzrok od ekranu monitora. — A, świetnie.

— Więc — odwracam się plecami do Seline i zniżam głos — Joe mówi, że czeka na potwierdzenie, żebym mogła startować i...

— Cholera! — Guy zrywa się i truchtem podąża do drzwi. — Choleracholeracholera.

Choleracholeracholera.

— Cześć, to ja. Jak tam spotkanie? — Seline zmienia ton na profesjonalny, gdy tak garbi się nad komórką. — Właściwie możesz mnie na razie połączyć, mam tu swoje notatki... — Słucham, jak Seline słucha i jednocześnie przyglądam się zapalaniu świateł w mieszkaniach po przeciwnej stronie rzeki.

— Mogę cię po prostu zapytać? — szepczę, bo mam wrażenie, że ma pracę.

Unosząc palec do ust, przyciska słuchawkę do ramienia. Pstrykam długopisem i pochylam się nad pustą kartką w swoim notesie. *Czy starasz się o tę posadę?* piszę dużymi literami i unoszę, żeby przeczytała.

Kiwa, mam jej podać notes. Oddaje mi go. *Nie*. Moje ciało się rozluźnia i unoszę kciuki w geście aprobaty. Kiwa w kierunku notesu, bazgrze coś i przekazuje z powrotem. *Czy jesteś nim zainteresowana?*

NIE. Powtarza mój gest aprobaty i z ulgą prostuje ramiona. Zastanawiam się, czy nie napisać *Nigdy nie byłam!*, w stylu Normy Rye, kiedy jak strzała wpada Guy, pod pachą ma skoroszyt Joego. „Dział personalny". Szybko wrzucam notes do torby.

— Witam, moje panie. Cholera... — Wystawia głowę przez szklane drzwi. — Stacey, gdzie, kurwa, ten Joe? Nie pozwól mu wyjść... muszę z nim porozmawiać *dzisiaj*.

Nagabywana kobieta kiwa mu głową znad niedużej zniszczonej torebki, którą pakuje. Wygląda na jakieś dziesięć lat starszą ode mnie, sowie okulary dobrze się komponują ze zbyt obszernymi szatami.

— Jest mi tu potrzebny! — Kobieta pospiesznie sunie przez biuro, a Guy podąża za nią niecierpliwym krokiem.

Seline zatrzaskuje telefon i wsuwa go z powrotem do teczki, po czym zwraca się do mnie.

— Po pięciu minutach tego spotkania zorientowaliśmy

się, że tu nie pasuję. Więc zaprosił mnie na drinka i od tamtej pory się spotykamy. — Uśmiecha się, zadowolona z siebie.

Guy zagląda przez próg.

— Daj mi pięć sekund na załatwienie tej sprawy z Joem i wychodzimy. — Przechyla głowę w moją stronę. — Girl, na biurku jest pakiet dla ciebie. Obejrzyj go i, eee, widzimy się w poniedziałek.

OWSZEM, WIDZIMY.

— Dziękuję za tę szansę, Guy. Strasznie jestem podekscytowana możliwością tworzenia tego... z tobą.

Właściwie rzucam się do windy, grzebiąc w kopercie. Formularze podatkowe i firmowe broszury oraz umowy. Na dole w holu kładę wszystko na biurko ochroniarza i przerzucam papiery, jakbym grała w trzy karty. Wreszcie, gdy trzeci raz wszystko przekładam, zatrzymuje mnie spinacz do papieru i znajduję list z ofertą.

O. Mój. Boże.

Pożyczam sobie od Guya krok buńczucznego macho i z rozmachem wkraczam w noc, by cisnąć w powietrze przysłowiowy kapelusz i poinformować Nowy Jork, że oto przybyłam.

Rozdział 6

Pokaż jej, co wygrała

W poniedziałek rano w nowym płaszczu od Gucciego, który w pośpiechu kupiłam w sklepie z używanymi ciuchami na Prince Street, pokonuję znaną już, ale wciąż niebezpieczną drogę do Mojej Firmy. W torbie upchnęłam zestaw ekscytujących osobistych drobiazgów do dekoracji Mojego Biurka. Primadonny, które miały w Centrum przydzielone „miejsce", za dekorację uważały pożółkłe komiksy z „New Yorkera" i liczące dekadę pudełko krakersów Saltine. Ale w MF biurka są urządzone w stylu feng shui, z dziwacznymi figurkami postaci z komiksów z lat osiemdziesiątych, koniecznymi przyborami z wizerunkami Simpsonów i zdjęciami z wakacyjnych wypraw w ramach eco-challenge. Skrawek weekendu, który pozostał mi po bezowocnym poszukiwaniu mieszkania, spędziłam na przeglądaniu dzieł plastycznych Jacka, zdjęć Kiry i innych, żeby stworzyć idealną kompozycję, mówiącą: „Jestem koleżanką, którą chcesz zaprosić na wesele".

— Cześć — pozdrawiam recepcjonistkę. — Teraz już oficjalnie przyjęta. To mój pierwszy dzień.

— Cześć. Girl, prawda? Jestem Jennie, przez „ie". — Wyciąga rękę, bo dzwoni telefon. — Moja Firma?

Czekam, dopóki nie przełączy rozmowy.

— Jennie, wiesz do którego boksu zostałam przydzielona?

— Przykro mi, ale od wieków nikogo nie zatrudnialiśmy. Całych wieków.... — Stuka długopisem w notatnik. — Zaraz zobaczymy, Joe powinien tu być lada chwila. Może usiądziesz...

Z kuchni biegiem wypada Guy, rozchlapując kawę.

— Cholera! — Macha oparzonym palcem. — Girl, świetnie, że jesteś.

— Cześć! Dzień dobry! Właśnie czekam na Joego...

— Nie. Nie czekajmy. — Biegnę za nim. — Kurwa, robi mi się pęcherz. — Ssie palec. — Zwolniłem Joego w piątek.

— Och... strasznie mi przykro...

— To niech ci nie będzie. Musiałem skądś wziąć twoją wyśrubowaną pensję — mówi, szczerząc zęby — A poza tym to rozmiękczenie ciągnęło nas w dół. Stacey! — woła, kiedy dzieli nas od niej kilka biurek. — Chcę mieć Girl tutaj, na naszym terenie. Możesz ją zainstalować? I zrób coś z tą kawą, gorąca jak w pierdolonym McDonaldzie.

— Zadzwonię do Angle — stwierdza Stacey, podciągając rękawy obszernego kardiganu. — I do Joego, żeby...

— Joe wyleciał — szorstko oznajmia Guy, chwytając z jej biurka stos poczty, który opiera o pierś, żeby go przewertować. Brew Stacey widoczna zza okularów wędruje w górę.

— Czy nie byłoby lepiej, gdybym została przydzielona do jakiegoś boksu? — pytam niepewnie, zerkając na biurka ustawione we wzór plastra miodu, emanujące aktywnością. — Żebym mogła całkowicie zanurzyć się w pracy?

— Girl, podoba mi się twój sposób myślenia. Nie, chcę cię mieć pod ręką. Chcę słyszeć twoje myśli, zanim wpadną ci do głowy! — Klepie mnie po plecach pocztą. — Okej, Stacey, niech techniczny podłączy jej komputer i telefon najszybciej jak to możliwe.

Stacey kiwa głową, mówi coś do słuchawki o ustawieniu szafek na akta i „szarego krzesła do komputera, ale nie z tych niewygodnych". Podaje mi samoprzylepną karteczkę. „Napisz proszę swoje dane, żebym mogła zamówić służbowe wizytówki".

Rozkoszuję się swoim nowym tytułem: *dyrektor do spraw pozyskiwania wiedzy w zakresie zmiany wizerunku.*
Gdyby Doris mogła mnie teraz zobaczyć.

Girl, gratulacje w związku z nową pracą! To cudownie! Zeldy i ja strasznie się cieszymy! Wybacz brak czasu, ale ludzie z młotem pneumatycznym są wynajęci na niedzielę! Proszę, wpadnij na przyjęcie — przebierz się za ulubione narzędzie elektryczne!

Zmarnowałam trzy tygodnie na różne przywidzenia w kwestii komfortowych mieszkań, mam siedemdziesiąt dwie godziny do chwili, gdy mój dom wróci do swojej oryginalnej funkcji szafy. I pół godziny przerwy na lunch przed pierwszym prawdziwym spotkaniem z Guyem; muszę wydusić z niego informacje w sprawie konferencji, którą planuję. Definitywnie pogodzona z faktem, że nowa pensja w dalszym ciągu nie pozwala mi na wynajęcie słodkiego domku jak z filmu z Doris Day, wpycham się do brudnej budki telefonicznej — *muszę* kupić komórkę — na rogu Dwudziestej Trzeciej i Ósmej, żeby wyjaśnić współrzędne absolutnie ostatniej nadziei z listy mieszkań.

— Halo? — słyszę mrukliwy męski głos.

— Cześć, mogę mówić ze... — przeszukuję dół pokreślonej listy z nazwiskami właścicieli — ze Stevem?

— Taa.

— Czy to Steve?

— Taa. — Słyszę piwny oddech.

— Och, okej, to świetnie. Chciałabym obejrzeć to mieszkanie z jedną sypialnią, do podnajęcia, z ogłoszenia w porannym „The Voice"?

— Ile masz wzrostu?

— Przepraszam? Chodzi o to, że chyba w gazecie podali zły adres.

— Zachodnia Dwudziesta Trzecia czterysta trzynaście.

— Okej, mam — mówię, przekreślając 431. — I wciąż jest do wzięcia?

— Jeżeli je chcesz, to lepiej od razu przychodź.

— Okej.

— Pozowałaś kiedyś nago?

— Hm...

— Tylko przyjdź sama.

Hmm. Odkładam słuchawkę i wychylam się, żeby dostrzec numer 413, dawną czynszówkę przyozdobioną skrzynkami do kwiatów i tęczową flagą.

Wybieram numer własnej poczty głosowej. „Cześć, jeżeli zostanę znaleziona martwa, miałam zamiar obejrzeć mieszkanie na Zachodniej Dwudziestej Trzeciej czterysta trzynaście, trzy C, facet ma na imię Steve".

Widzę parę gliniarzy wychodzących z Kripsy Kreme.

— Przepraszam! — Macham, gdy dmuchają na gorącą kawę. — Przepraszam, że przeszkadzam, ale muszę obejrzeć tu mieszkanie. — Pokazuję na drugie piętro. — A facet gadał jak pokręcony. Czy nie moglibyście mi potowarzyszyć? Obiecuję, że to potrwa góra pięć minut.

— Nie zajmujemy się opieką nad dziećmi, kochanie. Jeżeli gada jak pokręcony, to go sobie daruj.

— Nie mogę. Załatwię to naprawdę szybko. Moglibyście nawet zaczekać tutaj i tylko się upewnić, że wróciłam. Proszę?

— Zadzwoń do przyjaciela. — Pakują się z powrotem do wozu patrolowego.

Patrzę na zegar w banku: dwadzieścia trzy minuty do spotkania z Guyem. Wpada mi w oko kiosk naprzeciwko budki telefonicznej; okładka czasopisma przedstawiającego plansze do monopolu pyta: „Grałeś?".

Wykręcam numer do informacji i już jestem połączona z najlepszym dostępnym substytutem ochroniarza, który pracuje tylko kilka przecznic dalej.

— YGames. Z kim mam połączyć?

— Z Busterem, proszę. — Serce mi przyspiesza. To ostatnia okazja, żeby zasłużył na mój numer telefonu.

— Przepraszam, ale jestem tu nowa. Zna pani nazwisko?

— Nie. — Nie, nie znam. Ale mam tu ostatnie mieszkanie,

potencjalnie upiorną śmierć i bardzo atrakcyjnego (zauroczonego?) chłopaka, który, jak się wydaje, ma dobre intencje, dyskusyjnych przyjaciół i skłonność do spieprzenia zakończenie sprawy. — Nie, ale pracuje w dziale projektowania.
— Proszę zaczekać.
Przez ściągnięte usta wypuszczam powoli strumień powietrza, muzyka techno dudni na linii.
— Jeeeelllo? — Nieuzasadniona ekstaza.
— Cześć. Buster?
— Taa jest, w czym mogę pomóc?
— Cześć, tu G...
— Cześć... — Słyszę, jak gwałtownie zdejmuje nogi z biurka. — Cześć!
— Hej, co u ciebie? — Uspokajam głos.
— Nie mogę się dość nazachwycać tym T-shirtem.
Uzasadnione zakłopotanie.
— Taa, przepraszam za tamto. Słuchaj, na pewno jesteś zajęty, ale znajdujesz się w pobliżu, a sytuacja jest trochę podbramkowa.
— Tak?
Czy chodzi o coś trwalszego, czy tylko o seks, a jeżeli o seks, to czy zyskujemy równe prawa, żeby do siebie dzwonić, czy wpisuję się jako dziewczyna od spełniania twoich życzeń?
— G?
— No więc dostałam wymówienie i muszę się wyprowadzić w najbliższą sobotę i wreszcie znalazłam mieszkanie, ale kłopot w tym, że właściciel gada jak zboczeniec. Ale wszystko inne, co obejrzałam, jest zajęte, nie do zamieszkania albo obie rzeczy naraz. A ja nie chcę skończyć w filmie o zabijaniu na żywo i muszę być z powrotem w biurze o drugiej, więc...
— Okej, okej, już chwytam kurtkę. Wyobrażałem sobie Antiguę o zachodzie słońca, ale oglądanie mieszkania zboczeńca też jest niezłe. Jaki adres?
Odkładam słuchawkę, czując lekki zawrót głowy.

Kilka minut później rozgrzewa mi serce widok Bustera biegnącego aleją.

— Strasznie ci dziękuję! — wołam, kiedy zwalnia, twarz ma zaczerwienioną od biegu na zimnie.

— Nie ma sprawy. — Całuje mnie w policzek, jego wargi na moment zatrzymują się na mojej skórze. — Cieszę się, że zadzwoniłaś.

— A to dobrze, to cieszę się, że się cieszysz.

Śmieje się.

— Dobra. To mamy wyjaśnione.

Zwalczając impuls, by poddać się tuż przed wejściem, które znajduje się naprzeciwko Krispy Kreme, zmuszam się, żeby nacisnąć dzwonek. Drzwi otwierają się z kliknięciem, odsłaniając stary, wykładany kaflami hol, który został szaleńczo wypolerowany przez jakiegoś optymistę. Na górze oczekuje nas Właściciel Steve, tęgi facet w poplamionym podkoszulku. Na widok Bustera twarz mu się wydłuża.

— Mój mąż — oznajmiam.

— Wszystko jedno — mruczy. Ruchem włochatego ramienia zaprasza do mieszkania i prześlizguję się obok jak leming przyciągnięty blaskiem słońca. Buster stoi na straży w salonie, podczas gdy ja kręcę się po mieszkaniu. Jest tu prawdziwa kuchnia z blatami po obu stronach. Łazienka bez karaluchów i oddzielna sypialnia — z kamerą wideo ustawioną na statywie na wprost gołego materaca.

— I co? — Steve mierzy mnie wzrokiem od góry do dołu i mocniej owijam się płaszczem. — Lubisz zabawki?

— Nie.

— Dam ci mój numer. Powinnaś zadzwonić. Podnajmuję to, żeby zebrać fundusze na nową serię Vivid Video.

— *Kochanie!* Chodź zajrzeć do kuchni — mówi Buster, ciągnąc mnie tam, podczas gdy Steve ma zadzwonić do mojego banku. Buster przytrzymuje drzwi szafki i ruchem ręki wskazuje na cukier, substytut śmietanki do kawy i skrzynkę lubrykantu. — Myślisz, że dorzuci to do mieszkania? — pyta; nasze twarze są tak blisko.

Steve wystawia głowę zza lodówki, słychać gwiżdżący oddech palacza.

— Czek jest w porządku. Płatność od poniedziałku.

— Zmieniam zamki.

— Jak tam chcesz.

Ostatni rzut oka w poszukiwaniu kobiety unieruchomionej za pomocą taśmy klejącej, i jesteśmy z powrotem na ulicy.

— Jeszcze raz strasznie dziękuję.

Buster rozjaśnia się w uśmiechu.

— Cała przyjemność po mojej stronie. Mam nadzieję, że nie zmarnowałaś przeze mnie szansy na wystąpienie w *E! Prawdziwej hollywoodzkiej historii**.

— Zawsze będę miała otwartą drogę — wzruszam ramionami.

Spogląda z powrotem na ulicę.

— No i będziesz tuż za rogiem. Jest tu świetny bar z winem, gdzie chodzimy po pracy...

— Z przyjemnością... — Wpada mi w oko bankowy zegar. — Cholera, mam jakieś dwie minuty, żeby zdążyć na spotkanie z szefem. — Energicznie wyciągam rękę, żeby złapać taksówkę.

— Masz pracę? Tyle się dzieje, kiedy nie mamy kontaktu. — Ściąga kapelusz, włosy ma zmierzwione jak dzieciak wyrwany z drzemki.

— Taa, jestem nowym dyrektorem do spraw pozyskiwania wiedzy w zakresie zmiany wizerunku w Mojej Firmie. — Sięgam, żeby wygładzić mu grzywkę. — Wiesz, jesteś zabawny, kiedy nie otaczają cię seks i przemoc.

— A, seks i przemoc. — Buster wzdycha nostalgicznie. — Tylko zaczekaj, aż zobaczysz, co szykuję na naszą trzecią randkę.

— Epidemię?

— Słuchaj, poważnie, jeżeli potrzebujesz pomocy przy

---

* seria dokumentalna poświęcona niezwykłym karierom (*E! True Hollywood Story*)

118

przeprowadzce, moi koledzy i ja absolutnie możemy ci pomóc — mówi, z powrotem nakładając kapelusz.

— Naprawdę? Byłoby świetnie. — Ponownie macham w kierunku nadjeżdżających samochodów. — Zaraz, zaraz. Ci, których poznałam na meczu?

— Taa. Czasami zachowują się jak dupki, ale to mili faceci.

— Świetnie, bo skończyły mi się T-shirty.

— Dotarło. I wtedy wieczorem mówiłem poważnie, o tym, że chcę cię bliżej poznać. — Podjeżdża taksówka, Buster otwiera drzwi, robię krok, stając między nim a samochodem, czuję napięcie związane z jego bliskością. — Bo wiesz, nie mam twojego telefonu. Ale rozumiem. To, że podajesz jakiemuś królowi porno numer swojego ubezpieczenia społecznego, nie oznacza, że powinienem oczekiwać...

— Jest twój. — Wygrzebuję służbową wizytówkę, pozwalam sobie popłynąć z prądem.

Naśladując zabójcze tempo Guya, pędem mijam biuro, w którym panuje wielki ruch, zgarniam z biurka konferencyjny skoroszyt i gnam do jego nieoświetlonej kryjówki. Ślizgam się i zatrzymuję, machając rękoma; dostrzegam że podłogę pokrywa kratka starannie ułożonych brązowych folderów z nalepkami.

— Girl, uch. — Stacy wzdryga się, zaniepokojona. Klęczy w przeciwnym końcu pomieszczenia, obok pudła wypełnionego luźnymi kartkami.

— Przepraszam. — Kulę się przestraszona, schodząc z kartki, która odegrała rolę skórki od banana. — Gdzie Guy?

— Nie ma go. — Na palcach przemieszcza się między teczkami, żeby uporządkować bałagan mojego autorstwa.

— Spóźniłam się? — wołam, kiedy wyciąga spod mojego obcasa papiery, których nie zauważyłam.

— Nie spóźniłaś się. — Odsuwa z twarzy zabłąkany kosmyk włosów. — Wyszedł zaraz po tobie. Spotkanie w ostatniej chwili.

— Żartujesz. Naprawdę muszę chociaż raz porozmawiać z nim przed piątkiem, żeby się upewnić, czy ta konferencja to właściwy trop. Możesz sprawdzić, czy uda ci się gdzieś mnie wcisnąć?

Idę za nią, gdy niechętnie wraca do własnego biurka, by przejrzeć rozkład zajęć Guya.

— Nie ma szans.

— Nic? — Tracę wigor. — Poważnie? Choćby dziesięć minut, żebym mogła mu to streścić? — Kręci głową. — To brzmi trochę absurdalnie. Przecież jeszcze się nie sprawdziłam. A co, jeżeli wyobraziłam sobie, że każę wszystkim wysmarować się galaretką i grać na podłodze w twistera?

Stacey potrząsa głową, żeby pozbyć się skurczu.

— Zawsze możesz próbować go łapać... — Podążam za jej spojrzeniem w kierunku zagraconej podłogi. — Nie wiem. Może po prostu ci ufa, okej? — Ponownie wzdycha. Przymierzam się do koncepcji, że ktoś mi ufa, obgryzając końcówkę swojego ołóweczka z zapasów biura zatrudnienia. Stacey krzywi się na ten widok. — Tak przy okazji, magazynek z przyborami to te drzwi za damską toaletą.

— Och, dzięki. Skąd wziąć klucz i komu mam wszystko pokwitować?

Stoi w przejściu i mierzy mnie takim wzorkiem, jakbym poprosiła o pozwolenie na wysiusianie się.

— Po prostu się obsłuż.

— Och, dobra. Świetnie. — Przyglądam się, jak ze zmęczeniem wraca do pokoju. — Hej, Stacey? — wołam. — Przepraszam, że ci nabałaganiłam. Może wybrałybyśmy się na drinka wieczorem? W Bella Russe mają zabawne wina.

— Nie piję.

Policzki mi czerwienieją, wycofuję się.

— Okej, cóż, to może innym razem... na kawę!

Z jednym mniej weselnym przyjęciem do zaliczenia, z konferencją do zorganizowania wyłącznie według własnego widzimisię i bez klucza otwieram drzwi do magazynku. Są tam półki, półki i półki samoprzylepnych karteczek, ściany kopert i długopisów w każdym kolorze i o każdej grubości; jakby Tutenchamona przygotowała do pogrzebu firma Staples*. Dobra, jestem w prawdziwym biurze z prawdziwymi materiałami biurowymi, niedługo będę w prawdziwym mieszkaniu, i Guy mi ufa.

Z satysfakcją korzystam z władzy nadanej mi w celu zaplanowania konferencji i zaczynam metodycznie wybierać wszystkie czerwone teczki, w kolorze, który Doris uważała za przeraźliwy. Ja, której do tej pory pozwalano tylko obsługiwać kserokopiarkę.

Rano w wielkim dniu nachylam się w stronę lustra w damskiej toalecie hotelu Marriott, żeby wklepać korektor w ciemne koła pod oczami. Robię krok do tyłu, obrzucam spojrzeniem swój nowy, inspirowany strojem Seline Saybrook garnitur (z podszewką). Stacey wsadza głowę przez drzwi, okulary ześlizgują się jej z nosa.

— Ludzie zaczynają przychodzić, a ja muszę wracać do biura — mówi. — Potrzebujesz jeszcze czegoś?

— Wszystko gotowe, dziękuję. — Wychodzę za nią do krzykliwie udekorowanego holu hotelowego z wystrojem stylizowanym na okres cesarstwa. Żołądek mi podskakuje z niepokoju, gdy widzę napływające tłumy.

— Strasznie ci za wszystko dziękuję, Stacey. I wspaniałego weekendu.

Wkłada pikowany płaszcz i otwiera wiecznie przeładowaną torebkę na ramieniu.

— Jasne — mamrocze, grzebiąc w poszukiwaniu komórki.

— Poważnie. — Dotykam jej ramienia, oczy mi wilgotnieją, gdy przypominam sobie, jak się musiałam nagimnastykować, żeby wypełnić setki niewdzięcznych zadań dla Doris. — Nie umiem wyrazić, ile to dla mnie znaczyło, że mogłam liczyć na twoją pomoc. Zawsze to ja biegałam i załatwiałam

---

* firma oferująca zaopatrzenie w materiały biurowe

wszystko dla innych i fakt, że znalazłaś czas, żeby pomóc mi w przygotowaniu konferencji, jednocześnie radząc sobie ze wszystkim, co już i tak robiłaś dla Guya, po prostu... naprawdę wiele dla mnie znaczy.

Nieuważnie kiwa głową, zerkając na numer, który mruga na wyświetlaczu jej komórki.

— Na pewno właśnie wychodzi ze spotkania z inwestorami.

Sprawdzam czas.

— Żartujesz. Wchodzi za dziesięć minut.

Stacey z trzaskiem otwiera komórkę i biegnie do windy.

— No cóż, dobra, jeszcze raz dziękuję! — Kolejny rzut oka na zegarek; modląc się, żeby Guy się pospieszył, odwracam się, by zacząć dzień.

Całkowicie żeński tłum zjawia się w grupkach, większość pań mniej lub bardziej po pięćdziesiątce, wszystkie ubrane w workowate ciuchy i wszystkie dźwigają wiekowe jak one torby płócienne, obwieszczające lojalność wobec inteligentnych gatunków zagrożonych wyginięciem w publicznych mediach. Ustawiam się pod dużym banerem Mojej Firmy i każdą z uczestniczek kieruję do bufetu na kawę i ciastka.

— Przepraszam. — Stacey wraca, czerwona na twarzy i bez tchu. — Zapomniałam ci je dać... Guy chce, żeby wszyscy uczestnicy to wypełnili. — Wyciąga z torby plik kwestionariuszy. — Pa.

Spoglądam na pierwszą stronę i oczy z lekka wychodzą mi z orbit.

1. Kupując dla siebie bieliznę, uważasz się za kobietę w typie:
   a) Victoria's Secret
   b) Frederick's of Hollywood
   c) Hanro
   d) Maidenform
   e) La Perla

2. W której z wymienionych poniżej firm robiłaś zakupy w ostatnich sześciu miesiącach?
   a) Victoria's Secret
   b) Frederick's of Hollywood
   c) Hanro
   d) Maidenform
   e) La Perla

3. Twoja bielizna sprawia, że....

— Czy jest już Doris Weintruck?

— Nie — mówię, podnosząc wzrok znad kwestionariusza, który prędzej zjem, niż dam komuś do wypełnienia. — Nie będzie jej.

— Owszem, będzie — zapewnia kobieta, mrugając do mnie spod zbyt obszernego kapelusza rybackiego, jak z reklamy Gorton's*.

— Nie, nie będzie. — Niezaproszona, nie będzie jej. — Przykro mi. Może mogę w czymś pani pomóc...

— Owszem, będzie. Rozmawiałam z nią dziś rano. — Energicznie ściąga kapelusz. — Bez Doris konferencja to tylko stare bajgle w sali balowej.

— Moje bajgle są świeże. — Tylko tyle jestem w stanie z siebie wydusić, po czym udaję się prosto do damskiej toalety i zamykam w kabinie dla niepełnosprawnych. Nie potrzebuję tej pracy. Będę zbierać puszki, przeprowadzę się z powrotem do Waterbury, dołączę do sekty. Wszystko jest lepsze, niż patrzeć na Doris, która mówi Guyowi, jaka to ze mnie neurotyczna, niedojrzała, uzależniona osoba, mająca problem z przestrzenią.

Nie. Wiecie co? Pieprzyć ją. Pieprzyć ją i konia, na którym przyjechała. Nie ona prowadzi tę imprezę. To ja. Ja prowadzę tę imprezę. Ona jest tylko gościem, i to nieproszonym.

Wychodzę z ukrycia dokładnie w chwili, gdy Guy wkracza

---

* od 1849 firma sprzedająca ryby i owoce morza

do holu, rozluźniając błękitny krawat i przemawiając do komórki. I kocham go... przemowę, rozluźnianie krawata, przekleństwa, czysto męskie osobiste zaangażowanie w to wszystko. Wskazuję na zegarek, a potem na salę konferencyjną. Kiwa głową i odsyła mnie machnięciem ręki. Podnoszę formularze i pytająco wzruszam ramionami. Odwraca się do mnie tyłem. Taa jest, kocham go.

Nie mogę już dłużej czekać. Staję za pulpitem, żeby się przedstawić, kobiety w jednej chwili przestają smarować swoje świeże bajgle.

— ...i jako dyrektor do spraw pozyskiwania wiedzy w zakresie zmiany wizerunku Mojej Firmy mam tę wielką przyjemność powitać panie na dzisiejszym spotkaniu...

— Jezu! — Wszystkie słyszymy Guya tuż zza przeszklonych drzwi.

— Pomiędzy osiąganiem celów programowych i zdobywaniem funduszy na kolejny rok wszystkie panie pracujecie, cóż, bez końca. Jesteście zajęte. Zbyt zajęte...

— Reksa to gówno obchodzi!

— Rzadko zdarza się okazja, żeby zatrzymać się na chwilę. — Podkręcam głośność ponad dającą się dobrze słyszeć przemowę Guya. — Zebrać się i podsumować to, czego się dowiadujemy o potrzebach tych, nad których wsparciem bezustannie pracujemy.

— Nie wciskaj mi w dupę kitu! — Ręka Guya popycha drzwi, tak że się uchylają, dudniącym głosem wykrzykuje sprośności na całą salę i w tym momencie wchodzi Doris, macha i bezgłośnie artykułuje „Halo!" do siedzących najbliżej.

— Przepraszam, że przeszkadzam. Proszę nie przerywać z mojego powodu! — Pulsuje mi w skroniach, gdy sala zaczyna falować i nie jestem w stanie wytknąć, że jej obecność jest bezprawna. Zajmuje miejsce przy wyjściu i cały czas usiłuje mnie zbić z tropu spojrzeniem, przesyłając znajomą wiadomość: „idiotka". Szukam wzrokiem bezpieczniejszego punktu i zwracam się do wyróżniającej się kobiety w jasnoszarym kostiumie; niezainteresowana przybyciem Doris, uśmiecha się do mnie zachęcająco.

— Z myślą o wspólnej przyszłości Moja Firma z przyjemnością proponuje paniom zorganizowany dzień, podczas którego będzie można podzielić się sukcesami, odkryciami i strategiami organizacyjnymi. Dzień, który, jak mamy nadzieję, stworzy fundament pod trwały, korzystny dla obu stron związek. Jesteśmy pewni, że wyjdą stąd panie z ugruntowanym przekonaniem, że Moja Firma dysponuje zasobami ważnymi dla was i waszych siostrzanych organizacji. — I opowiedzcie o tym innym, moje panie. — A teraz chciałabym przedstawić dyrektora Mojej Firmy. — Patrzę tam, gdzie ozdobiona roleksem ręka Guya wciąż przytrzymuje otwarte drzwi. Wszystkie kobiety podążają za moim wzrokiem, nie licząc Doris, która śledzi każdy mój ruch, jej oczy przypominają wylot karabinu snajperskiego.

— Nie... gówno mnie to obchodzi... Nie, prowadziłem obliczenia przez cały tydzień i ostatni raz ci mówię, żebyś przestał posyłać kwiaty i słodycze do tych pieprzonych czasopism o modzie. Musimy się ich pozbyć. Skupić wszystkie siły na rzecz tego nowego...

— Guy — mówię, przybliżam usta do mikrofonu i pisk sprzężenia przewierca salę. Na twarz Doris wypełza pełen satysfakcji złośliwy uśmiech. Dobry Boże, rusz tyłek i chodź tutaj. — Guy! — usiłuję być pogodna i pewna siebie. — Czekamy!

— Tak jest! — Z trenczem przewieszonym przez ramię pewnym krokiem wchodzi na podium, machając do czekającej z rezerwą sali jak młody Kennedy. Rzuca mi płaszcz, wyciąga mikrofon ze statywu. — Szanowne panie, dziękuję za przybycie. — Od pobliskiego stołu odsuwa puste krzesło, stawia stopę na siedzeniu i opiera łokieć na uniesionym kolanie. — Czuję prawdziwy dreszcz podniecenia, że jestem tu w chwili, gdy Moja Firma może zacząć wypłacać się tym, które najbardziej się liczą. — Niespiesznie dzieli się ze słuchaczkami pełną emocji historią o swoich pierwszych zajęciach w ramach studiów gender na uniwersytecie w Santa Cruz, o tym, jak to obudziło w nim świadomość walki prowadzonej przez kobiety. Walki, której znaczenia jako „uprzywilejowany samiec" długo nie doceniał. — To niesamowite uczucie, gdy prawie piętnaście lat później jestem w stanie poświęcić życie zawodowe, żeby coś zrobić z tą niesprawiedliwą nierównością.

Wygląda, jakby miał się rozpłakać; rozglądam się i z zaskoczeniem widzę morze macierzyńskich uśmiechów, wyjątek stanowi kobieta w jasnoszarym garniturze, która ma ściągnięte brwi. Guy chrząka i staje prosto, trzyma mikrofon w obu rękach jak chłopiec z chóru.

— Jestem niezwykle dumny z wielu rzeczy w moim młodym życiu, ale ten moment, gdy Moja Firma osiągnęła taki sukces, że jest w stanie odpłacić się swojej uciśnionej klienteli... to uczucie nie do opisania. Już od trzech lat Moja Firma pomaga kobietom w uzyskiwaniu odpowiedzi na pytania dotyczące urody i zdrowia. Ale wy pomagacie kobietom uzyskać dostęp do informacji, które pozwalają przeżyć... — Ukradkiem zerka na frontową stronę folderu reklamującego ten wykład. — Informacji o... prowadzeniu domu i... ee, opiece nad dziećmi i... — jąka się — pomocy prawnej... i cywilnej. — Podnosi wzrok na słuchaczki. — Nadszedł właściwy czas. Połączmy się! — Wszyscy klaszczą. — Chcę też podziękować Girl za niesamowitą pracę, którą wykonała, przygotowując to ważne spotkanie. — Doris wywraca oczyma, ale nie potrafi odebrać mi uczucia przyjemnego oszołomienia z powodu publicznych podziękowań, pierwszych od czasów gdy wywołano moje nazwisko przy rozdaniu dyplomów. Aplauz cichnie, kiedy kobiety zaczynają rozmawiać między sobą.

— Dziękuję — mówię do Guya schodzącego z podium.

— Muszę lecieć. Świetnie. Fantastyczna robota. — Wymienia mikrofon na płaszcz.

Wyłączam mikrofon.

— Mogę cię zapytać o te kwestionariusze?

— Są mi potrzebne.

— Okej, jasne. Wydają mi się tylko nieco nie na temat...

— Girl. — Przez twarz przemyka mu grymas złości. — Jeżeli proszę, żebyś postarała się o ich wypełnienie... to postaraj się o ich wypełnienie.

— Oczywiście. — Serce mi przyspiesza z powodu reprymendy i wbijam wzrok w mikrofon, usiłując się uspokoić. — Guy, wiem, że nie mieliśmy właściwie czasu, żeby porównać nasze oczekiwania związane z konferencją, ale zaplanowałam ten dzień w taki sposób, żeby te kobiety wyszły stąd, dobrze mówiąc o Mojej Firmie; organizacji, o której żywotnym zainteresowaniu ważnymi dla nich sprawami nie miałyby inaczej pojęcia. Chodzi o to, że — za cholerę nie zapytam ich o bieliznę — strasznie bym nie chciała kierować uwagi grupy na coś innego.

— Ehe, ehe, rozumiem. — Kiwa głowa, patrząc na zegarek, po czym spogląda mi w twarz. Usiłuję ukryć konsternację. — Girl. — Klepie mnie w ramię. — Sama jedna zorganizowałaś to wszystko... te formularze to łatwizna! Łatwizna! — Otwiera telefon i truchtem opuszcza salę.

Wdycham pozostały po nim opar pewności siebie i ponownie włączam mikrofon.

— W porządku, tak więc dzisiaj będziemy pracować w czterech grupach...

Mija poranna sesja poświęcona aktualnym badaniom i przyszłym celom.

Po lunchu, podczas którego unikamy się z Doris, kieruję kobiety na sesję poświęconą rozmaitym przeszkodom i proponowanym rozwiązaniom. Przeszkoda wskazana przez Grupę Pierwszą wywołuje żywą dyskusję na temat pewnego członka rady miejskiej i partyzanckich taktyk osiągnięcia sukcesu finansowego. Grupa Druga koncentruje się na sprawach związkowych i przedstawia twórcze strategie, gdy w powietrze unosi się pomarszczona jak suszona śliwka rączka wielkości dziecięcej dłoni.

— Pozwolenia na parkowanie — wtrąca Doris kompletnie bez związku. — Nie omawiałyśmy chyba jeszcze tej kwestii, Girl.

Sala tężeje w napięciu.

— Dziękuję! — mówię. — Myślę, że trzymamy się raczej problemów w skali makro, ale świetna robota, Grupa Druga! Który zespół następny? — Z nadzieją spoglądam na milczącą publiczność, z kamiennymi twarzami siedzącą wśród płacht pokreślonego papieru. — Okej, wybiorę kogoś! Może Grupa Czwarta? Jaką przeszkodę omawiałyście?

— Skoro już poruszyłaś tę sprawę, Doris, chcę tylko powiedzieć, co o tym sądzę. — Wyłoniona z Grupy Czwartej mówczyni, Maxine, stoi z zaciśniętymi pięściami, kolczyki przedstawiające symbol jin i jang kołyszą się groźnie po bokach drobnej twarzy. — Kiedy *niektórzy* z wrzaskiem domagają się pozwoleń na parkowanie, a potem je *dostają*, powinni być przygotowani do oddania kilku swoich bonusów z *innego* miasta *tym* z nas, którzy mogą naprawdę ich potrzebować. Zamiast tego *niektórzy* korzystają z pozwoleń na parkowanie, żeby zabierać personel na Staten Island w celu podjęcia pewnych *działań towarzyskich*.

— Te pozwolenia na parkowanie *dopuszczają* działania towarzyskie! — Kolejna kobieta zrywa się jak oszalały piesek preriowy. — Przypuszczam, że wolałabyś, żebyśmy marnowały czas na promie!

— Guzik mnie obchodzi, gdzie marnujecie czas! *My* nie urządzamy przyjęć na Staten Island, Roosvelt Island ani na żadnej innej wyspie, bo *pracujemy*! — krzyczy Maxine, a sala zamiera.

— Och-kej, trochę zbaczamy z kursu — włączam się z drżeniem.

Piesek Preriowy ma twarz czerwoną z wściekłości.

— To miejsce zostało podarowane!

Wrzeszczę, żeby było mnie słychać przez eksplodującą z hukiem wrogość.

— Myślę, że tracimy z oczu tę niesamowitą pracę, którą wszystkie panie wykonujecie, żeby zachować kobiety, eee... przy życiu...

Obok Pieska Preriowego zrywa się na równe nogi trzecia kobieta, ślina pryska jej z ust.

— Jeżeli NIEKTÓRZY byliby bardziej aktywni przy planowaniu własnych finansów, nie musieliby prosić IN-NYCH o pozwolenia na parkowanie, kiedy ci INNI telepią się całą drogę na Staten Island we *wtorkowy wieczór*, a jest tak zimno, że psa byś nie wypędził, a muszą jeszcze odebrać *własne* dzieci z przedszkola na Queensie, a tamci pożałowaliby JEDNEGO CHOLERNEGO POZWOLENIA NA PARKOWANIE!!!

Klasyczna konfrontacja, kobiety mierzą się wzrokiem i dyszą jak pacjenci na oddziale psychiatrycznym. Sala pulsuje niewłaściwie ulokowanymi emocjami; te, które jeszcze siedzą, lekko kołyszą się na krzesłach w zbiorowej traumie.

— *Nienawidzę... cię* — przez zaciśnięte zęby syczy Maxine.

Doris zarzuca na ramię swoją znoszoną torbę Krajowej Ligi Prawa do Aborcji i Kontroli Urodzeń, salutuje mi triumfalnie i wymyka się niezauważona.

— Jeśli mogę na chwilę przeszkodzić! — Kobieta w jasnoszarym kostiumie wychodzi na środek, mówiąc, ogarnia wszystkich wzrokiem. — Dla tych z pań, które mnie nie znają, jestem Julia Gilman z Agencji Magdalenek. Pozostały wspólnie spędzony czas przesądzi o tym, czy dzień, który wszystkie wyjęłyśmy ze swoich planów, okaże się produktywny, czy też będzie kompletną stratą czasu, a tego żadna z nas nie ma w nadmiarze. — Julia składa ręce na wysokości szczupłej talii i uśmiecha się ze spokojem. — Jeśli mogę?

Kiwam głową, gdy tymczasem kobiety ponownie zajmują miejsca i przyglądają się z zaciekawieniem. Julia zgrabnie przechodzi między krzesłami do przodu, bierze do ręki marker i pisze na czystym brystolu: „W trakcie trzech najbliższych lat chciałybyśmy połączyć siły z Moją Firmą, żeby przekazać naszemu docelowemu odbiorcy informację o _____. Panuje niechętna cisza. Zwraca się do mnie.

— Czy tak może być?

— Oczywiście! — Julia wycofuje się, pozwalając mi ponownie przejąć kontrolę. Biorę oddech. — W takim razie poświęćmy kolejne osiem minut na podanie jak największej liczby pomysłów. Start! — Ochproszęochproszęochproszę. Ku mojemu zdumieniu wściekłość gdzieś ulatuje, kobiety pochylają głowy i zgodnie z instrukcją zaczynają coś bazgrać. W parę chwil wszystkie są w pełni zaabsorbowane zadaniem.

Przeżyłam ten długi dzień, stawiam piętrzące się pudła z materiałami z powrotem na swoim biurku. Zwój arkuszy papieru toczy się po podłodze razem z pięćdziesięcioma niewypełnionymi kwestionariuszami na temat bielizny. W usypiającej ciemności, rozświetlonej tylko czerwonym blaskiem ledwie widocznego napisu „wyjście" i przyćmionym światłem, które przesącza się przez szklane ściany gabinetu Guya, zdejmuję buty na obcasach i zrywam z monitora samoprzylepną karteczkę. „Przynieś mi formularze".
Cholera.
Patrzę na duży zegar projektu Nelsona. Ósma trzydzieści trzy. Muszę wracać do domu; przeprowadzka zaczyna się jutro cholernym bladym świtem, a ani jedna rzecz nie jest spakowana. Ani jedna. Zanim Guy zdąży mnie zobaczyć, pochylam głowę, chwytam buty i materiały, po czym przez labirynt biurek przekradam się do damskiej toalety, mojego chwalebnie zasłużonego tajnego miejsca do pracy. Tylko że teraz muszę pstryknąć włącznikiem rzędu wbudowanych halogenów, postawić pudła na nieskazitelnej kafelkowej posadzce, a warsztat pracy rozkładam pod rzędem wypolerowanych umywalek z nierdzewnej stali. Przetrząsam pudła w poszukiwaniu jak największej liczby różnych długopisów i zaczynam...

4. Co kupujesz najczęściej?
   a) majtki
   b) staniki
   c) koszule nocne
   d) komplety: koszulka i...

Po drugiej stronie ściany otwierają się drzwi do męskiej toalety. Zamieram.

— Wreszcie przysłali dane na temat sprzedaży walentynkowej. — Słyszę głos Guya, lekko stłumiony przez cienką gipsową ściankę. — W Europie potąd. Dobroczynność powiązana ze stringami i wycinaniem lasów. — Słyszę tryskające strugi moczu.

— Kiedy Girl wróci z danymi? — pyta Rex.

— Która godzina?

— Około ósmej trzydzieści. Muszę jeszcze dzisiaj dotrzeć do banku... rada chce, żebym wyciszył jakieś durne zamieszanie z molestowaniem, zanim sprawa wybuchnie.

— Taa, powinna już być.

— PIIPPIIPPIIPPIIP! — Aaaaaaachchchch! Rzucam się na pudło, żeby zagłuszyć przenikliwy dzwonek komórki. — Piippiippiippiip.

— Co to ma być, kurwa?

Jak agent z czasów zimnej wojny stopą wyłączam światło w łazience. Drzwi otwierają się gwałtownie dokładnie w chwili, gdy wpycham obie ręce w masę papierów i zaciskam dłoń na telefonie, po czym rozpłaszczam się przy ścianie.

— Piippiippiippiippiip.

— Nikogo tam nie ma — woła z korytarza Guy, gdy drzwi się zamykają. — Któraś musiała zostawić komórkę.

— Podsumujmy jakoś całą sprawę. Obiecałem Ashleyowi, że dotrzemy do Greenwich przed północą — mówi Rex.

— Piippiippiippiippiip.

— Halo? — szepczę do telefonu, słysząc ich oddalające się kroki.

— Halo? — słyszę głos starszej kobiety. — Czy to Marriott?

— Nie, cześć, to ja organizowałam tę konferencję.

— Och, Girl, halo, tu Julia Gilman. To ja przemówiłam do tłumu podczas naszej małej dysputy parkingowej...

131

— O rany, cześć. Cześć! Strasznie ci dziękuję za dzisiejsze popołudnie. Jeszcze jakieś trzydzieści sekund i popełniłabym harakiri perfumowanym markerem.

— Świetnie to opanowałaś. Szepczesz. Czy przeszkadzam?

— Nie, ja tylko... — ośmielam się mówić normalnym głosem. — Byłam pod wielkim wrażeniem twojej interwencji.

— Cóż, z przyjemnością pomogłam... dość kłótliwy z nich tłumek, prawda? Przepraszam, że ci zawracam głowę, ale właśnie się zorientowałam, że zgubiłam telefon komórkowy. Musiał się zaplątać w materiałach, które oddawałam.

— Prześlę ci go posłańcem.

— Dziękuję, ale jestem w urzędzie imigracyjnym.

— Czy wszystko w porządku?

— Jak najlepszym. Wreszcie je zwalniają. Oczywiście czekaliśmy całe miesiące, a teraz bez uprzedzenia po prostu wypuszczają dwadzieścia kobiet na mróz.

— Przepraszam?

— Ten burdel w New Jersey, na który był nalot zeszłej jesieni... pewnie o tym czytałaś... okazało się, że to element gigantycznej afery z białym niewolnictwem?

— Tak, brzmiało to okropnie. — Mój otępiały mózg odtwarza popołudniowe wydarzenia. — Przepraszam, mówiłaś, że jesteś z Magdalenek.

— Magdalenki to ja. To moja pierwsza próba bojowa.

— No to mogę przyjechać do tego urzędu imigracyjnego...

— Nie, nie, jestem teraz na Jersey. Nie sądzę, żebym wróciła przed niedzielą. — W jej głosie pobrzmiewa wyczerpanie. — Najwcześniej.

— Po prostu zadzwoń, kiedy wrócisz. Z przyjemnością podrzucę ci telefon do mieszkania. Jestem ci to winna.

— Prawdę mówiąc, to by była wielka pomoc. Urabiam sobie ręce po łokcie, co najmniej. Dziękuję. — Julia podaje mi swój adres i rozłączam się.

132

Przesuwam formularze w miejsce, gdzie spod drzwi pada wąski promień światła. Nie robiąc nawet przerwy na nabranie powietrza, rzucam się w to głową do przodu.

Abceaaebcd, acdebbcbda, cedbeeadbe, deabbdceba, acdaebdabe, abcadabcadm abceaaebcd, acdbbebda, cedbeeadbe, deabbdceba, acdaebdabe, abcadabcad, abceaaebcd, acdebbebda, cedbeeadbe, deabbdceba, acdaebdabe, abcadabcad, abceaaebcd, acdebbebda, cedbeeadbe, deabbdceba, acdaebdabe, abcadabcad...

— Guy? — Wchodzę do ciemnego pomieszczenia, omijając dużą tablicę, którą można obracać, z zaskoczeniem widzę krąg pracowników księgowości, mimo późnej pory obozujących przy jego biurku zastawionym pojemnikami z jedzeniem na wynos i jarzącymi się laptopami.

— Tak, Girl, tutaj. — Guy w mrocznym kącie unosi głowę z oparcia fotela, w którym siedział w zrelaksowanej pozie.

— Przepraszam. — Odwracam się. — Nie chciałam przeszkadzać. Przyniosłam te formularze...

Głęboki głos Reksa dociera do mnie z miejsca, gdzie leży wyciągnięty na szezlongu, powoli kreśląc na dywanie koła kijem do golfa.

— Chodź no tu, Girl. Właśnie dyskutujemy o kobietach.

Żaden z nich nie wykonuje gestu zapraszającego mnie do zajęcia miejsca i skrępowana stoję wyczekująco nad ich wyluzowanymi sylwetkami, jakbym miała wykonać dla nich taniec erotyczny.

— Ludziska? — rzuca w przestrzeń Guy. — Możecie dać nam minutę? — Mężczyźni ze znużeniem zmuszają się, żeby wstać, wyginają plecy w łuk jak baseballiści i chwiejnie, z szuraniem, wychodzą. — A, i odwróćcie tablicę, dobrze? — Jeden z księgowych, przechodząc, sięga i przekręca ją, zanim przeczytałam nagłówek.

— No więc tu są badania. — Podaję je Guyowi, modląc

się, żeby moje oszukańcze kółka dostatecznie się od siebie różniły.

— Świetnie. — Wręcza cały plik Reksowi, który zaczyna go przeglądać.

— Przepraszam, że tak późno. Konferencja zakończyła się wielkim sukcesem. Był trudny moment, ale w sumie jestem przekonana, że zapewniliśmy sobie u nich dobre notowania...

— Świetnie, jasne. — Guy macha ręką w bok. — Jest kilka spraw, które chcemy omówić. — Znajduje wygodniejszą pozycję, opiera brodę na piersi. — Uważamy, że byłoby dobrze, gdybyś siadła i przygotowała wyczerpującą ofertę, pozwalającą urzeczywistnić naszą inicjatywę.

Jasna sprawa...

— Okej, tak tylko pytam, żeby było całkowicie zrozumiałe. Kiedy mówisz „naszą inicjatywę", nawiązujesz do przyciągnięcia „Ms. Magazine". Kiedy mówisz „oferta", masz na myśli coś w rodzaju wystąpienia o grant...

— O Chryste. Nie rozmawiałeś z nią na ten temat, Guy?

— Oczywiście, Rex. Omówiliśmy to wiele razy, prawda, Girl? Oferta! Oferta! Oferta dla... hipotetycznego zainteresowanego. — Guy pochyla się, opierając łokcie na kolanach.

— Domyślam się, że... — Jego spojrzenie mówi mi, że istnieje tylko jedna odpowiedź. — W rodzaju „Ms."?

— Tak, Gril, właśnie tak — odpowiada Rex. — „Ms". Napisz to dla Steinem.

— Podniecająca sprawa, co? — Guy stuka mnie w łydkę wysuniętym mokasynem. — Będziemy mieli spotkanie z radą i przedstawię im twoją ofertę... rozumiesz, żeby pokazać, do czego zmierzasz. Więc gdybyś mogła przynieść ją nam w poniedziałek rano... wystarczy o dowolnej porze przed wpół do ósmej. Nagłośnij historię naszego zaangażowania w feministyczne problemy. Świetnie. — Ciężko opada na oparcie.

Rex nie przerywa bezgłośnego rysowania kółek kijem golfowym.

— Przydałoby mi się trochę informacji o... zapleczu. — Ponieważ nie miałam jeszcze okazji spotkać się ani z tobą, ani nikim innym, z tego, co widzę, *ja* jestem tym zaangażowaniem w feministyczne problemy.

— Mogę ci poświęcić piętnaście minut o... hmm... — Guy pociera czoło. — Po prostu zadzwoń do mnie na komórkę jutro rano. Przed jedenastą.

Nie ma sprawy, mogę przenieść cały swój ziemski stan posiadania z jednej strony wyspy Manhattan na drugą, przygotowując tę jakąś ofertę i wysyłając ją Glorii Steinem, jeśli tylko poświęcisz mi piętnaście minut, rozmawiając przez komórkę. To jakieś czternaście więcej niż znalazłeś dla mnie przez ostatnie trzy tygodnie, więc jestem do przodu.

— Załatwione? — Guy podnosi na mnie wzrok, ledwie widzę jego oczy w tym cieniu.

Uśmiecham się pewnie, na wypadek gdyby mógł widzieć moje.

— Załatwione.

Nazajutrz wczesnym rankiem stoję w niekończącej się kolejce w U-Haul, rozpaczliwie niewyspana i z nerwami jak postronki po nadmiarze kofeiny. Muszę tylko przenieść wszystkie swoje rzeczy do nowego mieszkania, przespać się króciutko godzinkę czy dwie, a potem w ciągu czterdziestu ośmiu godzin wypocić z siebie cholerną *ofertę*! Nie ma sprawy.

— Następny! — woła mężczyzna z przeszklonego boksu.

Pospiesznie wyciągam dowód i numer potwierdzenia.

— Cześćzarezerwowałambusa.

Zerka na moją kartkę, prycha, leniwie stuka w klawiaturę, wreszcie odzywa się, patrząc na monitor.

— Nie. — Powoli wydyma policzki. — Będzie pani musiała wrócić w poniedziałek.

— Co? Co pan chce powiedzieć? Mam tu numer potwierdzenia...

— Nie możemy zmusić ludzi, żeby oddawali busy terminowo. Pani jeszcze nie wrócił.

Mam wizję busa, który budzi się w Vegas na kacu.

— W takim razie wezmę inny. — Wskazuję za siebie na parking zastawiony busami, tuż za oknem.

— Zarezerwowane. Mogę pani dać coś większego, ale będę musiał więcej policzyć.

— Nie ma mowy. To śmieszne. Zarezerwowałam busa i jeżeli chce mi pan dać coś większego...

— Zaraz, zaraz. Porozmawiam z kierownikiem. — Podnosi się i leniwym krokiem idzie do innego okienka dla interesantów. Buster i spółka będę stali na moim ganku dokładnie za pół godziny. *Ofertaofertaofertaofertaoferta*. Zaczynam drzeć brzegi kartki z potwierdzeniem na drobniutkie strzępki.

— Ale ja zarezerwowałem. — Mężczyzna w skórzanej kurtce lotniczej przy okienku obok irytuje się z powodu własnego zbuntowanego busa.

— Oczywiście, proszę pana — żywo potwierdza kobieta za biurkiem. — Po prostu damy panu większy wóz bez żadnych dodatkowych kosztów i dołożymy dodatkowy dzień za darmo.

— Mój szef mówi, że możemy pokryć różnicę po połowie — oznajmia facet, który mnie obsługuje. Podchodzi, szurając nogami, a przed sobą niesie pokaźny brzuch.

— Co? A czemu tamten gość dostaje większy wóz i dodatkowy dzień za darmo? — Wskazuję mężczyznę, którego traktują z taką rewerencją.

— Nie mam pojęcia. To nie mój klient. W czym mogę pomóc, proszę pana? — Wychyla się, zwracając do osoby, która czeka za mną. Prostuję ramiona, mocniej wbijam w ziemię nogi w pumach i gapię się na niego przez gruby plastik z taką siłą, że powinny mu od tego wypaść ostatnie włosy.

— Słuchaj, mała, zdecyduj się. Mam za tobą kolejkę.

— Niech będzie! — Pokonana, rzucam mu kartę kredytową i stukam butem o podłogę, podczas gdy on wykonuje wszystkie czynności n-a-j-w-o-l-n-i-e-j jak może.

— Dobra, ten tam to Jesus — mówi, wskazując na młodego chłopaka, który stoi obok drzwi, opierając stopę w timberlandzie o ścianę. — Zaprowadzi panią do pani pojazdu. Nie marudź za długo, Jesus. — Mruga. — Wiem, że jest milutka.

Jesus wychodzi ze mną na dwór, na ogromny parking, słońce już wzeszło i mamy kolejny oślepiająco jasny nowojorski rześki dzień. Idę za nim na odległy kraniec, gdzie zatrzymuje się przed gigantyczną ciężarówą i wyciąga rękę, podając mi kluczyki.

— Przepraszam, chyba zaszła pomyłka. To nie moja.

Uśmiecha się i ponownie próbuje wręczyć mi kluczyki.

— Nie. — Potrząsam głową i wskazuję na ciężarówkę. — Nie. Za duża. — Wyciągam ramiona, energicznie potrząsam głową, żeby wyjaśnić mu, że to niebezpieczne. Pokazuje liczby na kluczach i odpowiadający im numer wymalowany na ciężarówce. — Rzecz tej wielkości powinni wynajmować z załogą do szorowania pokładów i wypatrywania wielorybów! Nie mogę tego prowadzić!

Jesus patrzy na mnie bez wyrazu. Poddaję się, biorę go za rękę i ciągnę z powrotem do przegrzanego biura, gdzie muszę drugi raz czekać w kolejce.

— Jedyna wielkość, jaka nam została. — Facet z obsługi wzrusza ramionami. — Co jest, nie lubisz dużych?

Ręce mi opadają i biegiem wracamy do tego potwora. Wspinam się do kabiny i spoglądam w dół na Jesusa, który skurczył się do rozmiarów mrówki, po czym, kompletnie bez uzasadnienia, pokazuję mu uniesione w górę kciuki. Ostrożnie manewruję, żeby wyjechać z parkingu, staram się dopasować poziom pewności siebie do rozmiarów pojazdu i cal za calem podążam do śródmieścia, wybierając tylko szerokie ulice w odludnych dzielnicach. Na zmianę modlę się, żeby Buster i jego kumple wciąż tam byli i w ogóle, żeby nie zapomnieli się zjawić, żeby wszystkie psy, dzieci i starusz-

137

kowie siedzieli w domu. W końcu docieram do Alei B i parkuję równoległe do jakiegoś samochodu, spóźniona w stosunku do planu o ponad godzinę, ale na szczęście bez wypadku po drodze.

Jestem zachwycona, widząc Bustera, który siedzi na frontowym ganku schowany za stronicą „Post".

— Jasna cholera! Co to jest? — woła Buster. Wyrzuca gazetę do śmietnika i rusza truchtem, żeby się ze mną przywitać.

— Tylko to udało mi się załatwić — mówię, nie będąc w stanie wysiąść zgrabnie z kabiny. Buster mocno chwyta mnie w talii i delikatnie pomaga stanąć na chodniku.

— Ile masz tych rzeczy? — Jego ręce pozostają na moich biodrach.

— Zmieściłabym się w pinto. Ale było to i nic innego. — Niechętnie wysuwam się z uścisku, żeby otworzyć drzwi do budynku. — Gdzie oddziały?

— A, tak. Mogło się zdarzyć, że eee... przeceniłem ich entuzjazm. Ale powiedzieli, że później spotkają się z nami w nowym mieszkaniu i pomogą.

— Bardzo ci dziękuję, że się zgodziłeś. Nie powinno nam to zająć zbyt wiele czasu. — Idę pierwsza na górę.

— Ile lat tu mieszkałaś?

— Prawie trzy. Przyjaciele przeprowadzili mnie tu tydzień po odbiorze dyplomu. — Otwieram drzwi, wspominając długie godziny przeprowadzki i jak później poszliśmy do okolicznych barów podrywać nieodpowiednich facetów.

— A gdzie są ci przyjaciele dzisiaj? — pyta, oceniając liczbę kartonów.

— Za granicą do czerwca. Ja spóźniłam się na statek. Cała reszta się zorientowała, że przy tak apokaliptycznej sytuacji na rynku pracy to idealny moment na granty i prace przygotowawcze. Możemy zacząć od tego. — Pokazuję na dużą skrzynię. — Najpierw pozbądźmy się książek.

— Taa, to dobra chwila, żeby nie zajmować się pracą. — Kuca, a ja wyobrażam sobie jego mięśnie brzucha. Podnosimy skrzynię i mozolnie schodzimy ze schodów. — Jak w nowej firmie?

— Och, dziesięć razy lepiej niż w poprzedniej. Dużo niezależności. I mają cyfrową kserokopiarkę z osiemnastoma możliwymi ustawieniami... — Ciężar książek przyciska mnie do chwiejnej poręczy.

— Czekaj, ja pójdę pierwszy — mówi i wykonujemy powolny taniec, żeby zamienić się miejscami. — Ja tam się cieszę, że spóźniłaś się na ten statek.

— Mam nadzieję, że nie zmienisz zdania, kiedy ciężarówka będzie załadowana — stwierdzam, podczas gdy ciężar książek maleje.

Usunięcie wszelkich dowodów mojej bytności w jednej bardzo niewielkiej szafie okazuje się szokująco potężnym wysiłkiem. Z początku gawędzimy, odkrywając wspólne upodobanie do ostryg, kick boxingu i Eddiego Izzarda. Tak szybko udaje się nam zgrać ruchy, że oczyma wyobraźni widzę, jak to pewnego dnia urządzamy przeprowadzkę do akademika naszej córce i chichoczemy, wspominając tę sytuację. Ale gdy kolejne wędrówki po schodach czynią ledwie widoczny wyłom w zgromadzonych stosach, przerzucamy się na tryb działania „miejmy to za sobą". Zlani potem mijamy się na klatce schodowej, wymieniając powitalne pomruki.

— Jeszcze... tylko... cztery — sapię, mając na myśli sterty.

— Uhm. — Buster włącza dopalanie.

W końcu nachylam się nad plamą po zalaniu, ukrytą za plakatem z Audrey Hepburn, prezentem od Kiry „na zadomowienie", gotowa na pożegnanie ze wzorem pęknięć w płytach gipsowych, znaczącym wczesne lata dwudzieste mojego życia. *Ofertaofertaofertaofertaoferta*.

TUUUT-TUUUT! — Rzuć mi kluczyki! — woła z dołu Buster.

Z ulgą rezygnuję z prowadzenia tej Gwiazdy Śmierci,

lekceważę regulamin U-Haul i zamieniam kluczyki na komórkę Bustera.

— Cześć, dodzwoniłeś się do Guya. Zostaw wiadomość, oddzwonię przy najbliższej okazji.

— Cześć Guy. — Zapinam pas. — Jest sobota rano i dzwonię, tak jak się umawialiśmy, żeby porozmawiać o ofercie. Oczywiście zareklamuję naszą *nową* inicjatywę, ale to świeża sprawa, więc byłoby bardzo pomocne, gdybym dostała jakieś dane na temat feministycznej przeszłości MF od ciebie albo kogoś z pracowników. Wiem, mówiłeś, że to poufne, ale uważam, że naszą najskuteczniejszą bronią jest plan świadczenia usług doradczych firmom o feministycznej orientacji. Czy mam to umieścić w ofercie? Wydaje mi się, że „Ms." może potrzebować dodatkowej zachęty. Właśnie się przeprowadziłam, więc możesz mnie zastać pod nowym numerem. — Zostawiam mu ten numer, modląc się, żebym po podłączeniu telefonu usłyszała sygnał. Wręczam Busterowi komórkę, gdy wsiada do kabiny. — Wciąż mnie lubisz?

— Masz wariacką liczbę książek. Wariacką. — Unosi brew i szczerzy zęby. Gwałtownie skręcamy w Houston Street.

— No cóż, ja lubię cię bardziej.

— Powinienem był wcześniej pomóc w przeprowadzce.

— Żeby skontrastować zaproszenie na wino i kolację? — Uśmiecham się.

— *Poprosiłem* o twój numer.

— W porę wytknięte. Hej, pisałeś kiedyś ofertę?

— Właściwie nie. Ale Luke jakiś czas temu pracował dla Ogilvy i Mather. Powinnaś go zapytać, kiedy się zjawi.

— Mam przestawić feministyczne zainteresowania MF, które obecnie zajmują jeden rozdział, z moim zdjęciem paszportowym przypiętym na wierzchu.

Opiera się o mnie, żeby sprawdzić boczne lusterko, gdy zmieniamy pasy.

— Feministka, hę?

Spinam się.

— Tak jest. Widziałeś kiedyś jakąś w jej środowisku naturalnym?

Postukuje w kierownicę, oboje drżymy w rytm nabierającego prędkości silnika pod nami.

— Bez szyby ochronnej?

— Ehe.

Kiwa głową i pochyla się, żeby włączyć radio. Dave Matthews wypełnia kabinę. Opadam na siedzenie, a Buster kładzie mi rękę na szyję i tam ją zatrzymuje. Odwracam głowę, wpasowuję policzek w jego dłoń, a on lekko ściska mnie za ramię, po czym z powrotem kładzie obie ręce na kierownicy.

Gdy zajeżdżamy przed mój nowy dom, pędzę na drugą stronę ulicy, żeby kupić coś na śniadanie dla współlokatorów Bustera, którzy, choć nie tryskają entuzjazmem, ale zasilani testosteronem szybko rozprawiają się z moimi rzeczami. Ponownie usiłuję skontaktować się z Guyem z automatu w Krispy Kreme — *muszę* kupić komórkę — ale nie odbiera.

Na górze, balansując czterema pudełkami ciastek i siedmioma parującymi kawami, z zachwytem widzę, że Tim i Trevor wstawiają ramę futonu do salonu. Luke, którego rozpoznaję z lodowiska, taszczy do holu karton z plakatami. Zespół kiwa mi głowami na powitanie, ocierając ledwie zwilgotniałe brwi.

— Rany, pracujecie jak przy taśmie! — mówię, stawiając śniadanie na stosie kartonów. — Proszę, częstujcie się.

— Cholera, masz tu masę gołych lasek — Luke, grzebiąc w moich plakatach z artystyczną fotografią z taką samą wrogością, z jaką przesuwał krążek, rozkłada dla swoich przyjaciół plakat z Międzynarodowego Centrum Fotografii, gdy tymczasem Trevor wyciąga koronkowe stringi z kartonu opisanego BIELIZNA.

— To Man Ray. — Wyrywam Trevorovi koronkę. — Może zjecie po pączku, póki ciepłe?

Wchodzi Buster i stawia ostatnie pudło na stosie.

— Może pomożemy ci w rozpakowywaniu? — pyta, nie wiedząc, że jego przyjaciele już zaczęli.

— Nie. Dzięki. Ale proszę, poczęstujcie się śniadaniem.

Buster dołącza do nas w zatłoczonym salonie, obejmuje mnie ramieniem, sięgając po kawę.

— Niesamowite miejsce, co?

— Taa. Niezłe jak na porno studio — złośliwie uśmiecha się Luke. — Więc mieli kamerę. Gdzie? Tam? — Wskazuje w kierunku mojej sypialni. — Facet, mamy o pierwszej mecz towarzyski.

— Girl, to Luke, nasz hokejowy mistrz.

— Tak, cześć, już się poznaliśmy.

— Girl się zastanawiała, czy mógłbyś się podzielić doświadczeniem reklamowym. — Buster obejmuje mnie w pasie.

— Nie, nie trzeba...

— Nie, zapytaj go. Jest genialny.

— To drobiazg. Po prostu pracuję nad ofertą...

— Na pewno już wcześniej niejedno oferowałaś. — Luke rzuca okiem na Mana Raya. — Buster, baranku, idziemy.

— Właściwie to zamierzam zostać i pomóc Girl się ogarnąć. — Buster częstuje się pączkiem z lukrem.

— Jak chcesz. — Luke wkłada skórzaną kurtkę lotniczą.

— Załatwię salę w przyszły weekend.

— Powiedziałem, że jak chcesz, facet... — Luke się opanowuje. — Okej, to na razie. Ociera twarz serwetką, zwija ją w kulę i posyła lobem na podłogę. Dzieciaki przenoszą wzrok z jednego tatusia na drugiego, po czym z szuraniem wychodzą z zakłopotanymi uśmiechami, Tim popycha Trevora, żeby rozładować napięcie.

— Strasznie wam dziękuję! Proszę, proszę, weźcie pączki! — Odprowadzam ich do drzwi, unikam wzorku Luke'a, gdy pakują się do windy. — Pa! — Zamykam drzwi i opieram się o nie, odwracając do Bustera. — Okej, Luke startuje w wyścigu po T-shirt.

— Taa, jest trochę wkurzony z powodu meczu. — Buster wygina brzeg czapki.

Zmuszam się, żeby wzruszyć ramionami, i mówię:

— Naprawdę sobie poradzę. Chcesz iść?

— Nie, naprawdę.

— Świetnie. — Moje zmęczone nogi wreszcie się poddają i zsuwam się na podłogę.

Buster wyjmuje z pudełka pączka, owija go serwetką i podaje mi. Gryzę, sięgam, żeby przytrzymać jego drugą rękę. Jemy razem pączka, a kiedy znika, Buster przesuwa palcem po moim policzku, pochylając się, aż ustami dotyka moich. Wargi ma miękkie i smakuje miodowym lukrem. Kładzie się na plecach i pociąga mnie na swoje muskularne ciało. Dobrze pachnie, dotyka, smakuje.

— Rozłóżmy materac — mruczy mi do ucha, ręce ma pod moją koszulką, nasze usta odnajdują się bez trudu.

— Dobrze — mruczę w odpowiedzi. Zrywa się i płynnie podnosi mnie do pionu, od czego natychmiast kręci mi się w głowie. — Chyba jest w sypialni. — Opuszczam podniesioną koszulkę.

Rzuca się między kartony i słyszę głośny huk.

— Cholera. Możesz mi pomóc?

— Idę! — Wycieram ręce o dżinsy i kluczę między pudłami, żeby znaleźć Bustera, który szarpie sznur zabezpieczający ciężki zwój bawełny.

— Mogłabyś znaleźć jakieś nożyczki?

— Jasne. — Odsuwam kilka kartonów, zaczynam czuć się niezręcznie.

Z kłębkami kurzu we włosach walczy, żeby uwolnić futon ze sznurkowych zabezpieczeń.

— Hej, eee, wiem, że jesteś spakowana — chrząka — ale czy, no wiesz, masz coś?

— Jasne. — Odruchowo idę w kierunku stosów pudeł, żeby poszukać...? Nagle wszystko dzieje się w czasie rzeczywistym, w jasne sobotnie popołudnie, w promieniach słońca między nami wiszą drobinki sadzy. — Buster? — Odwracam się bez nożyczek i bez zabezpieczenia, żeby zastać go atakującego sznurek zębami. — Chodzi o to, że nie spałam od trzech dni i mam w pracy ostateczny termin i właściwie cię...

— Nie znasz mnie od początku świata.

— Tak.

Pozwala, żeby futon z miękkim szuraniem ześlizgnął się na podłogę, mina mu rzednie.

— Włożyłem szczęśliwą koszulkę i tak dalej. — Podciąga sweter, żeby odsłonić pierś opiętą Pochwosilem, dokładnie w chwili gdy jego komórka zaczyna wygrywać elektroniczną melodyjkę. — To takie seksowne, że aż mi się kręci w głowie. — Uśmiecham się szeroko i pędzę do niego. Wsuwa rękę do kieszeni, żeby wyjąć komórkę. — Co się dzieje...? Stary, nie jestem durny. — Klepie mnie po głowie jak szczeniaka i idzie do kuchni. — O czym ty gadasz? Widziałeś ją pięć minut. — Zniża głos i wytężam słuch. Śmieje się. — Nie jest lesbą... Nie, stary... Słuchaj... Wiem, że zarezerwowałeś salę. — Wzdycha. — Świetnie. Nie, zagrajmy. Jasne, do zobaczenia na dole. Na razie. — Zamyka telefon. — Muszę iść.

— Och-kej. — Bo nie zrywam z siebie zakurzonych ciuchów?

Ściąga kurtkę z łazienkowej klamki.

Krzyżuję ramiona.

— No więc dzięki.

— Nie ma sprawy, ja...

BUUUUZZZZZZZ. Omijam go, żeby nacisnąć guzik domofonu.

— Tak?

— Buster schodzi czy nie?

— Zaczekaj. — Puszczam guzik. — Rany, lepiej faktycznie zmykaj.

— Taa....

— Jeżeli jesteś w tym tygodniu wolny, to strasznie bym chciała zabrać cię na lunch, żeby podziękować...

BUZZZZZZZZZZ.

— Lunch... jasne... — Buster nieuważnie całuje mnie w policzek. — Mam potworny tydzień. Może na drinka? — Mówiąc „na razie", pospiesznie zamyka za sobą drzwi. Wpatruję się w cieniutkie jak włos pęknięcia w kremowej farbie.

Co. To. Kurwa. Było?

Znajduję karton „niezbędne", wyciągam pożyczonego laptopa oraz telefon, żeby obsłużyć drugiego faceta w moim życiu. W końcu odnajduję gniazdko, niewygodnie umieszczone za grzejnikiem, ale sygnału jeszcze nie ma.

— Guy? — Ściskam słuchawkę automatu w Krispy Kreme.

— Co jest, Girl? — Ziewa. — Todd, stary, za pięć minut wychodzę, więc niech ten wózek czeka. Mów, Girl, cały zmieniam się w słuch.

— Zostawiłam ci kilka wiadomości....

— Jasne, co jest?

— Potrzebuję po prostu trochę szczegółów na temat tego, co ma być w ofercie.

— Omówiliśmy to wczoraj. TODD! POWIEDZ, ŻEBY NAS USTAWILI NA WSZYSTKICH OSIEMNASTU DOŁKACH! — Gwałtownie odsuwam słuchawkę od ucha.

— Owszem. To znaczy rozumiem, że to dla Glorii Steinem. Chodzi tylko o to, że właściwie nie mieliśmy jeszcze okazji porozmawiać o innych feministycznych aspektach MF...

— Girl, jestem na spotkaniu, więc właściwie nie mam czasu...

— Przepraszam.

— Słuchaj, dasz radę! Zajmowałaś się całym tym gównem non profit, więc to powinno być coś z twojej działki.

— Jasne! Strasznie się cieszę, że będę to pisać, po prostu potrzebuję trochę informacji o...

— W tym biznesie wszystko dzieje się szybko. Nie mogę

145

cię niańczyć. Chcesz wysoko zajść? No to bierz się za syństwo i ruszaj, okej?

— ...Okej.

Telefon zostaje wyłączony.

— Chwileczkę — woła do mnie Julia w niedzielny wieczór, gdy wsuwam parasolkę do mosiężnego stojaka. Elegancki westybul jej apartamentu w Sutton Place sprawia, że moje umeblowane kartonami mieszkanie wydaje się zaledwie o stopień lepsze od pokoju w akademiku. — Cześć! — Otwiera drzwi, wiążąc fartuch na karmelowym swetrze. Lśniące, ścięte na pazia włosy ma ściągnięte w kucyk, jej twarz otaczają jasnoblond kosmyki, przeplatane siwizną. — Wchodź. Właśnie miałam przygrzać trochę manicotti... miałabyś ochotę?

— Brzmi pysznie, ale nie chciałabym się narzucać...

— Ależ skąd. — Z uśmiechem odbiera ode mnie telefon. — Przeszłaś taki kawał drogi w tym zimnie, więc mogę ci przynajmniej zaproponować pożywienie. — Pod wpływem jej nalegania wchodzę do rozjaśnionego łagodnym światłem holu i zdejmuję rękawiczki, podczas gdy Julia sprząta z ławy stos teczek. — Proszę, rozbierz się. Ja tylko wstawię makaron do piekarnika.

Wyplątuję się z wilgotnego płaszcza i szalika i walczę z chęcią zwinięcia się na wzorzystej poduszce. Wykończona pakowaniem, pisaniem, rozpakowywaniem, pisaniem, polowaniem na szefa i znów pisaniem, uszczęśliwiona wchodzę za nią do sosnowej kuchni, gdzie przestrzeni o przedwojennych rozmiarach nadają przytulności kwieciste tapety stylizowane na klimat starej Francji.

— Co się dzieje z pogodą? — pyta, kładąc przeniesione teczki na jednym z licznych stosów, którymi zastawione są blaty.

— Wciąż pada śnieg z deszczem — mówię, wślizgując się na miejsce na tapicerowanej ławie we wnęce.

— Jazda z powrotem była nieco utrudniona. Dzięki, że przybiegłaś z telefonem, tonę w papierkowej robocie. — Zdejmuje rękawice kuchenne. — Urząd imigracyjny chce wszystko mieć w trzech egzemplarzach, jakby te kobiety wciąż jeszcze miały paszporty. — Ze stojaka wyjmuje butelkę czerwonego wina. — A ty? Powiedz mi, że w twoim wieku bawisz się w weekendy.

— Ten poświęciłam na przeprowadzkę. — Uśmiecham się ze znużeniem. — Podłogę mam kompletnie zastawioną kartonami. A twoja jest piękna. — Podziwiam marmurowy wzór w czarno-białą szachownicę, łączący korytarz i kuchnię.

— Och, dziękuję. — Zręcznie wyciąga korek jednym płynnym ruchem. — Mnie się zawsze wydaje rozkosznie w stylu Freda Astaire'a. — Wyjmuje z szafki dwa kieliszki. — Kiedy pracowałam w finansach, stale podróżowałam. Po podłodze orientowałam się, że jestem w domu... szczególnie, kiedy brakowało mi snu. Wina?

— Z przyjemnością. Pracowałaś w finansach?

— Bankowość inwestycyjna, głównie kapitalizacja rozpadu bloku wschodniego.

— Rany.

— Tak to brzmi, prawda? — Julia wybucha śmiechem, nalewa nam wina. — A była to przede wszystkim kiepska wóda i zarobaczone pokoje hotelowe. Mimo to byli zdumieni, kiedy poszłam na wcześniejszą emeryturę!

Śmieję się.

— A teraz jesteś z Magdalenkami?

— Magdalenki to ja. — Powtarza tę frazę z uśmiechem. Rozkłada ramiona. — Witamy w kwaterze głównej!

— Dzięki. Cieszę się, że tu jestem. — Szczerzę zęby, gdy stuka kieliszkiem o mój. — Założyłaś własną organizację. — Odsuwam na bok obraz Grace, wskazującej na mnie czerwonym długopisem. — Naprawdę niesamowite. Jak długo działacie?

— Pieniądze na działalność dostaliśmy zaledwie sześć

miesięcy temu, ale od wieków chciałam się zająć czymś takim. — Julia opiera się o blat. — Większą część kariery zawodowej spędziłam, przyjmując do ubezpieczenia miasta, których produkt krajowy brutto stanowiły tamtejsze kobiety.
— To... — jąkam się.
— Wstyd. — Idzie do lodówki i wyciąga kawał parmezanu. — Zmęczyło mnie korporacyjne życie. — Podaje mi ser i tarkę. — Mogłabyś?
— Jasne. — Zdejmuję plastikowe opakowanie, a ona podsuwa mi miskę. — MF to właściwie moja pierwsza próba sił w korporacyjnym życiu. — Zaczynam ocierać pachnący ser na tarce. — Pracowałam dla Doris Weintruck...
— „Feministyczna rzeczniczka młodych kobiet...". — Macha ręką, stare złote, wysadzane kamieniami pierścionki tańczą.
— To ta.
— Co dla niej robiłaś?
— Wszystko. Cokolwiek. — Wyładowuję wybuch frustracji na serze. — Praca była o wiele bardziej administracyjna, niż precyzowała umowa. Ale pod jej auspicjami prowadziłam własne badania, to było w porządku.
— Naprawdę? Nad czym?
— Jak sprawić, żeby feministycznie zorientowane organizacje non profit były bardziej skuteczne. — Potrząsam tarką nad talerzem. — Motywował mnie rozziew między wielkim entuzjazmem kobiet, z którymi pracowałam, dla wprowadzania zmian i faktyczną zdolnością do ich dokonywania. Trzeba się przebijać przez prawdziwe wstecznictwo.
— Świetnie rozumiem, co masz na myśli. — Julia doprawia sałatę. — Przez ostatnie osiem tygodni wysiedziałam się na tylu bezproduktywnych „powiedzmy sobie wszyscy, co nam leży na sercu" zebraniach, że zastanawiam się, czy nie powinnam była otworzyć sklepu wędkarskiego. — Uśmiecha się; mnie ogarnia ekstatyczna radość. — Cokolwiek by mówić o bankowości, ci ludzie wiedzą, jak załatwiać sprawy... Och. — Julia wyjmuje ze zlewu wiadro i stawia na suszarce,

jej twarz wyraża troskę. — Mój gość musiał prać bieliznę. Muszę jej pokazać, jak działa pralka.

— Przyłączy się do nas? — pytam.

— Mój Boże, nie. Moldova jest wykończona. Śpi, odkąd przywiozłam ją do domu z urzędu imigracyjnego. — Odwraca się od zlewu. — Pewnie łamię zasadę numer jeden pomocy społecznej, ale znalazłam łóżka dla dwudziestu siedmiu z dwudziestu ośmiu dziewcząt, a po prostu nie mogłam zostawić Moldovy. Usiądźmy, dopóki się piecze. — Idę za nią do wielkiego salonu, gdzie mahoniowy stół jadalny służy za miejsce do pracy, zwoje kabli wiją się przez formularze porządnie oznaczone kolorowymi karteczkami samoprzylepnymi.

— Wybacz mi bałagan, proszę, moje domowe biuro najwyraźniej migruje. I choćby mnie mieli zabić, nie potrafię zmusić do pracy cholernego faksu. Tak się kończy trzydzieści lat dobrej sekretarskiej obsługi... kalectwo. — Julia sadowi się na pokrytym jedwabiem fotelu.

Tonę w głębinach kwiecistej kanapy, a ona kołysze kieliszkiem ustawionym na kolanie, oczy ma szkliste.

— Wiesz — odzywam się — nie sądzę, żeby istniały jakieś zasady, przynajmniej tak wynika z moich obserwacji. W istocie to środowisko, które tworzy reguły w trakcie, dobre, złe czy inne. Więc raczej niczego nie łamiesz.

— Dziękuję. — Uśmiecha się szczerze, oczy jej giną w sieci zmarszczek. — Mogłam umieścić Moldovę w hotelu, za własne pieniądze. — Pociera skronie. — Ale kierując się taką logiką, czy powinnam je wszystkie zaprosić do siebie do domu? Albo sprzedać to mieszkanie? Czy mam się przeprowadzić do kawalerki na Washington Heights i każdy grosz przeznaczyć na pomoc? Wciąż się z tym zmagam. — Przygładza kucyk.

— Julio, uważam, że to, co robisz, jest niesamowite i godne podziwu, i to znacznie więcej niż robi większość ludzi.

— Nie, to *one* są godne podziwu. Zaledwie nastolatki, zwabione tu z Bałkanów, wrzucone do kontenera i zmuszone do prostytucji w zapomnianym przez Boga domu na Long Island, który, nawiasem mówiąc, często odwiedzali gliniarze. Teraz, kiedy otrzymały pozwolenia na pracę, muszę znaleźć im wszystkim zatrudnienie, żeby nie straciły tymczasowych wiz dla uchodźców. Przy tej sytuacji na rynku. — Pociąga łyk wina. — Pomówmy o czym innym. Co się dzieje w twoim podniecającym młodym życiu?

— Niezbyt wiele, chyba że uznasz za podniecające czyszczenie starej lodówki cloroksem. Zasadniczo próbuję napisać tę kobyłę dla mojego szefa...

— A tak, twój szef. — Pochyla się, żeby popchnąć do mnie srebrną misę z migdałami. — W piątek rano urządził niezłe przedstawienie.

— Zaczynam się orientować, że niezły z niego showman. Mam przez weekend przygotować ofertę.

— Ofertę czego? — pyta, wrzucając do ust kilka migdałów.

— W tym problem. — Opieram czoło na dłoniach. — Mam coś w rodzaju kryzysu... — Poprawiam się szybko, przerażona. — Przepraszam, nie kryzysu. To śmieszne, żeby nazywać coś takiego kryzysem. — Przygryzam wargę, czując, jak bardzo nie jestem ofiarą białego niewolnictwa.

Julia wybucha gardłowym śmiechem.

— Ależ nie. Ja czuję się śmieszna, kiedy zastanawiam się, czy manicotti się nie spalą. — Wstaje i przechodzi obok mnie. — Opowiadaj, tylko skręcę piekarnik.

Przyglądam się, jak bezgłośnie wchodzi do kuchni, rozważając ryzyko podzielenia się poufną informacją z potencjalnie zainteresowaną biorczynią funduszy. Ale wygrywa rozpaczliwa potrzeba znalezienia chętnego ucha.

— Oczekuje, żebym przygotowała ofertę dla Glorii Steinem... chce, żeby „Ms." dołączył do pozostałych czasopism w naszym portalu, w ramach zmiany wizerunku Mojej Firmy — wołam za nią. — I organizuję te przedsięwzięcia... konferencję, ofertę... nie mając właściwie żadnych wytycznych. — Pociągam wino. — Doris nie miała do mnie dość zaufania, żeby powierzyć mi alfabetyczne układanie akt, więc praca dla Guya jest wspaniała. Jest. Lecz trochę przerażająca, bo nie wiem, co zrobię, kiedy to nie wypali. — Trzymam kieliszek między kolanami, wpatruję się w scenę polowania nad kominkiem, mój wzrok pada na uciekającego lisa.

— Wygląda mi to na zwykłe nerwy nowicjusza — woła Julia.

— Naprawdę? Mam tyle pytań. Co pewnie jest normalne. Nie zapraszają mnie na żadne spotkania, ale widzę, że się spotykają, bo całe biuro jest przeszklone. Guy tylko wzrusza ramionami i mówi, że są „spoza mojego zakresu kompetencji".

Julia opiera się o framugę, bezmyślnie przesuwa palcem po brzegu kieliszka.

— Na moje oko nie wygląda na Einsteina, a ty sprawiasz wrażenie cholernie kompetentnej. Wątpię, żebyś wiele traciła. A poza tym zawsze jest krzywa uczenia się. Spójrz na mnie, nie potrafię obsłużyć tej opcji z korespondencją seryjną — macha ręką — żebym wysyłała korespondencję.

— Mogę to ustawić — proponuję.

— Naprawdę? — Nachyla się z szerokim uśmiechem. — Byłabym dozgonnie wdzięczna. I z przyjemnością rzucę okiem na twoją ofertę, jeżeli zechcesz mi ją wysłać e-mailem.

— Prawdę mówiąc, mam ze sobą szkic. Mogłabyś? — Wstaję, żeby przynieść torbę. — A ja zacznę od tego, że zmuszę twój faks do pracy.

— Startujemy! — wydaję zwycięski okrzyk, gdy faks przechodzi.

— Ty spryciulo! — Julia usadowiona w fotelu upuszcza na kolana kartki. Zdejmuje okulary w szylkretowej oprawie i kładzie obok pustego, pochlapanego sosem talerza na stoliku do kawy. — Znakomita robota, wyskrobałaś każdą drobinę feminizmu z działań, spójrzmy prawdzie w oczy, zdecydowanie niefeministycznych.

Trzymając w ręku potwierdzenie udanego przesłania faksu, siadam naprzeciwko Julii.

— Poważnie? Nie ma się wrażenia, że to lichota?

— Ich wkład jest lichutki, ale takie masz karty do rozegrania. Naprawdę mają w portalu dane na temat eksperymentalnych badań nad rakiem piersi, sponsorowanych przez Krajowy Instytut Walki z Rakiem? Zalogowałam się przed konferencją i nie widziałam tam niczego równie przydatnego.

— Nie, jeszcze nie. Ale archiwa mają. Chcę wystąpić z tą propozycją zaraz w poniedziałek rano.

— Dobry pomysł. Natomiast zrezygnowałabym z akapitu o darmowych tamponach. Miło, że o tym pomyśleli, ale trochę za bardzo rzuca się w oczy, że chwytasz się brzytwy.

— Myślisz?

— Naprawdę, dobra robota, Girl. Jestem pod wrażeniem. Nie całować jej, nie całować jej, nie całować.

— Julio, nie wiem, jak ci dziękować.

— Mogę ci zadać pytanie? — Wkłada koniuszek oprawki do ust. — Kto podejmie ostateczną decyzję na temat przyznania funduszy?

— Guy i rada, jak przypuszczam.

— Rozumiem. A w jakim czasie?

— Nie jestem całkiem pewna, ale niedługo, tak mi się wydaje.

Uderza dłonią w kartki na kolanach.

— No dobrze, pozwól, że jeszcze raz to przeczytam.

— Strasznie ci dziękuję. — Wstaję, zabieram puste talerze ze stolika do kawy i zanoszę do kuchni. — Mam je po prostu wstawić do zmywarki? — wołam.

— Gdybyś mogła.

Z radością spłukuję delikatną porcelanę i ostrożnie wstawiam do maszyny. Przepełnia mnie wdzięczność, usiłuję sobie przypomnieć, kiedy ostatnio ktoś poświęcił więcej niż dwie minuty na ocenę mojej pracy. Wracam do pokoju. — Julio, jeżeli chodzi o twojego gościa...

— Moldovę?

— Tak, może mogę jej pomóc. Mogłabym porozmawiać z Guyem, żeby znalazł jej pracę w Mojej Firmie. Na pewno zechce jej pomóc, szczególnie jeżeli dziewczynie grozi deportacja. Strasznie się troszczy o ludzi na końcu łańcucha pokarmowego, ludzi, których tradycyjnie się, eee, pierdoli, kiedy czasy są ciężkie.

— Jeśli tylko możesz pomóc. — Uśmiecha się.

— Mogę skorzystać z twojej łazienki?

— W końcu holu od strony wejścia.

Idę korytarzem, zwalniam w miejscu, gdzie trójkąt łagodnego światła pada na kremowy dywan. Zaglądam przez otwarte drzwi, żeby zobaczyć śpiącą nastolatkę, ciasno zwiniętą na kanapie. W pokoju palą się wszystkie lampy. Za mocno rozjaśniony koński ogon na pościeli, palce z łuszczącym się czerwonym lakierem na paznokciach ściskają jedną z wielu ozdobnych poduszek. Przekradam się obok drzwi do łazienki. Po umyciu rąk wychodzę do holu, zatrzymuję się na chwilę, żeby zerknąć na zbiór oprawionych fotografii; na jednej młoda Julia w żakiecie z gigantycznymi poduszkami z lat osiemdziesiątych odbiera nagrodę, sala mężczyzn w ciemnych garniturach bije brawo...

— TY! — Podskakuję przestraszona przez Moldovę, która stoi kilka cali ode mnie. — Ty mnie obudzić! Ze swoją... łazienką! I swoim... spuszczaniem! — Przed zatrzaśnięciem drzwi wymierza we mnie palec. — TY! IŚĆ!

Rozdział 7

A teraz to zrób

W poniedziałek rano w zalanym porannym słońcem biurze Guy chwyta moją ofertę z mruknięciem i skinieniem głowy. I nie mam żadnego odzewu. Nic. Trzymam się komentarza Julii, „cholernie kompetentna", i pogrążam się w raporcie dotyczącym dziesięciu rekomendowanych przeze mnie odbiorców funduszy. Odrywam się od pracy dopiero trzy dni później, kiedy Guy machnięciem nagle wzywa mnie do swojego biura, gdzie łukiem obchodzi krzesło, rzucając potwierdzające mruknięcia do przytrzymywanego ramieniem telefonu. Ja z kolei machnięciem pokazuję „nie spiesz się" i siadam, żeby podczas oczekiwania ostatni raz przejrzeć swój raport.

— Jestem przekonany, że to właściwy ruch, Rex. Jest gotowa i chętna. — Guy kręci swoim krzesłem jak bączkiem, uśmiechając się od siebie. — Pracuję nad tym. Świetnie. — Rzuca słuchawkę z powrotem na widełki. — Więc jak leci. — Raczej stwierdza, niż pyta, opadając na swoje miejsce.

— Wspaniale! To był bardzo produktywny tydzień. Pisanie tej oferty okazało się naprawdę przydatne.

— To dobrze. — Pociera zarost na podbródku. Rozpoznaję na jego koszuli wczorajszą plamę po kawie. — Świetnie to słyszeć, Girl.

— Czy rada dobrze przyjęła ofertę? — Pochylam się, krzyżując nogi w kostkach. — Przekazali ci coś dla mnie?

— Jasne. Taa, byli zachwyceni.

— Och, to dobrze, bo to mnie naprowadziło na pewien tor myślenia o tym, co MF może zrobić, żeby poprawić swój wizerunek, naprawdę podnieść atrakcyjność dla czytelników „Ms." i ustawić nas w lepszej pozycji, jeśli chodzi o świadczenie usług doradczych. Dodanie linku Narodowego Instytutu Badań nad Rakiem, na przykład. To zwiększy naszą konkurencyjność w zakresie informacji zdrowotnych. Myślę, że gdybyśmy dodali tego samego rodzaju linki w kilku poważniejszych kwestiach zdrowotnych, może tocznia i reumatoidalnego zapalenia stawów, chorób autoimmunologicznych, które atakują głównie kobiety...

— Prrr. — Wstrzymuje mnie ruchem ręki.

— Przepraszam, wybiegam trochę za daleko do przodu. Wszystko to przedstawiłam w ogólnym zarysie w e-mailu, żebyśmy mogli podyskutować, kiedy będziesz gotowy. No, ale idźmy dalej! Więc pierwsze badanie grupy docelowej odbywa się jutro wieczorem wśród studentów gender na Uniwersytecie Nowojorskim.

— Grupy docelowe?

— Tak, nakreśliłam to we wtorkowym e-mailu. Żeby z pierwszej ręki uzyskać informacje o feministycznych użytkowniczkach MF, zdobyć autentyczną wiedzę, jak MF może z powodzeniem dokonać tej transformacji.

Guy rzuca mi groźne spojrzenie, cienie pod jego oczami się pogłębiają.

— Ale, oczywiście, jestem otwarta na sugestie, gdybyś wolał jakieś inne źródła...

— Transformacja się powiedzie. Niepotrzebne nam testy. Kto to zaaprobował? — Żołądek mi się kurczy, kiedy Guy sapie. — Puściłaś to poza mną?

— Wysłałam ci e-maile...

— To jest, kurwa, do zrobienia i nie potrzebuję żadnych potwierdzeń ze strony jakichś... dziwadeł.

Biorę się w garść.

— Guy, oczywiście, że transformacja jest możliwa. — Staram się zachować pogodną twarz. — Ale w firmie pracują głównie mężczyźni. — Robi wielkie oczy, jakbym go właśnie przyłapała na głośnym pierdnięciu. — I dobrze! To dobrze. Mnie pasuje. Uwielbiam to... Ponieważ jednak ta oferta jest dla ciebie niezwykle ważna, więc uznałam za rozsądne przeprowadzić badanie testowe wśród, no, młodych feministek, które znają twój portal, żeby dostarczyć bezpośrednich danych na temat ich reakcji...

— Wstawki medialne. — Wskazuje na mnie palcem jak Wuj Sam. — Genialne. To mogę wykorzystać... poparcie. Dobrze, Girl, świetnie.

— To by było pomocne? — pytam, usiłując się zorientować, co takiego, do cholery, powiedziałam, że wreszcie przyciągnęłam jego uwagę, i jak to się, do cholery, przekłada na dostarczenie mu tego, czego chce, cokolwiek to, do cholery, jest. — Wstawki medialne dla Glorii?

— Taa, ee, dla Glorii. — Guy rozpiera się na krześle, chwyta rozluźniony krawat i umieszcza go centralnie na piersi.

— Jeżeli mnie zawiadomisz, kiedy się z nią spotykasz, mogę skompilować listę najważniejszych argumentów do wykorzystania razem z pisemną prezentacją.

— Lista argumentów. Fantastyczne. Ale wstawki medialne, tak, to jest genialne. — Sięga po otwartą colę na biurku, potrząsa nią i rzuca pustą puszką w kierunku kosza na śmieci. Pudłuje.

— Więc kiedy się z nią spotykasz?

— Z kim?

— Z Glorią.

— Jasne, jasne. — Wydyma policzki. — Kiedyś tam w przyszłym tygodniu. — Podnosi stopę na wysokość kolana i ściera smugę szpecącą mokasyn.

— Świetnie! No więc, wracając do tematu, przygotowałam analizę organizacji, które wzięły udział w konferencji, i zaznaczyłam dziesięć, które moim zdaniem najbardziej by skorzystały z naszego wsparcia. — Z dumą podaję mu raport. — Nie mogę się doczekać, żeby poznać twoje...

— Nie — stwierdza stanowczo, unosi ręce w obronnym geście, po czym splata je za głową, zostawiając mnie z dokumentem w wyciągniętej dłoni. — To twoje dziecko. — Ziewa.

Upuszczam czterdzieści parę stron z powrotem na kolana.

— Okej, w takim razie po prostu krótko scharakteryzuję organizacje, które rekomenduję. — Proszę?

— Girl, mówię poważnie. Mnie po prostu... — uderza dłońmi w biurko i odpychając się, energicznie wstaje — ...to nie obchodzi. To twoja sprawa. Wybierz jedną.

— Przepraszam?

— Wybierz jedną. Zebrałaś do kupy całe to gówno. Wiesz, co trzeba wiedzieć. Wybierz jedną.

— Przepraszam, ale chcesz, żebym ja...

— Wybrała jedną! Chcesz należeć do elity, musisz się kierować intuicją. Co ci mówi intuicja?

— Cóż... — Mam wizję dickensowskiego morza, wysmarowanych sadzą twarzy, wyciągających się do mnie rąk.

— Nie mam całego ranka. Jeżeli wolisz, mogę kazać Steve'owi, żeby wybrał.

— Magdalenki.

— Magdalenki?

— Magdalenki — bełkoczę bez przekonania.

— Czym się zajmują, rehabilitacją dziwek? — pyta, wpisując informację do swojego palmtopa BlackBerry.

— Pomagają młodym kobietom uwikłanym w międzynarodowy handel ludźmi...

— Świetnie, w pełni ci ufam. — Znów ziewa, idzie naokoło, żeby mnie odprowadzić do drzwi.

— Inna opcja to rozdzielić tę dotację na mniejsze kwoty. W ten sposób można by pomóc więcej niż jednej sprawie — mówię; teraz czuję się jak Fagin, kopniakiem usuwam dziewięciu z dziesięciu uliczników, którzy plączą mi się pod nogami.

— Nie. Jedna wystarczy. Na tym koniec, Girl. Nie chcę poświęcać na to więcej czasu.

— A jakie dokładnie są uzgodnienia czasowe dla tej dotacji?

— Pracujemy nad tym. — Uśmiecha się, oczy mu łzawią. — Lecz na razie zatrzymaj to dla siebie.

— Okej. Eee, Guy, ta kobieta, o której pisałam ci w e-mailu, Moldova, myślałeś może, żeby zatrudnić ją w administracji? — Zwracam się z tym pytaniem do jego szerokich pleców, gdy przez głowę ściąga koszulę i wchodzi do swojej łazienki. Słyszę odkręcanie wody.

— Co takiego robiła, sprzątała domy na Long Island? — woła.

— Jasne! Tak, była na Long Island, ale została... porwana i zmuszona do prostytucji. No więc była w domu... publicznym. I co myślisz? Jest naprawdę... energiczna. I rozpaczliwie jej zależy na znalezieniu legalnej pracy. To świetna okazja, żebyśmy czarno na białym pokazali swoje zaangażowanie.

Słyszę, że włącza elektryczną maszynkę do golenia.

— Daję ci milion dolarów, który ledwie jestem w stanie wyskrobać, Girl — przekrzykuje bzyczenie.

— Mogłaby po prostu odbierać telefony. — Z nadzieją podchodzę do drzwi łazienki. — Na pewno zgodziłaby się na minimalną pensję...

Pojawia się na wpół ogolona twarz Guya, prawie zderzamy się nosami.

— Nie i nie chcę wracać do tego tematu. Mówisz, jakbyś była... niezadowolona. — Wyłącza wibrującą maszynkę. — A jesteś...? Niezadowolona?

— Nie. — Cofam się o krok, wyduszam uśmiech zadowolenia z każdego pora skóry. — Nie, zupełnie nie...

— Świetnie. — Zamyka drzwi stopą.

Po południu zasapana staję przy biurku Stacey, żeby ją stamtąd zabrać. Dźwigam torby na zakupy pełne kwestionariuszy dla grupy docelowej.

— Gotowa do drogi?

Stacey nieuważnie podnosi na mnie wzrok, ściągając z głowy zestaw słuchawkowy i przy okazji przekrzywiając sobie kok. Skupia na mnie spojrzenie.

— Nie mogę. Guy mnie potrzebuje... spotkanie z księgowością w ostatniej chwili. — Ruchem głowy wskazuje jego zatłoczone biuro, po czym jej palce wracają nad klawiaturę.

— Żartujesz. — Upuszczam torby na cementową posadzkę, papiery zjeżdżają mi na stopy. — Jesteś moim neutralnym pomocnikiem.

— Polecenie Guya.

— Ale w pomieszczeniu muszą być co najmniej dwie neutralne osoby na każdych piętnastu uczestników... — Pedantycznie powtarzam „Zasadę numer dwanaście" z „Badania grup docelowych dla opornych".

— Girl — przerywa mi rozdrażniona.

— Przepraszam. — Zachowałam się jak pasażer, który marudzi stewardesie z powodu turbulencji. — Jasne, rozumiem. — Szybko zmieniam front. — W takim razie potrzebna mi tylko gotówka dla uczestników.

— W księgowości powiedzieli, że wszystkie roszczenia gotówkowe muszą teraz przechodzić przez Guya.

— Stacey. — Guy wystawia głowę z drzwi, krawat w koniczynki dynda mu na szyi, dziś obowiązuje stylizacja stosowna na Dzień Świętego Patryka. — Moglibyśmy dostać wody?

— Guy, hej! — Zatrzymuję go, gdy Stacey pędzi po wodę. — Potrzebuję sześciu stów dla grupy docelowej.

— Weź od Stacey.

— Powiedziała, że księgowość potrzebuje twojej zgody.

W żółwim tempie wraca do biura i pstryka palcami na księgowego, który siedzi nad książeczką czekową wielkości Ksiegi z Kells.

— Masz. — Wychodzi przed drzwi z czekiem gotowym do realizacji, dodając do mojego napiętego planu wizytę w banku.

— Dzięki. Guy, kogo mógłbyś mi dać do pomocy z tą grupą docelową...

— Gejrl! Gejrl! — Odwracamy się oboje. To Moldova zjawia się, żeby podjąć obowiązki sprzątaczki, pracę, którą w końcu zdobyłam dla niej podstępem u Angel. Ma na sobie kusy sweterek opięty na dość dużym biuście i elastyczne dżinsy na dość wąskich biodrach.

— Moldova, cześć! Guy, to jest młoda dama, o której ci opowiadałam.

— Miło mi. — Okrąża biurko Stacey z wyciągniętą ręką. — Jak leci?

Moldova rzuca mu śliczny uśmiech, lekko zeszpecony specyfiką wschodnioeuropejskiej higieny dentystycznej, podczas gdy ja sprawdzam godzinę, żeby ocenić, jakiej długości kolejka czeka mnie w banku.

— Czy Angel przygotowała dla ciebie wszystko jak należy? — pytam.

— Muszę mówić praca — zwraca się do mnie z naciskiem, wciąż trzymając dłoń Guya i zajmując jego uwagę.

— Jasne. Właśnie wychodzę, więc może mnie odprowadzisz? — Omijam ich i skręcam w stronę drzwi.

Odwraca się, żeby spojrzeć mi w twarz.

— Chcę praca z tobą. Ja nie sprzątać.

— Tak mi przykro, Moldova. — Mocniej chwytam siatki. — Sprzątanie to naprawdę jedyna dostępna w tej chwili praca...

— Tak jest, świetnie — przerywa Guy. — Girl, weź ją. Moim zdaniem idealnie się składa. Szansa, o to chodzi w Ameryce! — Ostatni raz obrzuca spojrzeniem szanse Moldovy ukryte pod swetrem, puszcza jej drobną dłoń i wraca do swojego biura.

— Och, wspaniale! Moldova, gdybyś mogła zaczekać na mnie przy wyjściu — mówię. — Zaraz przyjdę.

— Dziękuję! Pan bardzo miły człowiek — woła przez ramię, oddalając się tanecznym krokiem.

— Guy. Tak ci dziękuję, że dajesz jej szansę — stwierdzam, podczas gdy Stacey wręcza mu plik wiadomości i mija nas, wchodząc do jego biura z tacą pełną szklanek. — Dzisiaj mi pomoże, a potem ją wyszkolę, obiecuję.

— Prr, prr, prr, stop. — Przegląda różowe kartki, większość wrzuca do kosza. — Tylko na dziś. Nie płacę pensji tobie *i* jakiejś rosyjskiej dziwce.

— Właściwie to bałkańskiej. I ona nie jest... — Mniejsza z tym.

Gdy docieram do recepcji, Moldova zrywa się z ławki i sięga po torby, które niosę.

— Dziękuję, Moldova, naprawdę jestem ci wdzięczna.

Patrzy na mnie twardo, jedna za mocno wyskubana brew wygina się w łuk.

— Widzisz, ja nie sprzątać.

Chwilę później prowadzę ją w tłoku panującym we wczesnych godzinach popołudniowego szczytu w kierunku banku. Moldova utrzymuje żywe tempo, któremu staram się dorównać. Mimo że o pół stopy niższa, macha dwiema wypchanymi torbami, jakby to były puste pudełka na lunch. Gdy wreszcie realizujemy czek i mogę zatrzymać taksówkę, wykorzystuję jazdę na Uniwersytet Nowojorski, żeby wyjaśnić jej szczegóły na temat badania grup docelowych, tak jak je sobie przyswoiłam.

— Jedna z nas musi robić notatki, więc byłoby pomocne, gdybyś mogła zadawać pytania. Możesz je przeczytać z kartki. — Kiwa głową. — Ciągnę niepewnie: — Umiesz czytać po angielsku?

— Mam książkę zen, z motocyklem. W domu amerykański żołnierz klient dał mi. Ja uczę.

— Wspaniale. To znaczy, że się nauczyłaś. No więc po prostu czytaj pytania i pozostań neutralna. — Przez ciasno upchnięte w korku samochody usiłuję zobaczyć numer budynku.

— Co jest „neutralna"? — pyta, solidnie waląc mnie łokciem, gdy na nowo zawiązuje płaszcz z wielbłądziej wełny, w którym rozpoznaję własność Julii. Materiał ciężko zwisa z jej drobnych ramion.

— Hm, bez opinii. Jak Szwajcaria. Niezaangażowana. Nie... — Gestykuluję gorączkowo, żeby zademonstrować bycie stronniczym, po czym płasko składam dłonie, chcąc pokazać neutralność. Wpada mi w oko młody blondyn o sylwetce Bustera, stoi pod latarnią, zgrabnie balansując trzymaną końcami palców deskorolką, flirtuje z kobietą na rolkach. Nagle robi zwrot o trzysta sześćdziesiąt stopni i odjeżdża, zostawiając ją w pół zdania. Taksówka powoli rusza, a ja przypominam sobie niefortunne wyjście Bustera. Przywołałabym na pamięć wiadomości, które zostawił na sekretarce, ale nie mogę. Bo żadnych nie zostawił. Co w połączeniu z wyjściem jak do pożaru i odbiciem piłeczki „lunch nie, drinki tak" językiem kropek i kresek męskiego telegrafu przesyła wyraźny sygnał *osiągalny tylko w celach seksualnych — stop*.

Jaskrawo oświetlony łuk na placu Waszygtona lśni ponad nagimi wierzchołkami drzew. Gdy wreszcie docieramy do Centrum Humanistycznego Silvera, okazuje się, że sala dzięki Bogu się wypełnia. Moldova, zdecydowanie podobna do nadchodzących studentów, ze swoim przekłutym pępkiem i ciemnymi odrostami, ciężko siada za biurkiem, żeby przeczytać pytania z listy. Ze skupieniem wbija wzrok w kartkę, popękane usta się poruszają, gdy ja układam materiały na stole. Z każdym trzaśnięciem drzwi sala zaczyna coraz bardziej przypominać bal przebierańców; jest szósta, wygląda na to, że wszyscy studenci poświęcili cały dzień na przygotowania: mamy kowbojkę, alfonsa, gwiazdę hip-hopu, więcej niż kilka Britney i samotną Cher. I ani jednego plecaka, ani jednej pary tenisówek wśród skóry, sztucznej i prawdziwej, piór oraz futer, a wszystko tak zaaranżowane, żeby jak najkorzystniej zaprezentować oczywiste implanty i solidny wybór sutków autorstwa samego Stwórcy. Moldova gapi się z półotwartymi ustami, wpatruje się w te dziewczyny, które zamiast przygotowywać się do ćwiczeń, wybrały zrobienie przydymionego makijażu oczu zgodnie z instrukcją z czasopisma „Allure". Jedyny wyjątek, jak wszystko w tym tłumie, jest ekstremalny. Grupka kobiet, które wyglądają, jakby świeżo uciekły z wojskowego poligonu, zajmuje miejsca z przodu, zwracając w moją stronę rumiane twarze i łyse głowy. I kiedy właśnie testuję należący do MF dyktafon, zjawia się dumny przedstawiciel płci męskiej; w czarnym kombinezonie, skórę ma upudrowaną na biało jak klown, a źrenice ukryte za szkłami kontaktowymi, czerwonym i mlecznym, jak przy katarakcie. Ten stanowiący dopełnienie obrazu Marilyn Mansona chłopak skokami pokonuje schody i zajmuje miejsce, które wymaga przełażenia ponad maksymalną liczbą wywracających oczyma koleżanek.

Zbieram notatki, podchodzę do pulpitu.

— Bardzo dziękuję wszystkim za przybycie. Zanim zaczniemy, chciałabym się tylko upewnić, że wszyscy wybraliście gender jako kierunek główny. Czy mogę poprosić o podniesienie rąk? — Wszyscy. — Znakomicie. Jak wiecie z ulotki, będziemy dzisiaj dyskutować o współczesnym feminizmie i Mojej Firmie...

— Żeby pomóc portalowi, który zajmuje się urodą? — szuka potwierdzenia kobieta z połyskliwym brzoskwiniowym makijażem oczu, a inne wymalowane twarze ożywają zainteresowaniem.

— Teoretycznie...? Tak.

— Super. — Kiwają głowami z aprobatą, podczas gdy grupka rumianych z ogolonymi głowami na froncie wzdycha i wyjmuje egzemplarze *Pamiętnika statecznej panienki*.

Jedna z kobiet unosi książkę.

— Tak? — czekam, żeby zadała pytanie.

— Chcę się upewnić, zaznaczyła pani na ulotkach „użytkownicy" portalu. Nie używałyśmy go. — Wskazuje na swoje przyjaciółki, które znacząco kiwają głowami. — Nasza profesorka pokazała go na zajęciach „Jak media pieprzą kobietom w głowach". Czy mimo to dostaniemy pieniądze?

— Oczywiście. Chcemy przyciągnąć użytkowników nowego typu, zasadniczo takich jak wy, studentów gender i czytelniczki „Ms. Magazine".

Następuje zauważalne poruszenie; zajmująca środek sali większość wymienia spojrzenia, część dziewczyn w sweterkach z dekoltem składa ręce na biuście. Rumiane, z którymi straciłam kontakt chwilę wcześniej, wsadzają Simone de Beauvoir z powrotem do chlebaków i ponownie kierują uwagę na mnie.

— Najpierw krótko podyskutujemy, a potem poproszę was o wypełnienie tych kwestionariuszy. W porządku? — Wszystkie kiwają głowami. — Świetnie. A teraz chciałabym przedstawić moją koleżankę, Moldovę. Zada wam kilka pytań, podczas gdy będę zbierać dane. Moldova, możesz zacząć, kiedy będziesz gotowa.

— Oki-doki. — Podchodzi do pulpitu, chrząka i zerka na kartkę trzymaną obiema rękami. — Co jest dla was jako ko... biet kwes... tią nu... mer jeden?

W czasie krótkiej pauzy staram się zgadnąć, czy zaczną od równej płacy, czy wyboru. Zrywa się studentka, która nosi naszyjnik „Playboya" na T-shircie „Playboya" z dekoltem odpowiednio głębokim, żeby odsłonić tatuaż z „Playboya".

— Wolność seksualna.

— Seksowna wolność? — powtarza Moldova.

— Prawo do uprawiania seksu z kimkolwiek chcę, kiedykolwiek chcę i jakkolwiek chcę, bez osądzania przez społeczeństwo i, no wiecie, moją współlokatorkę — wyjaśnia; w kolczyku, którym ma przebity język, odbija się blask świetlówek spod sufitu.

— Ta wolność? — ręka Moldovy ląduje na wysuniętym biodrze.

— Moldova? — Ostrzegawczo grożę jej uniesionym palcem.

— Amerykanie przykuwać kobietę do łóżka! — Lekceważy mnie w jaskrawy sposób.

— Dla jej własnej przyjemności — zapewnia Marilyn Manson.

— Ty przykuwasz je dla *ty*! — ze złością stwierdza Moldova.

— Sprzeciwiam się szufladkowaniu podyktowanemu nienawiścią. — Wskazuje palcem z polakierowanym na czarno paznokciem swoje obojętne koleżanki. — Jak zwykle nikt tu nie bierze pod uwagę brzydkiej prawdy, że gender to studia nad jedną płcią. Płacę takie samo czesne jak cała reszta, a w ogóle nie poświęca się tu miejsca bólowi amerykańskiego mężczyzny...

— Och, dosyć tego! — oświadcza nieduża blondynka z przodu, dźwiga na ramieniu ogromnych rozmiarów torbę z monogramem, na której dynda para butów do stepowania. — Osiem semestrów! Osiem! — Wyciąga rękę, ciężar torby odchyla ją do tyłu. — Łaziłeś za mną z zajęć na zajęcia, gadając w kółko o uciśnionej męskości i oskarżeniach kierowanych w stronę mężczyzn, monopolizując dyskusję... tylko gadasz, gadasz i gadasz. Słuchaj, Jason, kiedy będziesz zarabiał osiemdziesiąt centów z dolara, wsadzą cię do obozu, gdzie będą cię gwałcić, albo wypchniesz dupą dziecko, zorganizuję specjalne zajęcia poświęcone twoim cierpieniom! — Tu i ówdzie rozlega się aplauz, gdy tymczasem dziewczyna zmierza do wyjścia, co z powodu konieczności manewrowania w tłumie trwa trochę dłużej, niż usprawiedliwiałoby to jej dramatyczne wystąpienie.

— Widzicie? — błagalnie odzywa się Jason/Manson, gdy zamykają się za nią drzwi. — Widzicie, co muszę znosić? Hipokryzja i seksizm, i to nieuświadomione. — Wszystkie oczy wznoszą się i opadają w kierunku azbestowych płytek.

— Okej, dziękuję za podzielenie się tym spostrzeżeniem. Ruszajmy dalej — zachęcam Moldovę.

— Oki-doki, mam pytanie. — Odrzuca spalone rozjaśnianiem blond włosy. — Czemu Amerykanie takie grube?

— Moldova? — przerywam. — Neutralność, pamiętasz? — Wykonuję szaleńczy młynek ramionami, po czym opuszczam ręce płynnym, gładkim ruchem. — Po prostu zadawaj pytania.

— To *mój* pytanie. — Patrzy na mnie gniewnie — O jakich obe...cnie ważnych dla ko...biet kwes...tiach chcesz uzyskać więcej in...for...ma...cji?

— O legalizacji aborcji — stanowczo stwierdza rumiana młoda kobieta z pierwszego rzędu.

Studentka z kucykami ściągniętymi gumkami z kotkiem wywraca oczyma.

— Prooszę. Nie mogę czytać kolejnej rzeczy o aborcji.

— Cóż, ja popieram aborcję — odzywa się Jason/Manson. — Założę się, że to was zaskakuje.

Moldova wzrusza ramionami.

— Oczywiście chcesz zabić dziecko po tym, jak pieprzysz dziewczynę z łańcuchami.

— Pytania, Moldova — mówię przez zaciśnięte zęby.

Dziewczyna z kucykami zdobywa się na odwagę.

— Ale zdecydowanie chcę więcej informacji o kontroli urodzeń, generalnie o pigułce, lubrykantach, zabawkach i takich rzeczach...

— O! O! — parska śliną Jason/Manson. — Ona chce zabawek, ale ja nie mogę nikogo związać?

— Ty, goń się — groźnie stwierdza Moldova.

— Nie, ty się goń — odpowiada ze złością, czarne włosy spadają mu na twarz. — Za cholerę nie wiesz, o czym gadasz!

Moldova prostuje ramiona.

— Znam grubych amerykańskich mężczyzn w burdelu.

Wystarczy chwila, żeby wszyscy przetrawili implikacje tej wiedzy, po czym ubrana w ciuchy Juicy J-Lo, z nadzieją, aprobująco kiwa głową.

— Okej, widzisz? Pracowałaś w tym. Nie ma się czego wstydzić

— Nazywam się Chrissie i uważam, że to niesamowite — rozlega się niepewny głos spod ozdobionej piórami fedory, tworząc dysonans ze stylem „na alfonsa". — Niedawno widziałam film dokumentalny na HBO o Moonlight Bunny Ranch* w Nevadzie, naprawdę robi wrażenie, i to świetnie, że te kobiety są w takim stopniu świadome swojej wartości. Uwielbiają uprawiać seks i uwielbiają dostawać pieniądze za to, co lubią robić i...

— Właśnie — piskliwym głosem dodaje inna studentka,

---

* legalny dom publiczny

podczas gdy cofam się do tablicy, żeby udokumentować ich przemyślenia i ze wszystkich sił staram się sama zachować neutralność. — Zarabiają masę pieniędzy, przekraczając ograniczenia społeczne, które nakazują nam odczuwać wstyd.

— Masę pieniędzy? — pyta Moldova

— Jak cholera. Sześciocyfrowe pensje, wszystkie. W sumie równie dobrze można za to brać kasę.

— Wydawały się takie zadowolone — podsumowuje Chrissie. Praktycznie wszystkie kobiety w sali kiwają głowami, pracowicie ułożone fryzury opadają w zgodnym rytmie, jakby wspominały końcówkę *Przyjaciół*.

Nie zgadzają się tylko rumiane buzie z przodu, które na przemian to zaciskają, to otwierają dłonie.

— Jasne, powinnaś się tym zająć, Chrissie — rzuca jedna z nich. — Byłabyś świetną kurwą.

Moldova, z twarzą ściągniętą ze zmieszania, schodzi z podium i pokazuje palcem na Chrissie.

— Kto szczęśliwy?

— To było w HBO. — Chrissie wzrusza ramionami.

— Ja być dom na Long Island — Moldova rzuca wyzwanie zapatrzonej w kablówkę kongregacji. — Wy zabrać papiery. A potem łańcuchy. — Podciąga rękawy swetra, żeby odsłonić poznaczone bliznami nadgarstki. Jej twarz nie zdradza emocji, strząsa moją rękę. — A grube amerykańskie mężczyzny robić pieprzenie. — Kilka osób z natężeniem wpatruje się we własne sandały na koturnach, odgłosy ulicznego ruchu przenikają przez ściany audytorium.

— Moldova — odzywam się cicho, ponownie usiłuję delikatnie położyć rękę na jej drobnym ramieniu. — Zastąpię cię na chwilę. Może pójdziesz się napić wody?

Odtrąca mnie, rozwścieczona.

— Nie! Ja zadać pytania... ty płacić, żeby ja zadać pytania.

— Tak, i świetnie sobie radzisz. Pomyślałam tylko, że przydałaby ci się przerwa.

— Płacone za przerwę?

— Oczywiście.

Odrzuca do tyłu włosy, kolory wracają jej na twarz. Wykonuje palcem gest jakby strzelała z pistoletu i cmoka. — Oki-doki. — Rzuca pogrążonej w zadumie sali pożegnalne spojrzenie.

Biorę głęboki wdech i wyczuwam, że cała grupa miałaby ochotę na to samo wzmocnione nikotyną doświadczenie.

— Przepraszam, że odeszliśmy od tematu. Naprawdę chciałabym przez parę minut popytać was o „Ms.". — Patrzą sceptycznie.

— W ulotce wspomniano o *współczesnym* feminizmie — odzywa się ktoś ze stęknięciem.

— Owszem, zgadza się — potwierdzam. — Więc które działy czasopisma należą do waszych ulubionych?

Siedząca przy przejściu dziewczyna zrywa się energicznie.

— Nazywam się Lorelei? I naprawdę jestem oburzona, że muszę tu siedzieć i słuchać tego gówna? Ona miała wybór i z niesmakiem odbieram próbę wmanipulowania w promocję feministycznego wstecznictwa? — Grupa z błyszczykiem na ustach wściekle potakuje, jeszcze mocniej krzyżują ramiona na piersi.

— Prawdę mówiąc, Moldova nie miała wyboru — odpowiadam. — Przepraszam za tę dygresję. To nie było planowane. Więc które działy „MS." należą do waszych ulubionych? — pytam, chcę wrócić do tematu, bo inaczej spędzę weekend, fałszując kolejny stos kwestionariuszy.

Kobieta obok Lorelei przyłącza się, żeby ją wesprzeć.

— Chodzi o to, że to pismo ma ultrazawężone pole widzenia. Cała ta kategoria „ofiary" jest taka zużyta. Moldova — wskazuje w kierunku korytarza — zarabiała na życie. I nie uważam, żeby „Ms." było upoważnione do trzymania się kurczowo negatywnej wizji... czego nie możemy robić, kim nie możemy być... „Ms." jest skończone.

Chrissie, ta sama studentka o łagodnym głosie, która chwaliła Bunny Ranch, chrząka.

— Ich smutne opowieści sprawiają, że mam ochotę wpełznąć pod kołdrę i więcej nie wychodzić z mieszkania. — Na policzki wypływa jej mocny rumieniec w kolorze piór na kapeluszu. — To znaczy, chcę powiedzieć, że moim zdaniem przesadzają z tym seksizmem, żeby nie stracić czytelników. Chcę myśleć o sobie jako o kimś więcej niż tylko potencjalnym obiekcie gwałtu... dziękuję ci, „Ms. Magazine".

— Amen — potwierdza Jason/Manson.

— Rozumiem. W takim razie ile z was należy do czytelniczek tego czasopisma? Mogę prosić o podniesienie rąk?

Kobiety o rumianych twarzach podnoszą dłonie.

Lorelei, która najwyraźniej nie potrafi mówić na siedząco, ponownie zrywa się na równe nogi.

— Nie czytam. Nie kupuję. Nie popieram. Nie, dziękuję — Opada na siedzenie w fali aplauzu, głównie ze strony Chrissie.

— Moja Firma to znacznie lepszy model — ciągnie Chrissie. — Chodzi im o to, żeby kobiety były w formie, obecne w świecie. Żeby podejmować wyzwanie. Żeby zadbać o siebie w kulturze „damy radę".

— Daje kopa.

— Dziękuję, Jason. A ile z was uważa się za „feministki"? Te same cztery ręce. Jason/Manson dołącza swoją.

— Dlaczego? — pytam. Niepodniesione ręce pozostają ciasno splecione na piersiach, twardo nie zmieniają pozycji. — Czemu nie uważacie się za feministki?

— Nie czujemy nienawiści do mężczyzn — odpowiada w imieniu grupy któraś z nich, wzruszając ramionami.

Mrugam, głowę wypełnia mi kilkanaście niezwykle nieneutralnych komentarzy.

— Ależ tu nie chodzi o nienawiść. Ani o wrogość. — Bezskutecznie usiłuję zachować bezstronność w swojej wypowiedzi. — Chodzi o to, żeby każda z was mogła stąd wyjść, uzyskać dyplom i prowadzić życie, w którym płeć nie determinuje pensji, opieki społecznej, opieki zdrowotnej czy bezpieczeństwa. I nie ma powodu, żeby odbywało się to czyimś kosztem. Albo kosztem naszej seksualności. To nie jest negatywny ruch... to ruch pozytywny. — W odpowiedzi uzyskuję podejrzliwe spojrzenia i robi mi się ciężko na sercu. — Okej, w takim razie na tym skończymy. — Zmuszam się do uśmiechu i wyłączam magnetofon. — Jeżeli poświęcicie kilka chwil na wypełnienie tych kwestionariuszy, wypłacę wam pieniądze. Dziękuję wszystkim.

Przyglądam się, jak bazgrzą, długopisy z różowymi ozdóbkami na końcach przesuwają się przed pochylonymi twarzami. Dobre wieści, Guy! Mamy masę prawie gołych, ziejących nienawiścią do „Ms." studentek gender, które wolałyby zostać nazwane nazistkami, byle tylko nie feministkami, i wprost nie mogą się doczekać, żebyś nadał firmie feministyczny charakter! Jest też niezwykle duża, czteroosobowa mniejszość, która wolałaby obezwładnić swoje współwyznawczynie paralizatorem, niż mieć coś wspólnego z tobą. Nie, absolutnie, ta transformacja się powiedzie. Jest całkiem możliwa.

Z papierosem w ręku Jason/Manson zrywa się z siedzenia, miażdżąc buciorami odsłonięte palce. Rzuca mi starannie wypracowany grymas „weź przestań", po czym odbiera pieniądze, kobiety podążają za nim wyniośle, piszczą włączane komórki, zapalniczki tylko czekają, żeby ich użyć. Gdy ostatni maruderzy oddają mi kwestionariusze, ciężar zaczyna ustępować miejsca panice. Nakładam płaszcz i słyszę znajomy głos, dobiegający od podwójnych drzwi.

— Kochanie! — ciepło woła do mnie profesor Helen Wilcox. — Właśnie dziś rano rozmawiałam z twoją mamą i powiedziała mi, że te ulotki porozwieszane na wydziale są twoje. Elegancka, w rozpiętym białym płaszczu, z powiewającym szalikiem w kolorze kości słoniowej, idzie dużymi krokami, żeby mnie uścisnąć. — Spóźniłam się? Moje seminarium się przeciągnęło.

— Helen, cześć! — Odruchowo całuję ją w zimny policzek i ogarnia mnie fala Antonia's Flowers, zapachu, którego używa także Grace. — Tak, skróciłam całość, kiedy ujawniły całkowitą wzgardę dla „Ms.".

— Ich zdenerwowanie jest intrygujące, nieprawdaż? — Uśmiecha się, poprawiając za mocno wypchaną białą teczkę, którą ściska pod pachą. — Zupełnie jakby sądziły, że seksizm to coś, co wymyśliłyśmy, żeby zepsuć im humor. Wyglądasz wspaniale. Widzę, że praca w sektorze prywatnym ci służy. Chodź, odprowadzisz mnie. Czego chciałaś się dowiedzieć?

Wychodzę za nią, rozglądam się po korytarzu w poszukiwaniu Moldovy.

— Miałam nadzieję znaleźć trochę kobiet, które pomogłyby mi wymyślić, jak zmienić portal internetowy poświęcony urodzie w feministyczne przedsięwzięcie.

— Tak, Grace wspomniała, że zmieniasz Avon w Ann Coulter*. — Z ironicznym uśmiechem przerzuca teczkę, żeby oprzeć ją o drugie biodro.

— Och nie, zupełnie nie. Nie, kieruję inicjatywą zmiany wizerunku na filantro... zaraz, przepraszam, co takiego powiedziała? — W uszach mi szumi od adrenaliny, podczas gdy mój umysł usiłuje odepchnąć od siebie charakterystykę wymyśloną przez Grace.

— Kochanie, odrobina buntu to dobra rzecz...

— Helen, ja nie organizuję rebelii. Czy Grace tak myśli? Ja się nie buntuję, ja pracuję. — Torba wbija mi się w palce. — Obecnie dość trudno o propozycję pracy, w której mówią ci „chodź, zmienimy świat".

Helen śmieje się dźwięcznie.

— Och, kochanie, wiem. Nie przejmuj się swoją matką. Wszystkich trudnych wyborów dokonuje na papierze. Jeżeli chce, żeby ktoś miał pracę, musi to tylko zaznaczyć na marginesie. — Owija szalik wokół szyi.

— Chce, żebym założyła własną organizację...

— Chce, żebym zamordowała dziekana. — Helen całuje mnie na pożegnanie, a ja podnoszę ciężkie plastikowe torby i opieram je o pierś. — Ale jestem zadowolona, że mogę serwować solidne porcje depresji młodym feministycznym aktywistkom. Czy zobaczymy się w tym roku w Chatsworth na świątecznym konkursie poszukiwania jajek?

---

* radykalna prawicowa dziennikarka popierająca republikanów

— Postaram się.

— Postaraj. Uważaj na siebie, kochanie. — Skręca w stronę klatki schodowej, a mnie udaje się zdobyć na pożegnalny uśmiech, po czym ruszam do wind. W głębi korytarza widzę Moldovę, która zrywa z korkowej tablicy pełną garść kolorowych ulotek o kursach komputerowych.

— Kierunek dół! — oznajmia starszy człowiek obsługujący windę, kiedy wsiadam do kabiny przybranej zielonymi wstążkami z okazji Dnia Świętego Patryka.

— Moldova! — Wskakuje, winda zjeżdża, a ona pożera wzrokiem trzymany w dłoni bukiet w stylu Doris. Z szarpnięciem stajemy na każdym piętrze, metalowa dźwignia z brzękiem przesuwa się tam i z powrotem, równe tempo z panicznym łomotem, który narasta mi w skroniach. Ta zmiana musi być wykonalna. Gdzieś tam muszą być feministyczne konsumentki.

— Więc! Gejrl! Jutro ja zaczynać.

— Co zaczynasz? — Łapczywie wciągam do płuc zimne, zabarwione dymem powietrze, gdy wychodzimy na zatłoczony plac Waverly.

— Praca z tobą. — Moldova obiema rękoma przytrzymuje płaszcz Julii, ulotki wystają jej z kieszeni. Przesuwam palcami po brwiach, powracam do niej i ulicy, którą przepychają się ludzie. Prowadzę ją za łokieć i wchodzimy do parku, mijamy suchą fontannę i w oparach trawki ledwie udaje się nam wyminąć grupę jeżdżących po ciemku skateboardzistów.

— Przykro mi, że Guy nie wyraził się jasno, Moldova. — Dotykam jej zimnych palców. — Ale sprzątanie to jedyna praca, jaka jest teraz dostępna.

— Nie! Ja nie sprzątać — mówi drwiąco, wyrywa się. — Ja w kontener, nie ma oddech. Ja jechać Ameryka pracować sekretarka i przykuta do łóżko. Ja nie sprzątać. Ja nie sprzątać. — Dla podkreślenia grzbietem prawej dłoni uderza o wnętrze lewej. — Dokąd idziesz ze sprzątać? Jak...? — Wykonuje ręką ruch po przekątnej, jakby startującego samolotu, mówi coś z ożywieniem w swoim języku słowiańskim, po czym mityguje się i odnajduje mój wzrok. — Jak wasza *Dynastia*. Jak Joan Collins. Ja potrzebuję dobra praca. Być szanowanym, żeby... — Powtarza gest wznoszenia się, trzyma rękę wysoko w powietrzu. — Muszę. Dla mojej rodziny. Muszę! Ja nie sprzątać!

— Rozumiem. Moldova, rozumiem, o co chodzi ze sprzątaniem. Chcę pomóc, ale nie ja podejmuję decyzje w...

— Ty załatwić praca sprzątaczki! Znajdź mi prawdziwa praca!

— Bardzo mi przykro, Moldova, to jest prawdziwa praca. Nawet sprzątanie jest załatwione po znajomości...

— Gejrl, ja nie sprzątać! — Szarpie mnie, wbija twarde paznokcie. — Ja robić wiele pracy! Ja bardzo dobrze pracować z ludźmi! — Wpycha mnie w światło latarni, płaszcz Julii leży skłębiony na brudnym betonie.

— Słuchaj. — Unoszę rękę, żeby poluzować jej uścisk, tak żebym mogła się schylić i podnieść płaszcz. — Nie mam tego rodzaju władzy...

— Pierdol się! — rzuca nienawistnie, wyrywa płaszcz z mojej wyciągniętej ręki.

— Jeżeli jesteście Irlandkami, wypierdolę was obie — zawiadamia nas męski głos zza drzewa z odłażącą korą.

Moldova przygryza wnętrze ust, podnosi wielbłądzią wełnę, otrząsa.

— Moldova, strasznie mi przykro. — Ujmuję ją za ramię, staram się wyprowadzić nas z parku. — Przykro mi...

— Pierdol się! — Wyrywa łokieć. — Ja w twój kraj... ja przyjechać dla pracować. Ja chcę prawdziwa praca.

— Moldova, ja też chcę mieć prawdziwą pracę! Zmieniam wizerunek firmy, o której nic nie wiem, prowadzonej przez człowieka, który nawet ze mną nie rozmawia, i robię to dla kobiet, których nie lubię!

— Dzięki, Gejrl. — Unosi dłonie zwrócone grzbietami w dół. — Ja nie chcieć robić ci kłopot. — Oddala się biegiem, w ślad za nią frunie fala gwizdów facetów w kapturach, którzy obsiedli stalowe poręcze.

— Moldova! Zaczekaj! — Ale szybko znika mi z oczu. Kurwakurwakurwa.

Rzucam torby, chowam twarz w dłoniach i biorę kilka głębokich wdechów, zanim daję radę wziąć się w garść i ruszyć w kierunku Szóstej Alei. Czuję tylko obolałe stopy i mróz, który wkrada mi się pod spódnicę, nieoczekiwanie skręcam, zwabiona ciepłym blaskiem Babbo, kulę się w kącie baru przy oknie. Zamawiam szkocką, gapię się na Waverly, obserwuję, jak zmęczeni dojazdami do pracy ludzie i studenci, którzy wynajmują pokoje w eleganckich budynkach, przebijają się do domów przez zimną mgłę. A jak Moldova dotrze do domu? Opróżniam szklankę i idę na dół do automatu. Muszękupićkomórkę.

— Cześć, dodzwoniłaś się do Julii Gilman i Agencji Magdalenek. Zostaw wiadomość.

— Julio, cześć. Chciałam tylko zawiadomić, że Moldova pojechała ze mną na uniwersytet, żeby pomóc w badaniu grupy docelowej i... wyszła stamtąd. Problem w tym, że nie jestem pewna, czy ma MertoCard albo gotówkę. To znaczy, na pewno o to zadbałaś. Ale pomyślałam, że powinnaś wiedzieć. Więc gdyby był jakiś problem, proszę, zadzwoń do mnie do domu. Strasznie mi przykro... pozwoliłam jej wyjść i nie zatroszczyłam się o jakiś transport dla niej. Nie powinnam była... no więc mam nadzieję, że wszystko dobrze, na razie, pa.

Otwierają się drzwi damskiej toalety i z salwą śmiechu wypada z nich para. Jego okulary w rogowej oprawie są lekko przekrzywione, ona poprawia mu krawat, a on pożera ją wzrokiem, jej twarz promienieje w cieple jego uwagi. Ostatni pocałunek i płyną schodami w górę, siła ich przyciągania wypełnia restaurację magnetycznymi falami.

Czuję rękę Bustera przesuwającą się wzdłuż mojego kręgosłupa, dotykającą z tyłu mojej szyi.

To jest to. Potrzebna mi męska porcja zapomnienia. Moja głowa potrzebuje wolnego wieczoru, moje ciało potrzebuje towarzystwa w nocy. Więc mogę a) urżnąć się i wystartować do barmana. Albo b) po prostu skorzystać z propozycji tego chłopka. Jasno dał do zrozumienia, czego chce. Jasno dał do zrozumienia, w jakim zakresie jest osiągalny. A ja mam za sobą szkocką, nieudane badanie grupy docelowej i solidną porcję macierzyńskiego gderania, więc dziś mu się powiedzie.

Wybieram numer jego komórki.

— Sam! — Buster krzyczy, żeby było go słychać przez muzykę i śmiechy, które toczą walkę, by go zagłuszyć. — Sam?!

— To G! — krzyczę, bo on krzyczy.

— Sam?!

— Nie, G!

— Facet, nic nie słyszę! Mam gówniany odbiór! Powiedz taksiarzowi, że to trzysta czterdzieści siedem Allen! Cztery A!

— Tu G! Chciałam cię...

— Przegapiasz własną imprezę, facet! I jasne, przyprowadź, kogo chcesz! Do zobaczenia niedługo!

Ażebyś wiedział.

Jeszcze raz wybieram jego numer, zgłasza się poczta głosowa.

— Hej, tu G. Właśnie rozmawialiśmy, ale myślałeś, że to Sam. W każdym razie bardzo bym chciała się z tobą zobaczyć, lecz wygląda na to, że są u ciebie jacyś ludzie, więc pewnie to zły moment. Ale może mogłabym wpaść na drinka, a jeżeli moment jest kiepski, to mogłabym, no wiesz... zaczekać u ciebie w sypialni. Albo może mógłbyś wyjść z imprezy na pięć minut, poważnie, pięć minut maks. Nie musimy robić z tego wielkiej sprawy. Żadnych zobowiązań. Żadnych rozmów.

Żadnych takich. Naciskam „2", żeby usunąć wiadomość.

Rzucam na bar jakieś pieniądze, wychylam drugą szkocką, łapię kawałek chleba i wychodzę nieustraszona, żeby powędrować Broadwayem w dół. Niebędęsięnadtymzastanawiaćniebędęsięnadtymzastanawiaćniebędęsięnadtymzastanawiać. Idę tam, żeby coś się wydarzyło, i nie wyjdę z mieszkania Bustera, dopóki nie zastąpię swoich aktualnych zmartwień zestawem całkiem nowych zmartwień i nie przekonam się, czy mnie wykończą. Mam zamiar wplątać się w coś niestosownego i dwuznacznego z kimkolwiek — z Busterem, jego współlokatorem albo dozorcą — w coś, co zajmie mój mózg na co najmniej czterdzieści sześć kolejnych godzin.

Skręcam w Houston, mijam grupkę mężczyzn stojących chwiejnie w jaskrawozielonych kapeluszach. Gdy wchodzę głębiej w Lower East Side, na ulice wytaczają się kolejni świętujący, ocierają się o mnie i łapią za spódnicę, gdy ich mijam. Na rogu Delancey chłopak w jarmułce, z koniczynkami wymalowanymi na policzkach, śmiałym lobem wymiotuje na chodnik zielonym piwem, o milimetry mijając moje buty.

— Wyliż mnie, dziwko — chrypi przed następnym rzutem. Niech żyje święty Pat, lokalny patron seksualnego molestowania.

Z ulgą widzę, że frontowe drzwi zostały podparte cegłą, szybko wchodzę do holu w domu Bustera i naciskam guzik windy. Za mną kobieta w trenczu i tenisówkach ciągnie niedużą torbę na kółkach, na szczycie walizki chwieje się kiepsko zabezpieczony gumową opaską boombox.

— Ufff. — Zdmuchuje z twarzy czerwony lok. — Co za noc. Nienawidzę pracować w Dzień Świętego Patryka... — Dzwoni jej komórka. — Hej, kochanie. Aha, aha... No dobrze, daj mi go. — Wyciąga z kieszeni tubkę błyszczyku i przejeżdża nim po ustach, pociera wargami o siebie. Opiera się o ścianę, jej głos zmienia się w łagodny półszept. — Cześć Christopher, a teraz bądź grzecznym chłopcem dla tatusia i niech ci się coś przyśni, żebyś mógł opowiedzieć mamusi, co ci się śniło. — Wciąga torbę i stawia przy mnie, obie sięgamy do przycisku z czwórką. Przemieszcza telefon pod brodę, otwiera zewnętrzną kieszeń mocno podniszczonej torby i wyjmuje parę złotych butów na wysokich obcasach. — Jeszcze tylko trzy. Będę w domu koło czwartej... Nie, Ed jest chory... Kochanie, proszę, nie zaczynaj. Przyślą innego ochroniarza, ale nie mogłam dłużej czekać, bo straciłabym to zlecenie. Zadzwonię do ciebie po wszystkim. — Wpycha tenisówki do torby i krzywi się, wsuwając obrzmiałe stopy w buty na platformach. Winda staje i drzwi otwierają się z grzechotem.

Ruszamy korytarzem w tym samym kierunku, wyraźnie słyszalne jęki kobiety, która doświadcza głębokiej przyjemności albo strasznego bólu narastają z każdym krokiem.

— TAK! TAK! TAK!

Co dziwne, obie zatrzymujemy się przed cztery A. Kobieta naciska dzwonek, a potem rozwiązuje płaszcz, ciasny winylowy top odsłania gęsią skórkę.

— DAJ MI GO! ZRÓB TO! ZRÓB TO!

— Facet, ten gościu ma obie pięści w jej dupie! — Przez drzwi docierają do nas hałaśliwe męskie głosy.

— Włożył do łokcia! Niesamowite, kurwa! — Słyszę śmiech Luke'a. — Hej, kto chce włożyć striptizerce?

W milczeniu wymieniamy spojrzenia i obie cofamy się o krok. Kobieta energicznie owija się płaszczem i sięga po telefon, jej palec nieruchomieje nad przyciskiem, gdy drzwi się otwierają i ze świeżą falą męskiego śmiechu pojawia się Luke otoczony chmurą dymu z cygara. Mierzy nas wzrokiem z góry na dół, po czym woła przez ramię:

— Przyszła!

Kobieta wrzuca telefon do kieszeni i przeszywa Luke'a stalowym spojrzeniem.

— Tylko taniec. Dokładnie jak w klubie, bez dotykania. Jasne? — Kiwa głową, a ona zdobywa się na szeroki uśmiech. — Okej, chłopaki — woła, wkracza do ciemnego mieszkania i bierze głęboki oddech, po czym toruje drogę nam obu. — Gdzie pan młody? Chcę szaleć przez całą noc! — W chłopaku w T-shircie z nadrukiem przedstawiającym smoking i z nadmuchiwaną kulą oraz łańcuchem na szyi poznaję Sama ze Slipper Room. — Gdzie mam to podłączyć? — Kobieta unosi w górę boomboksa.

— Tylko zdejmij ten cholernie paskudny płaszcz! Zobaczmy, co tu mamy!

Rozglądam się po pokoju w poszukiwaniu Bustera, ale mój wzrok przykuwa ekran telewizora, gdzie ogolony srom wygląda, jakby znajdował się w finalnym stadium porodu sporego faceta, któremu zostało w środku jeszcze tylko przedramię. Z sypialni wychodzi Buster, przygląda się badawczo plastikowej nargile.

— Panowie, załadowana. — Widzi mnie i robi się biały. Odwracam się na pięcie, gdy startuje boombox.

— Cholera! Zaczekaj...

Buster rzuca się za mną, dogania, kiedy bębnię w drzwi windy.

— G! Co tu robisz?

— Nawet nie wiem... nie mogę nawet... — Unoszę otwartą dłoń na wysokość jego twarzy, nie jestem w stanie na niego spojrzeć.

— To tylko wieczór kawalerski — Z niedowierzaniem wzrusza ramionami.

— Świetnie! Super! Wychodzę. — Drzwi windy się otwierają i uciekam, ale wślizguje się za mną, szybko naciska czarny guzik „STOP".

— Jezu, zaczekaj chwilę. — Unosi czapkę baseballową, żeby gwałtownie zmierzwić sobie włosy, a winda rusza w górę. — Czy możemy po prostu o tym porozmawiać? Nie wiedziałem, że przyjdziesz...

— I dlatego to jest w porządku? — Bezskutecznie dźgam przycisk „Otwórz".

— Nie masz o co być zazdrosna...

— *Zazdrosna?!* Że możesz płacić komuś, żeby udawał, że cię pragnie, by zarobić i nakarmić własne dziecko? *Zazdrosna?!* Tak, dwie pięści poproszę. Nigdy nie mam dosyć. Boże, wypuść mnie z tej windy... — Przepycham się obok niego na klatkę schodową, walę drzwiami, które prowadzą na pogrążony w zimowym śnie ogród na dachu. Robię wielkie koło wzdłuż zabezpieczającego ogrodzenia z drutu kolczastego, zanim zdaję sobie sprawę, że nie ma stąd innego wyjścia.

— Słuchaj! — woła do mnie przez szerokość dachu. — Pomogłem ci znaleźć mieszkanie! Zmusiłem moich kumpli, żeby pomogli w przeprowadzce! A teraz masz mnie za dupka tylko dlatego, że imprezuję z jakimiś facetami i leci głupie porno, którego i tak prawie nie oglądaliśmy. Cóż, jeżeli uważasz, że jestem dupkiem, to nic na to nie poradzę...

— Możesz nim nie być!

— *To nie moja impreza!* A ona tylko tańczy, nie ma żadnego dziecka! Wszyscy robią wieczory kawalerskie... nie rozumiem, czemu jesteś na mnie taka wkurzona.

— Bo jestem! — Podchodzę do niego wielkimi krokami. — Nie chcę, żebyś był takim facetem! Właśnie spędziłam całe popołudnie, słuchając studentek, które walczą o prawo do tego, żeby każdego zerżnąć, przetrwałam zalew obrzydliwych, skierowanych bezpośrednio do mnie komentarzy ze strony męskiej części populacji i dotarłam tutaj, żeby zobaczyć kobietę, której ktoś rozrywa odbytnicę, kobietę, która robi albo i nie robi tego z własnej woli...

— Jezu! Ta taśma to był pomysł Luke'a! Ja nawet nie oglądałem...

— A wkładanie striptizerce? Gdzie miałeś zamiar spędzić tę część wieczoru? Och, przepraszam, zatrzymuję cię? Nie chcesz przegapić ceremonialnego nakładania lateksowej rękawiczki.

— Luke tylko gada. Piją tu od wielu godzin. Ona tylko zatańczy. Potańczy przez dwadzieścia minut i wróci do domu, a ja po nich wszystkich posprzątam...

Nagły powiew wiatru zwiewa mi włosy na twarz i uchodzi ze mnie para, jego obrona rozmiękcza moją pewność siebie, jestem już tylko niezaproszoną jędzą, która wrzeszczy na cudzym dachu.

— Sama nie wiem, co sobie myślałam — kłamię, porzucając wszelkie nadzieje na butelkę wina i czyszczący umysł seks. — Nie powinnam była przychodzić. Nie znam cię.

Robi długi wydech.

— Ale chcę, żebyś poznała — mówi cicho, wpychając

ręce głęboko do kieszeni. — Przepraszam. Naprawdę nie chcę cię... denerwować.

Walczę z tym wszystkim, co sprzysięgło się, żeby mnie zdenerwować, a światło latarni wydobywa jego szczupłą sylwetkę. Drży w ciemności.

— To, co się działo na dole... nie uważam, żeby to było w porządku — oznajmiam cicho; przynajmniej to mogę jasno stwierdzić.

— Słyszę. — Wyciąga do mnie dłoń, ostrożnie bierze za rękę. Patrzę mu w oczy, kiedy kciukiem delikatnie przesuwa po mojej skórze. — Naprawdę coś tu czuję.

— Ja też. I jestem wściekła, że nie możemy jakoś wyjść poza... to.

Przyciąga mnie do siebie, jego druga ręka przesuwa się po moim ramieniu aż do policzka. Zdejmuje mi torbę i odstawia na ziemię.

— Tak się cieszę, że tu przyszłaś... że po prostu wpadłaś. Gównianie się czułem, że tak zwiałem od ciebie z mieszkania. To był szalony tydzień, Luke wyjeżdża z powodu braku pracy, a ja muszę się nim w pewnym sensie opiekować...

Przerywam mu, ujmując jego twarz w dłonie, zmuszam, żeby na mnie spojrzał, i staram się ocenić jego szczerość.

Uśmiecha się łagodnie, wpatruje mi w oczy. Całujemy się, opierając się o ceglaną ścianę.

— Pozwól, żebym nie był takim facetem — mówi, a potem przyciska usta do mojej szyi. Moje palce znajdują drogę do jego włosów, a jego ciepłe dłonie wślizgują mi się pod spódnicę; znajduję rozwiązanie: wymazać z pamięci ostatnie piętnaście minut razem z resztą dnia.

— Hm, Buster?

— Tak?

— Mógłbyś nie być takim facetem u mnie w mieszkaniu? Bo tu jest pioruńsko zimno.

Rozdział 8

Słowo na z

Guy, cześć. Mam nadzieję, że miałeś udany weekend. Wysłałam Ci e-maila z wynikami badania pierwszej grupy docelowej i chciałam ustalić jakiś termin, żebyśmy mogli omówić je osobiście, bo trochę się różnią od tego, czego się spodziewaliśmy. Jestem wolna, więc może to być, kiedy tylko Ci pasuje.

Hej, Buster. Czy mi pasuje? Dzięki, że pytasz. Tak, bardzo. I jestem pewna, że mój futon szybko dochodzi do siebie. Przekażę mu wyrazy troski z Twojej strony przy najbliższej okazji.

Cześć, Guy. Dzwonię, bo widzę, że nie miałeś okazji otworzyć mojego e-maila, więc może moglibyśmy ustalić jakiś termin i zjeść razem lunch. Skończyłam teraz badanie czterech kolejnych grup docelowych i wyniki są dość stabilne. Przesyłam je e-mailem... jestem na miejscu, kiedy tylko będziesz miał wolną chwilę.

B, oczywiście, że jestem wolna. Jeżeli załatwisz film, ja przyniosę wino. Powiedzmy wpół do dziewiątej? Mój futon przesyła pozdrowienia.

Guy, mam zamiar po prostu przesłać Ci skorygowany plan, jak możemy stać się bardziej atrakcyjni dla feministek, jeśli nie przeczytałeś wczoraj mojego e-maila. Myślę, że ten dokument byłby bardziej użyteczny ze względu na ogrom Twoich zajęć. To znów kilka zmian, jakie mogłaby przeprowadzić MF. Będę przy swoim biurku. Nie mogę się doczekać Twojej opinii. Przepraszam, jest czwartkowy wieczór.

— Girl. — Następnego wieczoru Guy opiera się o blat w kuchence MF, postukując w drzwi szafki, pa-du-bum, po czym znika mi z oczu. — Nadgońmy zaległości.

— Idę! — Porzucam poszukiwania plastikowego widelca i pędzę do jego biura.

— Jak wygląda sytuacja? — Otwiera parujący pojemnik z jedzeniem na wynos. — Na czym stoimy?

— Nie jestem pewna, czy czytałeś moje e-maile...

— Przejrzałem. — Zębami rozdziera paczuszkę z keczupem.

— Cóż, w sumie grupy docelowe okazały się bardzo pożyteczne. Właściwie MF ma znaczącą liczbę użytkowniczek.

— I? — pyta z pełnymi ustami.

— To raczej „ale".

— Do rzeczy, Girl.

— Te kobiety nie identyfikują się z „Ms." do tego stopnia, że dodanie „Ms." do portalu może zniechęcić znaczną część jego użytkowniczek.

— Myślałem, że przeprowadzasz sondę wśród feministek? — pyta, wsadzając w usta tłustą frytkę.

— Próbowałam. Ale, niestety, wygląda na to, że osoby, które określają się jako feministki, zasadniczo należą do starszego pokolenia, reprezentowanego przez kobiety, które spotkałeś na konferencji. A one są, generalnie rzecz biorąc, sceptyczne... to bardzo dobrze poinformowana grupa kobiet, która nie rzuca się na jakiś produkt tylko dlatego, że jest popularny. Podejrzliwe wobec reklamy, podejrzliwe wobec mediów na rynku stosującym nieczyste zagrania, przykładają wielką wagę do marki, jaką wyrobiła sobie Gloria. Ostatecznie można je przyciągnąć, ale tylko wtedy, kiedy pójdą za jej wytycznymi. A nawet wówczas musimy wprowadzić dodatkowe zmiany, żeby portal był dla nich strawny.

Kaszle, cola wpadła mu w niewłaściwą dziurkę.

— Strawny?

— Dobrze się czujesz?

Odgania mnie machnięciem.

— Wyszczególniłam to precyzyjniej we wczorajszym e--mailu. — Badawczo przypatruję się jego twarzy, szukając iskry rozpoznania. — Mamy trochę wstawek medialnych. — Unosi brwi. — Raczej krótkich, słodkich i właściwie nie na potrzeby obozu Glorii...

— Koniec z Glorią — przerywa mi, obiema dłońmi obejmuje przesadnie obłożonego dodatkami cheesburgera i wgryza się w niego. Przeżuwa, ociera pokryte keczupem usta serwetką. Połyka. — Co jeszcze?

— Cóż, przebadałam wszystkie kampusy w pięciu okręgach administracyjnych. Wyniki są całkiem spójne. Przepraszam, precz z Glorią?

— Dobrze. Spójne, to dobrze. — Wyciera kroplę keczupu z brody. Mój żołądek z jękiem wspomina stygnący na biurku makaron.

— Tak, ale znalazłam tylko garstkę młodych czytelniczek „Ms."...

— O wiele za bardzo angażujesz się w tę sprawę z „Ms.". Chcę, rozumiesz, przyciągnąć młode feministki, to wszystko. Za dużo się nad tym zastanawiasz.

— Ale udało mi się znaleźć tylko kilka młodych feministek. To była naprawdę żałosna...

— Żałosna? — Gwałtownie unosi głowę.

— I nie podoba im się portal MF. Kompletnie. Guy, martwię się, że bez archiwów „Ms." niespecjalnie mamy z czym startować.

— To się nie martw. — Sięga po colę i pociąga łyk.

— Okej. — Dlaczego? — Ale właściwe dlaczego? To znaczy, jeżeli nie jesteś w stanie zacząć z Glorią...

— Jezu! Pieprzyć Glorię. — Gapi się na mnie przez szerokość biurka. — Nie chcę więcej o niej rozmawiać. — Wyciera palce i łukiem rzuca serwetkę, o mało nie trafiając w moją głowę, kompletnie nie trafiając do kosza za moimi plecami.

Schylam się, żeby podnieść lepki zwitek i umieścić go w koszu na śmieci.

— Przepraszam. Gdybyśmy mogli cofnąć się o kroczek. Poprosiłeś, żebym pomogła ci ściągnąć na stronę portalu archiwa „Ms.", aby zmienić wizerunek...

— Ms., Ms., Ms... — wykrzywia się do mnie jak niegrzeczne dziecko.

— Sam powiedziałeś „Ms."...

— Girl, nie zamierzam prowadzić rozmowy, w której w kółko cytujemy siebie nawzajem, bo nie muszę.

— Okej — stwierdzam, nerwowo szukając jakiegoś punktu zaczepiania. — Więc nad czym powinnam pracować?

— Nie wiem.

— Mogę dostarczyć te dodatki sprofilowane problemowo wprost do projektantów. I z przyjemnością skontaktuję się z organizacjami, które zajmują się rakiem piersi...

— Wiesz co? Mam dla ciebie zadanie domowe. — Pstrykam długopisem. — Przestań myśleć.

— Przepraszam?

— *Przestań. Myśleć* — powtarza zirytowany. Wstaje i wygina plecy. — Cholera, już siódma? — Obiema rękoma przeczesuje włosy. Panika przygważdża mi stopy do podłogi.

— No dobra... — Czuję, że się kurczę jak Alicja, w końcu będzie mógł ująć mnie w dwa palce i wyrzucić do kosza na śmieci. I pewnie nie trafi. — Mogę zajmować się innymi rzeczami, Guy.

— Muszę lecieć. — Poprawia węzeł krawata.

— Czy miałeś okazję przeczytać moją ofertę? Tam wszystko dokładnie wyłożyłam... po prostu zastanawiam się nad miejscem, w którym przecinają się nasze interesy.

— Ja też... — Wyciąga z teczki kupę akt i energicznie

ciska je na biurko. — Gadałem, aż zrobiłem się siny. Zaproponowałem twojej cholernej pani Steinem pieprzony świat. Ta kobieta nie ma wizji ani poczucia humoru. Czy kiedykolwiek czytałem jej czasopismo? — Na samo wspomnienie na policzki wypływa mu rumieniec. — Jakby nie można się było zorientować w całej tej obliczonej na litość historii po pierwszych trzech stronach. — Jednym ruchem zmiata z biurka zestaw słuchawkowy. — *Ona* niczego nie sprzedaje. Co to za gówniane gadanie?! Każdy coś sprzedaje. I jeżeli zdaje ci się, że z tobą jest inaczej, to masz, kurwa, omamy. Kompletna strata mojego czasu, kurwa. Wy obie.

Krew odpływa mi z twarzy.

Nie mogę się rozsypać. Muszę wziąć torbę. Muszę wziąć, co się da. Zrzucić pliki. Wyłączyć komputer. Zamknąć opróżnione biurko. Pomachać. Uśmiechnąć się. Wyjść.

Na ulicy rozpaczliwie staram się wśród wielgachnych płatków śniegu zatrzymać taksówkę, moje przerażenie ujawnia się w sugestywnym tańcu na użytek zbliżających samochodów. Auto zjeżdża na bok, wyrzucając spod kół strugę na wpół stopionego śniegu.

— Dokąd?

— Pierwszy przystanek na rogu Dwudziestej Siódmej i Siódmej, a potem jedziemy do miasta. Dzięki. — Spoglądam na zegar na konsoli z pełnym niedowierzaniem, że zamiast zwiewać do domu, żeby tam się załamać, mam trzy minuty, by zebrać do kupy swoje wstrząśnięte do szpiku kości ja dla Bustera i naszego pierwszego wyjścia jako „para". Końcami palców kolistym ruchem masuję czoło, staram się zapobiec rozwojowi kiełkującej migreny.

Buster skulony kryje się przed śniegiem w wejściu do YGames, podskakuje lekko, żeby się rozgrzać. Wsiada do taksówki, bierze mnie w ramiona. Przez mózg gna mi fala hormonów, zmywając zawodowe wątpliwości.

— Jak się masz? — pyta, jego zimne wargi wciąż są tuż przy moich.

— Zwalniają mnie.

— Cholera. — Odsuwa się, żeby spojrzeć mi w oczy, płatki śniegu topnieją mu na rzęsach. — Skąd wiesz?

— Długa historia. — Przyciągam go z powrotem do siebie, zdecydowana podtrzymać kojący szum.

— Następny przystanek na rogu Osiemdziesiątej Trzeciej i Drugiej, proszę — woła do kierowcy, po czym szepcze mi we włosy. — Powiedz, co się stało.

Splatam palce z jego palcami, moje usta znów odnajdują jego usta.

— Musimy iść na tę imprezę? — mamroczę.

— Powiedziałem, że wpadniemy. To załoga ode mnie z college'u i chcę, żebyś poznała resztę.

— Jedźmy po prostu do mnie. — Ściskam jego udo, sięgam wyżej. — Nie mam nastroju na rozmowy.

Zaciska rękę na mojej dłoni.

— Udało mi się wytrzymać całe — zerka na zegarek — dwanaście godzin poza twoim mieszkaniem. Chciałbym sprawdzić, czy dam radę wytrzymać jeszcze przynajmniej kolejne trzy, jeśli nie masz nic przeciw.

— Okej — mówię, niepewna, jak to przyjąć.

— Słuchaj, w tym tygodniu spałem u ciebie codziennie...

— Bo masz siedmiu współlokatorów, którzy mnie nie lubią...

— Siedmiu współlokatorów, którzy myślą, że wszelki ślad po mnie zaginął. Muszę się zameldować. — Pełzniemy Szóstą Aleją. Za zamglonym oknem pracownicy drogowi sypią sól pod nogi ostatnich, z rzadka rozsianych pracowników biurowych. — A poza tym — stwierdza chrapliwym głosem, przesuwając dłonią po moim brzuchu — szkoda byłoby nie zabrać takiej sukienki, żeby zaszalała.

— Hej, facet! — Gospodarz w kaszmirowym swetrze w serek energicznie otwiera drzwi, wali w nas muzyka, a on chwyta Bustera w niedźwiedzi uścisk.

— Chris, to G, ta, o której ci opowiadałem.

— Bar-dzo miiiła. — Chris klepie Bustera po plecach i ocenia mnie podejrzliwie.

— Drinki w kuchni, palenie na balkonie, i w ogóle to po prostu się obsłużcie!

— Z przyjemnością — kłamię i wchodzę za Busterem do pudełkowatego mieszkania, w którym pomiędzy wytartym parkietem a zabarwionym od papierosowego dymu stiukowym sufitem jedyną dekorację stanowią piwne gadżety. W dodatku wszystkie światła zostały wygaszone, niczym w gimnazjalnej dyskotece, nie licząc kuchni, w której jest jasno jak do przesłuchania. Krążymy między grupkami dawnych kolegów z klasy Bustera i osób poderwanych od czasów college'u, wpadają nam w oko Tim i Trevor na skórzanej kanapie z lat siedemdziesiątych. Dłonie ich obu wyruszyły na rekonesans pod spódnice siedzących obok dziewczyn. Luke stuka w drzwi balkonowe, za którymi kuca w śniegu z innymi palaczami, macha do Bustera i wysyła pojednawczy uśmiech w moim kierunku. Postęp.

— Hej, Jill! — Buster wymienia pocałunki z brunetką w nieciekawym kostiumie, która cofa się o krok, żeby zrobić nam miejsce w swoim kręgu. — Jill, to G.

— Miło cię poznać. — Ujmuję jej dłoń.

— Jill chodziła z Timem na ostatnim roku — wyjaśnia Buster.

— Chodziła, jak ładnie to nazwałeś. — Wykrzywia się, a ja z ulgą myślę, że przynajmniej nie jestem na spotkaniu absolwentów Wesleyan. — To moja grupa z Bear Stearns*. — Wskazuje na swoje towarzyszki, wszystkie w nudnych korporacyjnych mundurkach.

— Jak leci? — pyta Buster.

— W umiarkowanym stopniu mniej parszywie. Bladym świtem jedziemy do Pittsburgha na piąty tydzień audytu potencjalnej inwestycji. A ty? — Zwraca się do mnie, podczas gdy Buster przeprasza na chwilę.

---

* firma brokerska zajmująca się bankowością inwestycyjną

— Och, pracuję dla Mojej Firmy — mówię, siląc się na pewność siebie kobiety, która nie jest *kompletną, kurwa, stratą czasu*.

— Ten portal sieciowy? — wyniośle odzywa się jedna z jej towarzyszek znad swojego plastikowego kubka.

— Tak.

— Oooch. — Jill wciąga powietrze przez zaciśnięte zęby. Kolejna dziewczyna klepie mnie po ramieniu.

— Wyszli z załamania rynku w naprawdę dobrej kondycji.

— Dwa lata temu MF była jednym z dwóch moich faworytów, ale... — Jill wyciąga z drewnianej misy precel i ocenia jego jakość, wszystkie wzruszają ramionami. Przełykam resztę whisky. — Chociaż słyszałam, że zrobili zmiany w zarządzie i zmieniają kierunek... stawiają na konformację z Wielką Piątką*.

— Wciąż Piątką? Czy to już aby nie Dwójka? — Grupa w wygniecionych garniturach od Brooks Brothers pęka ze śmiechu. Kto powinien wystąpić przeciw dyktaturze Wielkiej Piątki, z ich forsą, dietetyczną colą i forsą.

— Co tam robisz? — pyta Jill. *Gdzie się podział Buster?*

— Zmieniają podejście na bardziej feministyczne...

Jill prycha. Brnę dalej:

— Cóż, plan był taki, żeby ściągnąć „Ms. Magazine", więc to miało sens... ma sens. Jest do przeprowadzenia. Całe miliony kobiet korzystają z tego portalu i prowadzę badania grup docelowych i konferencje i... *Jestem kompletną, kurwa, stratą czasu*. — Przepraszam na chwilę.

Przekradam się w kierunku łazienki i w holu natykam na mniej onieśmielającą grupkę dredów i T-shirtów promujących Rage Against the Machine. Zwalniam, rozpoznając jedną z dawnych współlokatorek Kiry.

— Cześć!

---

* firmy konsultingowe Accenture, Deloitte & Touche, Cap Gemini Ernst & Young, KPMG i PricewaterhouseCoopers (PwC)

Obejrzała się, ukazując lewą stronę twarzy, wytatuowaną jak u maoryskiego wojownika, i orientuję się w pomyłce.

— Przepraszam, myślałam, że... jesteś do kogoś podobna — stwierdzam ze wzruszeniem ramion. Odwraca się, żeby wysłuchać opowieści, którą przerwałam.

— Rany, człowieku, ciężka sprawa. — Splątana broda kiwa się ze zrozumieniem.

— Więc kiedy pomogłam jej urodzić łożysko — cicho, z naciskiem mówi kobieta, skręcając w palcach dreda — udało się nam odtransportować ją z powrotem do wioski, zanim partyzanci podjęli walkę. — Mierzy wzrokiem moją sukienkę i obcasy. — Jesteś z Busterem?

— Tak. — Ze znużeniem wyciągam rękę w powitalnym geście. — Wygląda na to, że byłaś na niesamowitej wyprawie...

— To nie była wyprawa. Pracowałam tam. A co ty robisz? — Czas na drugiego drinka.

Wlewam ostatnie krople kiepskiego jacka danielsa do swojego kubka, kiedy wędrujący bankowcy zjawiają się w kuchni po dolewkę.

— Więc powiedziałam po południu szefowi, że nie ma mowy, żebym zmieściła ten projekt w dwudziestu pięciu milionach — opowiada drobna blondynka w opiętym pikowanym żakiecie włożonym na suknię od Nanette Lepore, która wzbudza moją żywą zazdrość. — Będzie musiał ich przydusić, żeby wycisnęli jeszcze pięć ekstra. — Drobną rączką w pierścionkach nalewa sobie wody mineralnej. — I jeżeli chce mieć Mary Kate i Ashley, to nie ma szans, chyba że stosownie zapłaci. To był najbardziej gówniany tydzień. — Tłumek potakująco kiwa głowami. W przejściu między pokojami widzę balkon i natykam się na wzrok Luke'a, który jakimś cudem potrafi patrzeć pożądliwie jednocześnie na nią i na mnie. — Utrata Rona Howarda to był poważny cios. — Potrząsa głową, blond włosy na pazia dotykają mojego policzka, gdy wzdycha.

Wychylam kolejnego drinka i przepycham się, żeby wyjść z zatłoczonej kuchenki. Trochę krążę, potem staję pod ścianą, odrywam taśmę klejącą, którą przymocowano plakat z filmu *Łowca jeleni*, wreszcie po omacku znajduję drogę do zarzuconego płaszczami łóżka, w pozycji płodowej zwijam się pod mrugającym neonem Heinekena i pozwalam, żeby pokój odpłynął.

Klucze wciąż jeszcze tkwią w zamku, ja dwukrotnie pudłuję, zanim udaje mi się znaleźć wyłącznik. Mrugam, gdy jaskrawe światło z góry oświetla wszystkie pudła ustawione w stosach pod ścianą, i z powrotem wyłączam lampy.

Buster delikatnie zdejmuje płaszcz z moich zgarbionych pleców i wchodzi od środka. Zatrzymuje się, rozgląda, po czym rzuca oba nasze płaszcze na pudło z czekającym na montaż kompletem do jadalni z IKEA. Nie jestem w stanie ruszyć się spod drzwi, patrzę na swoje przedziwne mieszkanie, stosy prania, pojemniki po jedzeniu na wynos, spłukane i spiętrzone przy zlewie, folię plastikową wystającą z kosza na śmieci. I wszędzie kartony: na wpół otwarte, na wpół rozpakowane.

Buster wyciąga do mnie rękę z salonu.

— Przyłączysz się?

Kiwam głową, ale stoję jak wrośnięta. Okrąża mnie, żeby zamknąć drzwi, po czym klęka na jedno kolano, unosi moją stopę, potem drugą, delikatnie uwalniając je z butów na obcasie. Staję bosymi stopami na drewnianej podłodze, a on się podnosi i ogarnia mnie mocnym uściskiem. Opieram się o niego i wdycham znajomy już zapach płynu do płukania Downy i chłopca.

I nagle łzy strumieniem lecą mi po twarzy i wsiąkają w jego sweter.

— Hej. Hej, spokojnie — mruczy w moje włosy. Odsuwam się od Bustera, zasłaniam twarz drżącymi ramionami. — Okej. — Sięga, przytrzymuje mnie za łokcie, schyla się, żeby zajrzeć mi w twarz między palcami. — Żadnych więcej imprez.

— Nie. Nie to. To nie to. Chodzi o to...

— Chodzi o to, że za dużo wypiłaś — mówi czule.

— Nie. No tak, pewnie tak. I, kurwa, tak tęsknię za swoimi własnymi przyjaciółmi, że ledwie dycham. Ale chodzi o to, że mnie zwolnią... *znowu*. Świetnie sobie radziłam z tym, czego, myślałam, że ode mnie chciał, a teraz mi mówi, że tego nie chce i jeżeli nie skorzysta z żadnej z moich sugestii, to zmiana wizerunku odbędzie się tylko w mojej głowie.

— G, jest piątek. Nie musisz się tym dzisiaj przejmować...

— Nie zniosę zwolnienia, nie kolejny raz. Nie mogę... — Wycieram nos w rękę, nie jestem w stanie dokończyć tej myśli głośno.

Buster zagląda do kuchni.

— Chusteczki?

— Szafka po lewej od zlewu.

— Mam. — Pojawia się ponownie z pudełkiem kleeneksów. — Masz pozwolenie na te wszystkie papierowe produkty? — Wyciąga jedną i wręcza mi.

— Moja mama strasznie dba o środowisko. — Pociągam nosem. — Więc mieliśmy w domu po jednej ohydnej, nadmiernie wykorzystywanej serwetce z materiału na osobę. To moja ekstrawagancja z cyklu „jestem teraz kapitalistką i jestem dorosła".

— Cóż, w takim razie — sięga po rolkę papierowego ręcznika — zaszalejmy. — Śmieję się przez moment, po czym powracają łzy. — Powinnaś w poniedziałek wkroczyć i przedstawić swoje racje.

— Moje racje? — Patrzę na niego znad chusteczki.

— Dlaczego zwalniając cię, byliby dupkami. Chodź, porobimy notatki. — Zapala lampę.

— Teraz? — pytam bez entuzjazmu. — Myślałam, że poleniuchujemy?

— Będzie fajnie — mówi, potrząsając głową. — Zrobię

kawę i rozłożę się w sypialni. A ty możesz do mnie dołączyć, kiedy będziesz to miała na papierze. Dobry plan?

Jeszcze raz pociągam nosem, podnoszę na niego wzrok, brudne blond włosy ma otoczone aureolą jasnego światła z lampy stojącej.

— Naprawdę? Naprawdę tak jest fajnie?

— Tak, jestem wykończony. Chętnie bym się zdrzemnął. Daj mi chwilę... na godzinę albo dwie masz mnie z głowy. — Nos mam czerwony. Odwiązuję szal i rozpinam sukienkę, a Buster wzdycha głęboko, a potem wypędza mnie do prowizorycznego biurka, zasłaniając oczy ręką. — Za bardzo seksowna. O wiele za bardzo seksowna — słyszę, jak mruczy, otwierając lodówkę, żeby wyjąć lavazzę.

Z początku palce tylko drgają mi nerwowo w przestrzeni nad klawiaturą, patrzę na pulsujący kursor i chcę, żeby alkoholowa chmura zrzedła. Wyciągam z torby starą ofertę i przerzucam strony... Feministki, powiedział *młode* feministki. Bębnię palcami po plastikowej okładce... Kucyki... Playboy... Co mogłoby sprawić, żeby chciały pozostać lojalne wobec feministycznego portalu? Jak sprawić, żeby czuły się komfortowo? Dodać określenie „feministyczny" do istniejącej zawartości, która sankcjonuje akceptowane przez nie normy komercyjne. Prycham, wyobrażając sobie artykuły o *feministycznych* solariach, *feministycznych* szybkich dietach, *feministycznym* poprawianiu cycków... Gapię się w sufit, pozwalam sobie na powolne spuszczenie pary... Okej, Guy, feminizm dla nowej gospodarki...

Bardzo powoli zaczynam pisać ofertę, która skusi te studentki do odczytania historii błyszczyku do ust jako historii samorealizacji. Jeszcze lepiej, żeby odczytać samorealizację jako historię błyszczyku do ust. Po chwili w wielkim pośpiechu stukam w klawisze, dodając akapity o feminizmie HBO, grzebiąc w notatkach z sesji i cytując wszystko, co może mi pomóc ponownie znaleźć się w siodle. Zgarbiona nad laptopem w rozpiętej sukience nie podnoszę głowy nawet po to, żeby łyknąć kawę, którą Buster zostawił mi na kartonie obok, zanim poczłapał do łóżka. Po zakończeniu sprawdzam tekst, w głowie majaczy mi czerwony długopis Grace.

Na ulicy pod domem wyje karetka, co sprawia, że podnoszę wzrok i spoglądam w miejsce, gdzie stalowoniebieskie światło odbija się od budynku po przeciwnej stronie. Wstaję, strzela mi w plecach, pociągam następny łyk lodowatej kawy, a potem naciskam „drukuj". Wysuwają się kolejne strony, miękko układają się w stos na podłodze. Kucam, żeby jeszcze raz je przeczytać, po czym porządnie składam moją propozycję.

Mrużę oczy, żeby sprawdzić na laptopie godzinę: piąta czterdzieści jeden; waham się tylko przez sekundę, po czym drugi raz klikam w polecenie drukowania. Nagle chcę mieć to już z głowy, i to tak bardzo, że ledwie mogę przełknąć ślinę. Ci faceci nie powinni ani minuty dłużej żyć złudzeniem, że jestem zbyteczna. Że mogę jak w grze w monopol pokornie nie przejść przez start i niczego nie pobrać. Zostawiam Bustera pogrążonego w głębokim śnie, chwytam płaszcz i biegnę do windy z butami w ręku.

Gdy taksówka rusza spod kondominium w Tribeca, gdzie mieszka Guy, wpatruję się w drugi leżący na moich kolanach dokument z większą pewnością. Dzwonię do informacji z ledwie działającej budki — muszękupićkomórkę — i jadę do miejskiego domu Reksa na Wschodniej Sześćdziesiątej Czwartej, po czym, z walącym ogłuszająco sercem, wsuwam drugi egzemplarz przez szparę na listy w jego lakierowanych na czarno drzwiach.

Zeskakuję z łupkowych stopni, lekko kręci mi się w głowie, przytrzymuję furtkę z kutego żelaza i w mroźnym powietrzu poranka na East Side biorę głęboki, głęboki wdech. Wsiadam

193

do czekającej taksówki, mocniej owijam się płaszczem, chowam pod niego gołe nogi, opieram się o zamarznięte okno i z miejsca zasypiam.

W niedzielny wieczór relaksuję się samotnie po weekendzie spędzonym w końcu na porządkowaniu mieszkania i rozkoszowaniu się obecnością Bustera w dzień. Na świeżo zmontowanym stole jadalnym z IKEA zapalam kilka grubych świec i zanoszę je do łazienki, przy wejściu gasząc górne światło. Odkręcam wodę w prysznicu, pozwalam, żeby para okryła kafelki i zsuwam szlafrok.

Gorącą wodą spłukuję odżywkę, kiedy dochodzi do mnie piśnięcie domofonu. Z deski sedesowej podnoszę ręcznik i człapię do holu, owijając się nim, żeby wpuścić dostawcę z chińskim jedzeniem. Otwieram drzwi i wyjmuję z torebki portfel, w świetle świecy liczę drobne...

— Za kogo ty się, KURWA, uważasz? — Guy przepycha się obok, lodowata skóra jego kurtki ociera się o moje nagie ramię, gdy ładuje mi się do mieszkania. Wstrząśnięty dostawca wyrywa dwudziestkę z mojej sparaliżowanej dłoni, ciska we mnie plastikową torbą i ucieka do holu. — Jesteś tu ile... dwa miesiące... i myślisz, że masz choćby *najbledsze*, kurwa, pojęcie?! Żeby pójść do mojego szefa i powiedzieć mu, że ja nie wiem, co, kurwa, robię?! — syczy, twarz ma czerwoną i w migoczącym świetle świec krąży jak doberman w klatce, ręce ma zwinięte w ciasne, okryte skórzanymi rękawiczkami pięści. — Co jest z tobą nie tak, kurwa?

— Ja...

— Wyświadczyłem ci przysługę, Girl. Dałem szansę... miałaś zerowe doświadczenie i tak mi się odwdzięczasz? *Fundując mi, kurwa, upokorzenie!!*

Odzyskuję głos, choć drżący.

— Guy, nie... kompletnie nie o to mi chodziło...

— Nikogo, kurwa, nie obchodzi, o co ci chodziło! Ani co czujesz! Powiedziałem „przestań myśleć", to, kurwa, przestań! Nie leć skarżyć na mnie Reksowi jak rozpuszczone, kurwa, dziecko! — Staje na wprost mnie w ciemnościach na wysokości kuchennych drzwi, jego głos brzmi jak głuchy ryk. — To nieprofesjonalne, Girl. To amatorszczyzna i źle o tobie świadczy. *W stu procentach*.

— Przepraszam...

— Chcesz brać udział, to, kurwa, weźmiesz.

— Dziękuję. — Lodowata woda spływa mi wzdłuż kręgosłupa i tworzy kałużę wokół bosych stóp.

— Podziękuj Reksowi. Gdyby to ode mnie zależało, wywaliłbym cię na zbity pysk. — Guy wali prawą dłonią zwiniętą w pięść we framugę drzwi, wywracając Mana Raya, który stał tam, gdzie go Luke zostawił. Przesuwa spojrzeniem po zarysie nagiej sylwetki na zdjęciu. — Ładna — syczy, przechodzi nad nią, mija mnie, a potem drzwi zamykają się za nim z grzechotem.

Rozdział 9

Kocham LA

Przejść do realizacji?

Klikam na powiększone zdjęcie butów do pracy w ogrodzie Marthy Stewart, dodając kolejne pół godziny do dwóch tygodni firmowego czasu, który spędziłam w Internecie, uatrakcyjniając swoje CV i z determinacją poszukując pracy. Od czasu dyrektywy „przestań myśleć", po której nastąpił komunikat „gdyby to ode mnie zależało, wywaliłbym cię na zbity pysk" i mimo zachęcającej obietnicy mojego, „kurwa, udziału" ani słowa od Guya. Guya, który wskoczył do samolotu do LA od razu po wyjściu z mojego mieszkania i z którym od tamtej pory nie miałam kontaktu i który mnie nie zwolnił — jeszcze — mimo że chciał. *Bardzo.* Tego Guya.

Setny raz przesuwam wzrok znad monitora na ustawione przede mną biurka. Ale nikt — *nikt* — nie zwraca na mnie uwagi. Fizycznie jestem tak bardzo wykluczona z działań MF, że z moich głośników mogłyby dolatywać jęki z najnowszego dzieła z Jenną Jameson i *nikt* nie zaryzykowałby reakcji. Niepotrzebnie, ale poddaję urodzinowy prezent dla Grace szczegółowemu badaniu, ponieważ może się to okazać największym osiągnięciem kolejnego popołudnia, spędzonego na poszukiwaniu panaceum na zduszenie wywołanych przez Guya wspomnień Doris.

„Tak", klikam. Chcę przejść do realizacji. Pozbyć się strachu. Tej pracy. Tego stanu gospodarki.

Jak weszło to w zwyczaj od wyjazdu Guya, Stacey pędzi przez biuro w swoim obwisłym płaszczu deszczowym, piastuje w ramionach sterty rzeczy odebranych z pralni chemicznej i poczty, torby z zakupami dyndają jej przy obu łokciach. Podczas gdy mnie Guy zmusił do bezczynności, ją przegania po mieście jak zająca na polowaniu.

— Cześć, Stacey. — Przełączam się z powrotem na puste rubryki programu księgowego. — Jak leci? — Mija moje biurko, przyciskając łupy do piersi, i grzebie w kieszeni w poszukiwaniu kluczy do jego biura. — Czekaj, pomogę ci. — Zrywam się.

— W porządku, już mam. — Wpada do środka, zamyka drzwi.

Idę za nią, staję w progu.

— Na pewno nie mogę pomóc?

Błyskawicznie unosi głowę.

— Nie powinno cię tu być. Guy nie chce, żebyś zajmowała się teraz papierkową robotą. — Zgarnia plik akt i wkłada do szafki za sobą, zamyka ją na klucz.

Palą mnie policzki.

— Kiedy ci to powiedział?

— W zeszłym tygodniu. Słuchaj — odprowadza mnie do drzwi, ponownie zamyka je na klucz — jest strasznie zestresowany kierowaniem sprawą w LA. Nie przykładaj do tego za dużej wagi.

— Powiedział coś jeszcze?

— Nie.

— To znaczy cokolwiek. Jeżeli cokolwiek mówił, możesz mi powiedzieć.

— Właśnie powiedziałam. — Wzdycha, rusza dalej, poprawiając torebkę na ramieniu.

— Stacey, ja już wiem, że chce mnie zwolnić — przyznaję się, żeby ją zatrzymać. — Po prostu nie wiem kiedy.

— Cóż, niczego takiego mi nie mówił.

— Och. Okej. To chyba dobry znak, prawda? — Gwałtownie, z nadzieją, poruszam brwiami.

Zabiera z biurka torby z zakupami, przyciska je do piersi.

— Słuchaj, mam jeszcze dzisiaj do załatwienia dla niego setki spraw. Muszę lecieć.

— Okej — mówię cicho, czuję, że zaczynają mi drgać kąciki ust.

— Girl — mięknie. — Guy się nie waha. Gdyby miał taki zamiar, już by to zrobił.

— Jasne! — zgadzam się z fałszywą pogodą.

— W porządku — sapie i wybiega, jakby ją ktoś gonił.

A ja znów jestem oddalona od ludzkich istot o dobre czterdzieści stóp.

Przez szybę gapię się na muzealną gablotę, w którą zmieniło się biuro Guya. Wędruję wzdłuż przejrzystej ściany, wysilam się, żeby przez to, co się w niej odbija, wypatrzyć cokolwiek, co wyjawi mi moje przeznaczenie — najlepiej karteczkę z informacją, że wszystko to przygotowania do przyjęcia niespodzianki na moją cześć — ale Stacey uprzątnęła każdą powierzchnię.

Z powrotem do Hotjobs.com. Poszerzając zakres poszukiwań, mrużę oczy nad dziesięciopunktową czcionką; wyliczono nią wymagania, które należy spełnić, wstępując do wojska. I wtedy mruga światełko oznaczające, że mam wiadomość. To jest to. Nie potrafił nawet spojrzeć mi w twarz. Żołądek mi się kurczy, gdy wstukuję swój kod.

— Cześć — w słuchawce rozlega się zjadliwy głos Guya. — Potrzebujemy teczki z tym towarem. W porzo? Świetnie. Pa.

— Tak! — zwycięskim gestem wyrzucam w powietrze rękę ze słuchawką. Dostałam prawdziwe zadanie... pracę, którą mogę wykonać... z tym towarem! Całą teczkę! Taktaktak! Okej, z tym towarem, z tym towarem... z tym towarem? *Z tym towarem?!* Wymierzam pięścią ciosy w powietrze.

Jestem rozdarta; czy mam zostać gotowym do zwolnienia dupkiem, który przysyła wszystko, co ma, czy gotowym do zwolenienia dupkiem, który niczego nie przysyła? Wybieram numer jego komórki. Której na szczęście nie odbiera. „Guy, cześć! Strasznie się cieszę, że się odzywasz. Mam nadzieję, że podróż jest przyjemna. Że masz dobrą pogodę. Z rozkoszą dostarczę ci wszystko, czego tylko potrzebujesz. Czy mam dołączyć wyniki badania grup docelowych, prospekt Magdalenek albo propozycje sugerowane przy zmianie wizerunku MF? Albo jakieś dodatkowe materiały, którymi jesteś zainteresowany? Daj mi tylko znać i już się tym zajmuję. Od razu. Jestem przy biurku. Dzięki!".

Po chwili, jaką zajmuje ocena zawartości mojej szafki na akta i całego „towaru", który mógł mieć na myśli, znów miga do mnie światełko, że mam wiadomość.

— Cześć. Taa. Nie wiem, jak mam się wyrazić jeszcze jaśniej. — Ledwie hamuje pogardę. — Chcę podpisanego *oświadczenia* pod przysięgą od tych Magda coś tam, ze stwierdzeniem, że uratowaliśmy im, kurwa, życie. Chcę radosnych zdjęć, jak prezentujesz jeden z tych *wielkich czeków na kartonie*. Chcę *pełnego zestawienia*, co się dzieje dzięki moim, kurwa, pieniądzom. Chwytasz? Wszystko. Materiały, kawa, pieprzone rachunki za taksówki, wszystko. Na razie.

Co się dzieje dzięki jego pieniądzom — „dzieje", jak w czasie teraźniejszym? Po prostu mnie zabij. Znów wybieram numer komórki Guya. Znów przełącza mnie na pocztę głosową.

— Guy, z najwyższą przyjemnością. Zgodnie z ostatnimi decyzjami nie przekazaliśmy żadnej dotacji. Czy ty ją, eee, przekazałeś, czy ja teraz jestem uprawniona do zrobienia tego?

W parę sekund światełko ponownie mruga.

— Kurwa, Girl, tak.

Kładę głowę na biurku i uderzam nią lekko o blat, po czym dzwonię kolejny raz. Poczta głosowa.

— Przepraszam, przepraszam. Tak, przekazałeś dotację,

czy tak, ja mam to zrobić? Przepraszam. — Zakrywam oczy i zerkam spomiędzy palców.

Mrug!

— Ty — odmrukuje.

Znów dzwonię. Poczta głosowa.

— Dzięki, Guy! Świetnie! Nie ma sprawy. Jak tylko mi powiesz, od kogo mam wziąć czek, ruszam do dzieła.

Z zaciśniętymi rękoma przygryzam wargę i skupiam się na czerwonym światełku. Mrug! Wstukuję kod i napotykam westchnienie niesmaku.

— *Nie prawdziwy czek*. Jezu, nie dajemy dotacji *teraz*. Po prostu idź zadeklarować jej wypłatę i załatw mi wzruszającą, kurwa, do łez prezentację. Okej? Potrafisz sobie z tym poradzić?

Walę słuchawką o widełki, wzruszona, kurwa, do łez.

— Girl! Cześć! — Julia przyciąga do siebie drzwi mieszkania, balansuje trzymanym na biodrze sporym folderem złożonym w harmonijkę. Okulary ma na czubku nosa, kosmyki blond włosów wysuwają się z luźnego końskiego ogona, policzki płoną. Zaprasza mnie machnięciem ręki, żebym sfinalizowała swoje, być może ostatnie, zadanie z ramienia MF. — Co za urocza niespodzianka! Obawiam się, że mamy tu szaleństwo. — Wskazuje na kartony, które zawalają przejście. — Właśnie przyszła dostawa. Masa papierowych produktów od Philipa Morrisa. I fantastycznie, ale nam potrzebne jest jedzenie, żeby coś położyć na tych papierowych talerzach. Pomoc charytatywna z poczucia winy jest taka chaotyczna.

Idzie dalej, zostawiając mnie, żebym odłożyła wyładowaną rekwizytami torbę i oparła absurdalny, gigantyczny kartonowy czek przodem do ściany — aby go uzyskać w Kinko, musiałam urządzić całe przedstawienie w popołudniowych godzinach szczytu, a potem prawie zrobić laskę taksówkarzowi, żeby wsiąść do parszywej taksówki. Obchodzę kartony i idę za nią do kuchni, która jest podobnie zastawiona.

— Nic nie szkodzi.

— Zasadniczo wygląda to tak, że adoptowałam trzydzieści córek, tylko nasze pierwsze rodzinne spotkania obracają się wokół tematu przesłuchań w urzędzie imigracyjnym. — Przerzuca stosy papierów na blacie.

— Jak sobie radzi Moldova? — pytam.

Julia odkłada folder.

— Płacę jej za pokój w YMCA. Zaczęło tu być trochę za ciasno, szczególnie kiedy się kieruje działaniami z salonu. — Zsuwa okulary i mruga. — Ale doceniam tę pracę sprzątaczki. Jak to wygląda, radzi sobie?

— Ma zmianę po godzinach, ale Angel mówi, że świetnie jej idzie. — Ambitnie przerabiam narzekania, że stale zastaje ją na grzebaniu w komputerach, które powinna odkurzać. — Julio, strasznie cię przepraszam, że pozwoliłam jej uciec bez...

Macha ręką, żeby mnie powstrzymać.

— Ode mnie uciekała przy rozlicznych innych okazjach. Nie myśl o tym więcej. Jest trudna.

— Cóż, czułam się naprawdę okropnie, że nie byłam w stanie załatwić jej jakiejś pracy biurowej.

— Wygląda na to, że jakoś znosi sprzątanie. — Julia uśmiecha się do mnie, ma świadomość, że to stwierdzenie na wyrost. — I zaczęła się już uczyć, żeby zdać GED*.

— Wspaniale! Świetnie...

— Julio?! Gdzie włożyłaś listę pracujących społecznie?! — woła kobieta z salonu.

— Zielony folder! Na kominku! — Uśmiecha się do mnie szeroko. — Pełna komputeryzacja.

— Właściwie to czy mogłybyśmy porozmawiać gdzieś na osobności? — pytam. Nie mogę się doczekać, żeby faktycznie przeżyć chociaż moment z marzenia, jakim była ta praca.

---

* testy sprawdzające, odpowiednik matury dla dorosłych

— Poza łazienką? — Julia przytrzymuje długie kosmyki włosów okularami i kiwa, żebym poszła za nią. Idę przez zmieniony nie do poznania salon, w którym eleganckie meble zostały zastąpione przez trzy sprawnie działające stanowiska pracy. Dwie młode kobiety i młody mężczyzna, pogrążeni w rozmaitych rozmowach telefonicznych i zadaniach, kiwają na powitanie głowami, a ja przeciskam się do długiego, obstawionego kartonami korytarza.

— Potrzebna mi chwila spokoju — zawiadamia ich Julia przez ramię przed wejściem do pięknie umeblowanej sypialni. Zamyka drzwi. Będziemy musiały usiąść na łóżku. To jedyny nie-Magdalenkowy kąt, który zachowałam dla siebie.

Siadam obok niej na bladoniebieskiej jedwabnej kołdrze. Czuję pożądany przypływ emocji. Odwracam się twarzą do niej, jedno kolano przesuwam na pikowany materiał.

— No więc przyszłam ci powiedzieć, że cóż, Guy... Moja Firma postanowiła przyznać ten fundusz Magdalenkom.

Potrząsa głową, jakby mnie nie usłyszała.

— Przepraszam?

— Milion dolarów.

— *Wszystko dla nas?* — Oczy się jej rozszerzają. — A ja z uśmiechem kiwam głową. — Och, *Girl*! Och *Boże*! — Oplata mnie szczupłymi ramionami w ciasnym uścisku. — Och, to *wspaniale*! — Odsuwa się, żeby przytrzymać mnie na odległość wyciągniętych rąk, oczy jej wilgotnieją. — Dziękuję. Dziękuję, dziękuję, *dziękuję*! Nie masz pojęcia, jak bardzo my... — Potrząsa pięścią w powietrzu, bransoletki z kości słoniowej grzechoczą jedna o drugą. — Bóg istnieje! I ty nim jesteś! — Znów mnie ściska, jej zaraźliwe podniecenie sprawia, że zaczynam się śmiać po raz pierwszy od ponad tygodnia. — Chodź! — Ciągnie mnie za rękę i energicznie prowadzi do salonu.

— Słuchajcie wszyscy — oznajmia. — To jest Girl, Girl, to są wszyscy. — Macham niepewnie. — I DAJE MAGDALENKOM MILION DOLARÓW! — Wyrzuca ręce w górę, a jej personel zrywa się na nogi z oklaskami.

— Och nie, proszę — mówię, rumieniąc się.

— Muszę otworzyć butelkę szampana! — Julia klaszcze w dłonie i pędzi do kuchni. — Teraz możemy podpisać tę umowę najmu! I kupić jedzenie! I zatrudnić prawników! Która godzina? Zdążę jeszcze do banku?

— Och, Julio, nie mam czeku ze sobą — wołam.

— Jasne, zaraz dam ci nasze dane do przekazu. — Słyszę brzęk gromadzonych kieliszków.

— Nie, tak naprawdę to tylko gwarancja wypłaty, nie sama, eee, dotacja.

Pojawia się w drzwiach kuchni.

— Kiedy fundusze będą dostępne?

Wyczekująco wpatrują się we mnie cztery twarze.

— Nie wiem.

Jeżeli w ogóle dotrwam do tej chwili.

Julia patrzy na mnie przez zagracone pomieszczenie, ale nie umiem odszyfrować wyrazu jej twarzy. Potem się uśmiecha.

— Bez znaczenia. To wciąż dobra wiadomość. Wzniesiemy toast.

— Przepraszam — mówię, kiedy dzwoni telefon.

— To Sasha. — Młody mężczyzna wyciąga słuchawkę w kierunku Julii. — Skradziono jej w schronisku torebkę.

Julia wymienia kieliszki na telefon, twarz ma ściągniętą troską.

— Sasha? Gdzie jesteś? — Mężczyzna wynosi kieliszki do szampana do kuchni, toast zostaje zapomniany, młode kobiety wracają do pracy. Podczas gdy Julia omawia z Sashą możliwe rozwiązania, zaglądam do wyłożonego czarno-białymi marmurowymi płytkami przedsionka, gdzie mój czek wielkości pięciu stóp czeka na sesję zdjęciową.

Następnego ranka przepycham się przy wysiadaniu z M23 i wlokę Jedenastą, uzbrojona w każdy najmniejszy nawet dowód wdzięczności, jaki udało mi się wydusić z Julii, i nie przestaję obracać tego w głowie. *Wspaniałe uczucie — twarz Julii — wszyscy klaszczą.* Poranne kiwnięcie głowy w stronę ochroniarza — *okropne uczucie — wymuszone zdjęcia — czek, którego nie da się zrealizować.* Wciskam się do windy. *A teraz tylko to wrażenie beznadziei.* Drzwi otwierają się na dziesiątym. *Bo to jest beznadziejne. To po prostu musi być teczka nad teczkami. Musi być taka, żeby Guyowi spadły pieprzone skarpetki.* Otwieram drzwi do jasnego biura. *I mnie nie zwolni. Nie dam mu szansy, żadnej okazji, nie stworzę mu nawet szpary, żeby wepchnął przez nią oskarżycielski palec i zasyczał...*

— Girl.

Obracam się dookoła, żeby zobaczyć Guya, który wpatruje się we mnie ze złością.

— Cześć! Jak się masz?! Jesteś tu! Wróciłeś! — Upuszczam torby na swoje biurko, z drżeniem staję trochę dalej, żeby zdystansować się od tego spojrzenia. — I jak, udany lot? Udana podróż? Udany interes?

— Dostajesz...

— Guy, zebrałam wszystko, czego chciałeś od Magdalenek. — Uprzedzam go bez tchu. — Mam tu prezentację. Tylko usiądź. Zaraz...

— Awans — wypluwa.

— Przepraszam?

— Na wiceprezesa — ciągnie tym samym zgrzytliwym wrogim tonem. — To oznacza dwudziestoprocentową podwyżkę, licząc od dzisiaj.

— Awans... dziękuję...

— Premia piętnaście tysięcy, jeżeli przetrwasz kolejne trzydzieści dni.

— Nie wiem, co powiedzieć...

— Nic nie mów. Chcę cię natychmiast widzieć na zebraniu. — Guy sztywnym krokiem wchodzi do swojego biura, słońce odbite od rzeki nadaje jego sylwetce nuklearną poświatę. Czuję się, jakbym zainkasowała niespodziewany cios. Rzucam płaszcz i sięgając po żółty notatnik, natykam się na spojrzenie Stacey.

204

— Powiedział „awans", prawda? — pytam, słowa i brzmienie głosu Guya toczą pojedynek w mojej głowie.

— Tak — odpowiada krótko, nie przerywając pisania.

— Nie spodziewałam się. — Oszołomiona siadam na własnym płaszczu.

— Hm.

Wiceprezes...

— Wiem — ciągnie Stacey — nie masz w końcu jakiś specjalnych osiągnięć.

— Przepraszam? — Spoglądam na nią ponownie, skrzywiona wpatruje się w ekran monitora.

— To znaczy, żeby dostać awans.

— No tak, może nie przez ostatnie tygodnie, ale odkąd zaczęłam tu pracę, masę zrobiłam.

— Oczywiście. — Kiwa głową, odsuwa się i przekręca monitor jak najdalej ode mnie, na tyle, na ile pozwala jej biurko.

Zrobiłam. Całą wielką masę. I wykonałam wszystkie zadania, jakie mi dał, a on zachował się kompletnie niestosownie, i w sumie, dlaczego nie, do cholery? Dlaczego nie mam być wiceprezesem?!

— Girl! Już! — wrzeszczy Guy.

Moje wiceprezesowskie ja pokonuje trzy schodki do biura, gdzie zastaję go okrążającego nieskazitelnego mężczyznę przed pięćdziesiątką, który siedzi przy stole obok okna, z nogą założoną na nogę.

— Masz jeszcze ten dom w Southampton? — pyta Guy, mocując się ze sznurkami żaluzji. — Seline mnie męczy, żebyśmy pojechali wynająć coś na lato.

— Och nie, za duży tłok. — Mężczyzna szeroko otwiera oczy bez śladu zmarszczek, zaczynający obwisać podbródek zdradza powód ich młodego wyglądu. — Kiedy matka zmarła, dostałem dom na Vineyard, więc Tad i ja siedzimy w renowacjach po czubek dachu.

Drewniane żaluzje opadają z hukiem.

— Vineyard... tak, oczywiście. — Guy bierze się

w garść. — To jest Girl. — Sygnalizuje moją obecność, nawet się nie odwracając i mimo że stoję tam jako wiceprezes i mam na sobie najlepszy z moich nowych garniturów do pracy, czuję się, jakbym zawinięta w ręcznik ociekała wodą.

Mężczyzna umieszcza swoje subtelnie wymanikiurowane dłonie na stole, rękaw szarego garnituru z lekkiej wełny podjeżdża do góry, odsłaniając komplet od Davida Yurmana; spinki, zegarek, pierścień. Uśmiecha się uprzejmie, ogląda mnie krytycznie, pociągając nosem.

— Dzień dobry — mówię, siadając po przekątnej w stosunku do niego.

— To Jeffrey. — Guy przyłącza się do nas przy stole. — Przyjaciel Reksa, przyjechał pomóc.

Twarz Jeffreya wygładza się, przybierając wyraz wyrozumiałości.

— Och, świetnie. — Opieram się, krzyżuję nogi, prostuję ramiona, instynktownie czuję, że muszę zająć więcej przestrzeni. — Witam!

Jeffrey uśmiecha się sucho, jego brwi unoszą się dość wysoko, żeby poruszyć precyzyjnie rozburzone szpakowate włosy.

— Dziękuję, Girl — mruczy, w jego głosie słychać ślad sarkazmu.

Nienawidzę go.

— Jeffrey przybył tutaj, żeby się upewnić, czy sprawa jest na właściwej drodze. Sam kreuje marki...

— Wywalaj wprowadzenie — mówi nasz gość; pod frazeologią z Beverly Hills słyszalne są ślady szczękościsku charakterystycznego dla Nowej Anglii. — Lećmy z tym od razu, można?

— Jasne. Girl, prosimy o podsumowanie.

Podsumowanie... Niech pomyślę... Jestem niepodpadającą pod zwolnienie niekompetentną dziwką z odchyleniami, która nie powinna nic znaczyć/czuć/myśleć. I wiceprezesem.

— Tak. Od którego momentu?

206

— Od początku, Girl — mówi Jeffrey, nozdrza mu drgają, co podkreśla koński profil.

— Oczywiście. — Zaczynam recytować pierwotną ofertę dla „Ms. Magazine", usilnie staram się unikać przy tym używania samej nazwy „Ms. Magazine", żeby nie spowodować implozji mózgu Guya. — Po latach poświęconych odpowiadaniu na pytania kobiet, dotyczące urody, Moja Firma postanowiła zmienić wizerunek, przejść od pełnienia w kobiecej społeczności funkcji wyłącznie komercyjnej do wydzielenia niszy dla feministycznych aktywistek. Zaczęliśmy staranne przygotowania do planowanego połączenia z pewną... osobą...

— Nie obchodzi mnie to. — Jeffrey marszczy nos i zwraca się do Guya. — Zbyt ostentacyjne. Robisz coś innego? — Z powrotem mówi do mnie.

Bekaniem prezentuję alfabet.

— Przepraszam?

— Jakieś inne kawałki?

Guy ze ściągniętą twarzą rzuca mi egzemplarz mojej próby ratowania posady o piątej rano.

— Moja propozycja. Jasne. — Otwieram teczkę. — Zaczęłam od przeprowadzenia badań grup docelowych na terenie metropolii. Uczestniczki należały do dwóch obozów. Pierwszy stanowiły osoby identyfikujące się z feministkami, które portal MF w obecnej postaci odstręcza, postrzegają go jako popierający komercyjne działania, których celem jest zachęcanie kobiet do zajmowania się raczej swoją wagą niż statusem i prawami. Druga grupa, znacząca większość, często odwiedza portal MF i ponownie zinterpretowała pojęcie wyzwolenia...

— To jest ta propozycja? — Jeffrey spogląda na Guya.

— Wnioski, Girl.

— Hm. — Niezgrabnie przerzucam strony dokumentu, w ustach mi wysycha, kiedy staję twarzą w twarz z tym, co zaproponowałam, żeby ratować swój tyłek. — Zasadniczo moglibyśmy wykorzystać treść odpowiadającą drugiej, większej grupie, która sankcjonuje entuzjastycznie akceptowane przez tę grupę normy komercyjne, rekonfigurując i ponownie nazywając coś, co można by określić mianem seksistowskiej treści, pod feministycznym szyldem, zachęcając tym samym do zaakceptowania samego terminu... — I ciągnę do znudzenia, nikt mi nie przerywa. I dalej, i dalej, i dalej, przez listę pomysłów, które, jak się orientuję, słysząc je wypowiedziane na głos, powinny mnie totalnie zdyskredytować. Jeffrey powoli zdejmuje okulary, wsuwa końcówkę jednego uchwytu do ust i kiwa głową, jakby oglądał telewizję. Guy ściąga usta i kiwa razem z nim, wpatruje się w stół, łokcie ma oparte na kolanach.

Jeffrey klepie Guya po ręce.

— Jest idealna.

To mi zamyka usta.

Jeffrey delikatnie kładzie okulary na stole i przesuwa palcami wzdłuż rozpiętego kołnierzyka.

— Idealna. Gdzie ją znalazłeś?

— Taa, dzięki. — Guy rośnie w oczach z powodu pochwały. — Na jakiejś sieciowej imprezie.

— Boskie znalezisko. Żargon rzeczywiście masz opanowany. I rozmiar cztery, mam rację? Kilka poprawek tu i tam i będziemy mieli znakomity pokaz.

— Jeffrey, stary, jesteś jak powiew świeżego powietrza! — Guy się przeciąga.

Czuję mdłości i staram się pospiesznie naprawić szkodę.

— Ale, Jeffrey, istnieje znacznie bardziej bezpośrednia droga do osiągnięcia naszego celu. Nie wiem, czy Guy cię wprowadził, opracowałam bowiem plan działania, który pozwala zmienić portal w taki sposób, by stał się autentycznie pociągający dla prawdziwych feministek...

— Taa. Nie. No więc. — Jeffrey krzyżuje szczupłe ramiona i skupia uwagę na Guyu. — Czego chcą kobiety? — pyta retorycznie, jego spojrzenie zatacza łuk po suficie. Coś takiego z ust faceta, w którego życiu nie zaszłyby żadne zmiany, gdyby wszystkie kobiety na świecie w jednej chwili padły martwe. — Bawić się — oznajmia z klaśnięciem, składając ręce jak do afektowanej modlitwy. — Chcą się bawić, Girl. Więc koniec z tym ponurym aktywistycznym gie. — Guy nachyla się i klepie go po plecach. — Od tej pory tylko ta część o komercyjnych sprawach. Resztę kasujemy. — Jeffrey odchyla rękaw, żeby spojrzeć na srebrny zegarek. — Masz jeszcze coś dla niej w Nowym Jorku, Guy?

— Nie... Biuro Jeffreya jest w LA, więc jeszcze dziś po południu wracamy, żeby poważnie przygotować się do złożenia oferty wielkiemu klientowi. W porządku?

— Więc jest klient? — pytam i usiłuję przypomnieć sobie nazwy potencjalnych klientów, które wspomniał na naszym pierwszym i jedynym lunchu. — Nike się objawił?

— Prawie. To firma w całości prowadzona przez kobiety, dokładnie coś z zakresu twoich zainteresowań. — Jeffrey mruga do mnie, po czym odwraca się z powrotem do Guya.

— Brzmi wspaniale. Jaka to firma?

— Nie uprzedzajmy wypadków — oświadcza Guy, walcząc o zachowanie piastowanego tytułu Króla Niejasności.

— No cóż. — Wstaję. — Bezpiecznej podróży.

Jeffrey uśmiecha się pobłażliwie.

— Nie, Girl, ty też jedziesz. Bądź gotowa do wyjazdu do południa.

— Och. — Szybko rzucam okiem przez okno na zegar.

— I, Girl — woła za mną Jeffrey — nie zapomnij swojego żółtego notatniczka.

Po rozpaczliwej wyprawie do domu, żeby wepchnąć do walizki wygniecione letnie ciuchy, owijam spiralny kabel telefoniczny wokół czubka palca. Przepełniona wstrętem do samej siebie, z powodu tego, co puściłam w ruch, przyglądam się, jak kabel odcina mi krążenie i czekam, żeby odezwała się Grace.

— Chatsworth.

— Mamo! Och, tak się cieszę, że się dodzwoniłam!

209

— Okej, więc zostałaś zwolniona. Jeszcze raz ci mówię, że to nie koniec świata...

— Co? Nie... skąd...

— Jack powiedział, że twoja pupa jest zagrożona.

— Giiirl! — śpiewnie woła od frontowych drzwi Jeffrey. — Czekaaamy!

— *Chica?*

— Nie, dostałam awans... i podwyżkę.

— To *wspaniale*! Gratulacje.

— Dzięki, jasne, jestem strasznie podekscytowana.

— I co teraz musisz dla nich robić?

Jestem wiceprezesem oddziału dystrybucji kraku dla małolatów imienia Ann Coulter.

— Dalej to samo, no wiesz.

— A co to dokładnie znaczy?

— Giiirl! Chodź już!

— Mamo, przepraszam. Jadę służbowo do LA, ale chciałam przekazać dobre wieści. Wiem, że dawno nie rozmawiałyśmy, niedługo zadzwonię. Obiecuję.

— Okej, naprawdę lepiej się poczuję, kiedy się dowiem, za co płacą ci te pieniądze.

— *Giiirl!* Na litość boską! — Jeffrey odwrócony plecami na pewno wywraca oczyma do Guya, jakbyśmy szykowali się na clubbing, a ja byłam koleżanką z pokoju, która trzeci raz zmienia stanik.

— Muszę lecieć, mamo — puszczam kabel, czubek palca mam zdrętwiały.

— Nie zapomnij zajrzeć do Getty... jaki dzień mamy dzisiaj? Kwiecień... dwudziestego szóstego? Zdaje się, że właśnie otworzyli wystawę Henry'ego Moore'a.

— Tak, postaram się...

— Tęsknimy za tobą, *chica*.

— Ja też. Kocham cię, pa. — Odkładam słuchawkę. Nienawidzę samej siebie.

Gdy ze zgrzytem wytaczamy nasze torby podróżne przed budynek, na wilgotniejący chodnik, niebo rozdziera błyskawica. Kierowca limuzyny pospiesznie obchodzi samochód, żeby pomóc nam załadować bagaż, zanim rozpada się na dobre.

— Brr, jedno, czego mi nie brakuje od czasów opuszczenia Nowego Jorku, to tej paskudnej pogody. — Jeffery ciasno owija się trenczem Burberry, błyskając dodaną na zamówienie podszewką w kolorze różowego arbuza. Widzę, że otwierając tylne drzwi, kierowca ironicznie potrząsa głową.

— Girl, będzie ci wygodniej z przodu — oświadcza Jeffrey, gdy Guy wślizguje się na miejsce.

— Jest w porządku. Nie ma problemu, wcisnę się na siedzenie naprzeciwko.

— Nie w porządku — zaprzecza. — Uważam, że powinnaś siedzieć z przodu. — Czekam, podczas gdy kierowca nachyla się i zrzuca na podłogę puste kubki po kawie i puszki po napojach. Moja kilkugodzinna godność wiceprezesa cierpi, ale pamiętając, że Jeffrey jako jedyny w MF uważa, że jestem „idealna", uśmiecham się uprzejmie i postępuję zgodnie z poleceniem.

— Które linie? — pyta kierowca, poprawiając lusterko i włączając wycieraczki.

— American, terminal krajowy — woła Jeffrey, po czym podnosi matową szybę. — Potrzebne mi małe tête-à-tête z moim chłopcem.

Przydymione szkło wsuwa się na miejsce, skutecznie wyłączając mnie ze spraw MF, a kierowca, niestety w wielkim błędzie, ze zrozumieniem kiwa głową.

— Cioty — mruczy z ciężkim greckim akcentem.

Zwijam się na siedzeniu, gdy tymczasem deszcz bębni o szybę. Żałuję, że nie ma racji, że nie potrzebowali prywatności, żeby się bzyknąć, ale by mnie wykluczyć.

Kiedy docieramy na JFK, idę za Guyem i Jeffreyem w kierunku pracownicy obsługującej klasę biznes.

— Och nie, Girl, ty tam. — Jeffrey wskazuje na wijącą się bez końca kolejkę plebsu, która prawie się nie posuwa w stronę stanowiska odprawy dla klasy turystycznej. — Postaraj się zdążyć.

Wsiadam jako ostatnia, mijam Guya i Jeffreya w półleżących pozycjach, rozpierają się w splendorze szerokich siedzeń i obszernego miejsca na nogi, popijając szampana. Jeffrey unosi wysoki kieliszek i uśmiecha się.

— Do zobaczenia w LA!

Do zobaczenia w piekle.

Padam na sfatygowane siedzenie, zdejmuję żakiet i wachluję się kartą pokładową, żeby trochę ochłonąć, a mój umysł szaleje z radości, wspominając wydarzenia dnia. *Wciąż zatrudniona — nawet dostałam awans — zarabiam więcej, niż kiedykolwiek się spodziewałam w tej sytuacji rynkowej.* Samolot ustawia się w kolejce do pasa startowego, strumienie deszczu płyną po owalnym okienku, rozmazując światła pozycyjne na asfalcie w żółte pompony. *No więc kupili mój pomysł — mój okropny, fatalny pomysł — nie żeby milion osób nie miało takiego samego okropnego pomysłu;* opieram czoło o chłodny plastik, a samolot nabiera prędkości, gnając po pasie startowym, żołądek mi się kurczy, gdy wykonuje pierwszy podskok, zanim definitywnie oderwiemy się od ziemi. *Firma z żeńskim kierownictwem, pewnie robią genialane rzeczy, naprawdę świetne, które anulują tę zdradę. Robię głęboki wdech, gdy samolot pochyla się i krąży nad Manhattanem, biorąc kurs na zachód. Może nawet...*

— Korki? — pyta młody człowiek o policzkach jak jabłuszka z siedzenia obok.

— Przepraszam?

— Ledwie zdążyłaś. Utknęłaś w korku?

— Och, nie. Tylko na lotnisku. — Sadowię się wygodnie. — Mój szef nie wziął pod uwagę długości kolejek do odprawy, kiedy nie macha się biletem klasy biznes.

— Rodzynki w czekoladzie? — proponuje, z trzaskiem rozpinając pas, żeby chwycić torbę z napisem Hudson News.

— Jasne — zgadzam się. Nasypuje mi garść i wrzucam kilka do ust. — Dzięki.

— Świetnie rozumiem. Moja szefowa kompletnie nie ma wyczucia kontinuum czasowo-przestrzennego. Chce w parę godzin mieć zrobione coś, co zajmuje całe tygodnie, i daje nam miesiące na coś, co wymaga jednego telefonu.

— Pracowałam dla niej. — Przyglądam się, jak miasto znika, gdy unosimy się coraz wyżej, przebijamy pokrywę chmur, żeby wpaść w niespodziewany blask słońca ukryty nad nimi. *Naprawdę. Pracowałam dla niej. I to nie jest to. Dokąd zabrała mnie Doris? Nawet nie do Toledo.* Pokrzepiona patrzę przez okno, przyglądając się, jak kraj przesuwa się pod nami, gdy tak dotrzymujemy kroku słońcu.

— Nie pozwól, żeby szef cię dołował.

— Przepraszam? — Odwracam się do swojego towarzysza, który odezwał się zza egzemplarza „Gorących nastolatek", z okładką oznajmiającą fluorescencyjnymi drukowanymi literami: AUĆ! NIE MOŻNA SIĘ NAPATRZEĆ NA JEJ CIPKĘ!

Na chwilę opuszcza czasopismo.

— Życie jest za krótkie.

— Witamy w Los Angeles. Jest czwarta dwanaście miejscowego czasu. Lokalna temperatura to kojące osiemdziesiąt dwa stopnie Fahrenheita.

Gdy wreszcie udaje mi się wyjść z samolotu, Guy i Jeffrey czekają już przy miejscu odbioru bagażu. Guy opiera się o szybę, nieświadomie aktywuje w ten sposób rozsuwane drzwi, które, sunąc tam i z powrotem, wpuszczają fale ciepłego powietrza znad obrzeżonego palmami chodnika sali przylotów.

— Cześć, muszę jeszcze tylko odebrać bagaż. — Wskazuję na nieruchomą taśmę.

— Nadałaś bagaż? — Guy ściąga krawat i wpycha do kieszeni marynarki.

— Musiałam. — Tak to działa w turystycznej.

— No dobrze, czwórka to i tak tłok. — Jeffrey wychodzi na zewnątrz, posyła całusa przystojnemu facetowi, leniwie rozpartemu za kierownicą srebrnego porsche z włączonymi światłami awaryjnymi.

— Tu masz adres hotelu. — Guy oddziera skrawek pierwszej strony swojego planu podróży, starannie go ogląda, po czym mi wręcza. — Zamelduj się, a potem znajdź mnie przy basenie. — Odwraca się na obutej w mokasyn pięcie i rusza w kierunku Jeffreya, który płynnym ruchem otwiera drzwi, słońce odbija się od chromowanych wykończeń i kompletnie mnie oślepia.

Na półkolistym podjeździe hotelu Standard bagażowy bez wysiłku wyjmuje moją walizkę z bagażnika i wtacza do holu, gdzie klienci i pracownicy, wszyscy jednakowo wspaniali w typie „made by Mattel", snują się po artystycznie zaaranżowanym torze przeszkód z niebezpiecznie ostrych, sięgających kolan gipsowych rzeźb.

Na zatłoczonym patio, wyłożonym sztuczną trawą w kolorze błękitu jak z palety Miró, lokalizuję Guya, który siedzi sobie elegancko wśród dekoracyjnie rozłożonych tyłeczków w stringach.

— Jestem gotowa — mówię, stając na linii jego spojrzenia ukrytego za ray-banami. — Jaki jest plan?

— Och. — Spogląda na mnie, a raczej przeze mnie, wysmarowana twarz wyraża lekkie rozczarowanie. — Oczywiście nie masz bikini.

— Nie, ja... przepraszam, czy klient przyłączy się do nas tutaj, czy...

— Nie. — Przerzuca papiery trzymane na kolanach i opiera je o owłosioną klatkę piersiową. — To jutro. Odpręż się. Niech recepcjonista dokądś cię pośle. — Kiwa palcami w stronę horyzontu. W kosmos?

— O której jutro?

Wzdycha.

— Jezu, nie wiem. Nie wszystko da się zaplanować co do minuty tylko dlatego, że jesteś trochę upierdliwa. Masz się *odprężyć*. — Stuka mnie w udo piórem, żeby podkreślić to, co mówi.

— Okej. Będę w pokoju czterysta jedenaście, więc po prostu zadzwoń. — Odwracam się, a potem robię w tył zwrot, mało nie miażdżąc wymuskanych palców u nóg opalającej się atrakcyjnej dziewczyny. — Guy, czy powinnam coś przygotować? Mogę wrzucić moją propozycję do Power-Pointa.

Zsuwa ray-bany, w miejscu, gdzie na skórze został krem z filtrem, widać białą obwódkę, pióro zwisa mu z ust jak cygaro.

— Spotkania nie będzie przed piątkiem, więc musisz się odprężyć. Jezu, to jest Los Angeles. Rozluźnij się. *Od. Pręż.*

— Okej! — Salutuję. — Załatwione. Odprężę się, stanowczo — stwierdzam radośnie. Guy zamyka oczy i odchyla głowę, faktycznie ze mną skończył.

Drzwi samoczynnie otwierają się na hol, gdzie przy opustoszałym biurku recepcjonisty z zaskoczeniem znajduję Seline. Włosy ma zebrane w koński ogon, nerwowo stuka lakierowanym klapkiem od Gucciego o marmurową podłogę. Wygląda na „zrelaksowaną" tak samo jak ja.

— Seline? — wołam. — Cześć, możesz mnie nie pamiętać...

— Jasne, zajmujesz się tą dobroczynną inicjatywą Guya. — Uśmiecha się nieuważnie i przerzuca należący do recepcjonisty przewodnik po restauracjach.

— Leciałaś z nami? Nie widziałam cię.

— Przyjechałam wczoraj. — Poprawia krążek z masy perłowej przytrzymujący przekładane przez głowę ramiączko

215

czarnego topu. — Guy mnie zaprosił, żebym spędziła z nim swoje urodziny. — Spogląda w kierunku basenu, gdzie zachodzące słońce zalewa dolinę różowym blaskiem. W polu widzenia pojawia się płaska stopa, gdy Guy nachyla leżak, żeby złapać ostatnie promienie. — Naprawdę chcieliśmy spędzić trochę czasu razem.

— Jasne — twierdząco kiwam głową. Czas z Guyem... komu by tego nie brakowało. — Ha! — wyrywa mi się, gdy wzrok mój pada na szklane akwarium, wbudowane w ścianę za biurkiem recepcjonisty, prezentujące nie rybę, ale żywą, skąpo odzianą kobietę, która leży niepokojąco nieruchomo na łożu z jasnozielonej wielkanocnej trawy, jej piersi podejrzanie wyraźnie celują w niebo.

— Nie przejmuj się — sucho stwierdza Seline. — Nie obnoszą tego elementu wystroju po pokojach. — I jest zabawna. — Zresztą, to nie może być zła praca — ciągnie. — Nie musisz z nikim rozmawiać. Nikt nie rozmawia z tobą. Masz tylko seksownie wyglądać i spać. Gdzie on jest? — Seline naciska dzwonek wzywający obsługę. — Chcę tylko zamówić masaż.

— Masaż? O rany, tak, ja też.

— Przepraszam, że musiały panie czekać. — Recepcjonista wraca na posterunek.

— Cześć, tak, chciałybyśmy masaż — oznajmia Seline, przejmując dowodzenie. — Ja w sześćset dwa, a ona w...

— Czterysta jedenaście — mówię.

— Wydaje mi się, że mamy dzisiaj pełną rezerwację... środy zawsze są szalone. — Recepcjonista potrząsa głową i zagląda do komputera. — Ale zobaczę, co da się zrobić. Na wypadek gdyby udało mi się to zorganizować — nachyla się — wolałyby panie mężczyznę czy kobietę?

— Wszystko jedno — stwierdzamy dobitnie.

— Okej, zobaczę, kogo uda mi się załatwić.

— Dziękuję. — Seline uprzejmie kiwa mu głową. — Do zobaczenia później — rzuca mi przez ramię i energicznie zmierza w kierunku niebieskiego plastiku, żeby przyłączyć się do swojego faceta. Ten zrywa się, umieszczając w jej wyciągniętej dłoni koktajl o barwie świeżych cytrusów.

Mimo że podczas tej „podróży w interesach" nie załatwiłam jeszcze żadnego interesu, jak na razie wyjazd okazuje się oszałamiającym sukcesem. Po kojącym moczeniu wkładam puszysty szlafrok, zajmuję półleżącą pozycję na prześcieradłach z Frette, pociągam brandy z zapasów w minibarze i z upodobaniem przełączam CNN, CNBC i FOX New na płaskim ekranie. W tym scenariuszu stosownym dla Donalda Trumpa brakuje jedynie cygara. Puk, puk, puk do drzwi obwieszcza przybycie tego, co jest wisienką na torcie wśród przywilejów związanych z pracą w sektorze prywatnym. Ostrożnie wrzucam do ust parującego małża, z powrotem zakrywam przyniesiony przez obsługę hotelową posiłek i człapię, żeby wpuścić masażystę.

— Dziewiąta trzydzieści, zgadza się? Ostatni klient mnie przetrzymał. — Solidnie zbudowany mężczyzna odzywa się tuż u moich stóp, gdzie kucnął, żeby przytrzymać rozliczne walizki. Ubrany w koszulkę z golfem i spodnie dresowe przypomina mi nauczyciela WF-u z ósmej klasy. Spogląda w górę zirytowany, poprawia chwyt. — Zechce mnie pani wpuścić?

— Och. Jasne. — Odstawiam brandy i mocniej przyciągam drzwi. Rzuca walizki przy łóżku z bezceremonialnym łomotem.

— Uwaga na stopy. Staję z boku, gdy rozstawia stół, wyłącza lampy, zapala świecę i nasyca powietrze zabójczo wonną esencją. — Patchouli. — Upuszcza szklaną fiolkę przy okrytym prześcieradłem stole. Bez słowa wchodzi do łazienki, zamyka drzwi i zostawia mnie stojącą niemal w ciemności. Nagle jakoś dziwnie się czuję. Mija kilka minut, zanim decyduję się zapukać.

— Wszystko w porządku? — pytam niepewnie.
— Co?

— Mm, dobrze się pan czuje?

Otwiera drzwi.

— Zechce pani się rozebrać i wskoczyć na stół? — wykonuje gest z wyraźnie czytelnym „uch".

— O! Jasne. Przepraszam, myślałam... tak, po prostu się położę. — Zamyka drzwi. Zdejmuję szlafrok, rozbierając się do bielizny i natychmiast zamarzam. Majtki/bez majtek? Ponieważ już ujawniłam swoje dziewictwo w kwestii hotelowych masaży, z niewyjaśnionych powodów czuję się zmuszona zademonstrować pewność siebie przy korzystaniu z jego usług i wybieram wersję „bez". Wskakuję na stół, wsuwam się pod ręcznik i z klaśnięciem kładę twarz w przeznaczonym na to miejscu.

Taak, zdecydowanie lepiej czułabym się w bieliźnie. Zaczynam się zsuwać ze stołu, ale drzwi się otwierają i zastygam w pozie osoby zrelaksowanej. Kiedy krąży wokół mnie i się przygotowuje, koncentruję się na minimalnych zmianach ułożenia twarzy, tak żebym się nie dusiła. Bo się duszę. Bardzo cichutko.

Nagle w pokoju ryczy flet i cykają świerszcze z taką siłą, że miednica sama unosi mi się ze stołu.

— Cholera. — Świerszcze zostają przyciszone. — Cholerstwo się rozwaliło. Nie miałem czasu, żeby to naprawić, i wciąż się zacina.

— Nie ma sprawy! — mówię w okrągłą, zakrytą prześcieradłem dziurę w stole. Zwilża ręce oliwką i stanowczo przyciska je do moich pleców. Achhhh. Żegnaj, Guy, żegnaj Jeffrey, żeg...

— Więc skąd jesteś? — Co? Hę?

— Aa... z Nowego Jorku.

— Taa? Mój kuzyn mieszka na Queensie. Fajnie. Przyjechałaś w interesach?

Nie chcę rozmawiać.

— Umhmm. — Powoli przesuwa się wzdłuż mojego ramienia, aż dociera do dłoni. Gładzi ją. Trzyma mnie za rękę. Kuca, żeby zajrzeć mi w twarz i TRZYMA MNIE ZA

RĘKĘ! Głęboki wdech. Głęboki wdech. Może tylko sprawdza stół, może...

— Jesteś naprawdę śliczna. — Palcami drugiej ręki dotyka mojej szyi. — Mam nadzieję, że następnym razem poprosisz specjalnie o mnie. — Jego głos nabiera łagodnego, służalczego brzmienia, które, mimo wypraktykowanej jakości tonu, *napędza mi stracha jak cholera.*

— No tak, to bardzo uprzejmie z pana strony — odstawiam prawdziwą Shirley Temple. — Jak to miło. Mój mąż jest w siłach specjalnych, więc naprawdę nie mogę się doczekać, żeby wrócić do niego do domu. — Napinam szyję i uśmiecham się jak stewardesa. — Wie pan, żeby się nacieszyć, świętować naszą wieczną miłość. Takie sprawy. — Opuszczam głowę, serce mi wali. On stoi w milczeniu. Cholera — wkurzyłam go i teraz zrobi mi krzywdę. — Ale to wspaniałe uczucie! — oznajmiam radośnie.

Kompletnie zsuwa prześcieradło, wpuszczając klimatyzowany powiew między moje uda. Okej, powinnam po prostu usiąść i coś powiedzieć.

Zanim zdążam się poruszyć, ponownie nakłada mi na pokryte gęsią skórką ciało smrodliwe patchouli.

— Rany, co za popieprzony wieczór. Ten ostatni klient to był prawdziwy wrzód na dupie. Gościu cały czas się do mnie dobierał! Nie wiem, skąd nabrał wrażenia, że *taki* jestem, ale... fu! — Ugniata mi górną część pośladków.

— Cóż — rzucam w tonie pogawędki, zachwycona, że zeszliśmy z tematu mojej następnej specjalnej podróży do LA — wygląda mi na to, że oczekiwał czegoś więcej niż masażu, co za wariactwo, bo kto by nie był totalnie, całkowicie usatysfakcjonowany dobrym, staroświeckim klasycznym masażem? Ja w każdym razie jestem zachwycona!

— Modliłem się tylko, żeby zasnął, i Jezus mnie wysłuchał. Jezus wysłuchał mojej modlitwy.

Odczekuję chwilę, a potem koncentruję się na cichym pochrapywaniu. W niedługim czasie całą uwagę poświęcam zbiorowi dźwięków, które zasygnalizują, że zapadłam w głęboki sen, nie zaniedbuję też starannie rozłożonych w czasie sennych drgnień. Masażysta zaczyna poprawiać prześcieradło i praktycznie zeskakuję ze stołu.

— Zasnęłaś.

— No właśnie, jestem taka odprężona!

Kładę się, a on zwija prześcieradło w wałek i utyka wokół mojego prawego pośladka. Oddałabym lewy, żeby mieć na sobie majtki. Przesuwa się w kierunku górnej części ud, jego ręka cal po calu powolnym ruchem zbliża się do mojej strefy prywatnej.

— I co, śniłem ci się, kiedy spałaś?

— Och nie. Nie, zawsze śni mi się jedzenie! Cały czas śni mi się jedzenie. Kocham jeść makaron. — Dla potwierdzenia rytmicznie uderzam głową o stół, tak zakłopotana, że mogłabym się rozpłakać.

— Taa, makaron jest dobry. — Przez świerszcze przebija się bzyczący dźwięk. — Użyję teraz tego wibrującego przyrządu do masażu. Muszę to zapowiedzieć, no wiesz, zgodnie z prawem.

— Okej — zgadzam się pokornie i zaczynam odpływać z pokoju. Po prostu spłynę na dół do holu i wychylę drinka, wrócę, kiedy już ze mną skończy.

Przetacza urządzenie po dolnej części moich spiętych pleców i zaciśniętych udach, kiedy udaje mi się go namówić — nie było to przesadnie trudne wyzwanie — żeby scena po wypracowanej scenie opowiedział mi o scenariuszu, który pisze o zakochanych wilkołakach.

— I myślę, żeby wykorzystać Nine Inch Nails do końcowych napisów. — Nagle bzyczenie staje się ogłuszające. Otwieram oczy i widzę wibrator wirujący cale od mojej twarzy. W polu mojego widzenia pojawia się jego głowa, usta się poruszają.

— Co?! — Wyłącza go. — Jesteś pewna, że nie mam dokończyć? Potrafię bardzo dobrze zrelaksować. Tylko dwadzieścia dolców ekstra. Wliczam to jako opłatę za ręczniki.

— Nie. Nie. Dzięki. Dzięki, ale nie. Nie, kompletnie mi wystarczą moje ręczniki. Ja i ręczniki to po prostu... wystarczające.

Upuszcza przyrząd na podłogę, oznajmia, że skończył, i znika w łazience, informując mnie, żebym się „nie spieszyła". Jezus mnie wysłuchał! W minutę jestem kompletnie ubrana i mam zapalone wszystkie światła oraz szeroko otwarte drzwi na korytarz. Pukam do łazienki.

— Okej, dzięki! Może pan już iść!

Leniwie opiera się o framugę.

— To pieczywo nieźle wygląda.

Podążam za jego wzrokiem w kierunku obecnie już letniego posiłku. Pędzę do tacy, pakuję rogaliki w serwetkę i macham nimi, jakby był szczeniakiem.

— Proszę je wziąć!

— Super. Będziesz piła to wino? — Niespiesznym krokiem podchodzi, żeby wziąć z tacy nietknięty kieliszek.

— Pewnie nie... — Wychyla je jednym łykiem, ociera usta i wreszcie, w coraz wolniejszym tempie, zaczyna pakować sprzęt. — Po prostu zostawię je tutaj. — Schylam się i kładę serwetkę pełną rogalików na podłodze na korytarzu, znajduję notatkę na wpół wsuniętą pod drzwi. — Muszę zadzwonić do męża do bazy, zanim zrobi się za późno, więc...

Wcale się nie spieszy.

— A co się stało z twoją przyjaciółką?

Rozcinam kopertę.

— Przepraszam? Moją przyjaciółką? Och, ma masaż we własnym pokoju.

— Och. Okej. — Zapina ostatni zamek i wstaje, kiwa do mnie głową ze zrozumieniem.

— Co panu powiedzieli w recepcji?

— Że prosiły o mnie dwie panie.

— O masaż. — Otwieram kartkę. *Spotykamy się na dole w południe — Jeffrey.*

Chwyta walizki, zatrzymuje się przy łóżku.

— Chcesz je? — Wskazuje na czekoladki na poduszkach, wpycha je do kieszeni. — Dzięki. Napiwek możesz dodać do rachunku.

Po całych godzinach oglądania czterech gównianych filmów równocześnie wreszcie czuję się dostatecznie „odprężona", żeby wyłączyć telewizor. Wpatruję się w wąski promień światła z bulwaru, przebijający się pomiędzy zasłonami, w miejscu nad klimatyzatorem, po czym wysuwam rękę spod kołdry, żeby wybrać numer Bustera. Samotność przeważa nad poczuciem winy, że mogę obudzić jego współlokatorów. Telefon raz po raz dzwoni w eterze, aż wreszcie włącza się sekretarka.

— Cześć wszystkim. To ja z kalifornijskiej ziemi... chciałam tylko powiedzieć dobranoc Busterowi. Pewnie jest trochę późno. Albo wcześnie. Zostawiłam wiadomość dzisiaj po południu. Nie jestem pewna, czy ją dostał...

— Girl? — rozlega się jego zaspany szept.

— Hej! Przepraszam, że cię budzę.

— Nie szkodzi — mówi oszołomiony. — Dobrze słyszeć twój głos. — Serce mi się ściska, chcę wpełznąć pod kołdrę obok niego. — Tęskniłem dzisiaj za tobą. Była impreza. Wygląda na to, że Atari chce nas wykupić.

— Och, Buster...

— Taa, ale wszyscy mamy zostać jako personel. I nie chcą nas przenosić, więc ludzie są dosyć podjarani. — Ziewa. — U ciebie w porządku? Dotarłaś bez kłopotów? Spotkałaś swojego klienta?

— Jeszcze nie. Gratulacje, Buster, to naprawdę wspaniale. — Mój głos wydaje się bardzo głośny w pustym pokoju.

— Taa, nie chciałem cię martwić, słyszałem jednak plotki o zwolnieniach, jeżeli się sprzedamy.

— Buster, możesz mnie martwić — szepczę. — Chcę wiedzieć, jeżeli jesteś zestresowany...

— Nie, teraz już będzie okej. Cholera, tęsknię za tobą — mamrocze, zaczyna głębiej oddychać.

— Też za tobą tęsknię. Zadzwonię jutro wieczorem, dobrze?

— Jasne. Nie zapomnij. I, G? — Nagle słychać, że się budzi, ja na wpół siadam. — Bardzo cię lubię.

— Ja też bardzo cię lubię, Buster. Dobranoc.

— Dobranoc.

Rano otrzymuję informację, że śniadanie jest podawane na nienaturalnie, agresywnie niebieskim patio, gdzie Guy w lnianym garniturze siedzi nad talerzem nietkniętych francuskich grzanek. Naprzeciw niego rozpoznaję długie nogi Reksa, wystające spod różowych stron „The Financial Times", rozłożonych jak mur przed ściągniętą twarzą Guya.

— Dzień dobry — mówię, udając radosną, produktywną i przede wszystkim zrelaksowaną.

— Dzień dobry, Girl! — Rex składa gazetę, odsłaniając puściutki talerz.

— Hej — odzywa się Guy.

— Hej — odpowiadam, gdy Rex wraca do lektury. — A gdzie Seline?

— Odsypia. — Guy przesuwa palcami po podstawce filiżanki do kawy. — Mieliśmy długą noc.

— Mój chłopak. — Rex wychyla swoje espresso. Fe.

Guy korzysta z okazji.

— Słuchaj, Rex, mogę poprowadzić to spotkanie. Przygotowałem się do tego znacznie lepiej niż Jeffrey i szczerze mówiąc, jego cała... — Twarz Reksa jest nieruchoma. — Po prostu myślę, że przesadzi. Jest zbyt dramaty...

— Powiedziałem ci, czego chcę. — Rex wysuwa język, żeby zdjąć coś z zęba, po czym kontynuuje chłodno: — A jednak wygląda na to, że w dalszym ciągu odbywamy tę rozmowę. — Wpatrują się w siebie.

Guy opuszcza wzrok, chwyta widelec i bawi się cząstką pomarańczy.

— Jasne. Jeżeli uważasz, że potrzebne ci przygotowawcze spotkanie sam na sam z Jeffreyem, jeżeli nie chcesz mnie tam, to super. To... — Kiwa głową za bardzo entuzjastycznie. — To wspaniale.

Rex kładzie obie ręce na poręczach fotela.

— Wspaniale — powtarza, odpycha się od stołu, wyciąga gazetę w stronę Guya i zsuwa marynarkę z oparcia. — Lecę helikopterem do Pebble Beach. Jeffrey ma mój rozkład. — Guy znów kiwa głową. — Girl. — Przechodząc, klepie mnie po plecach. — Znakomita propozycja. Znakomita przynęta.

— Dzięki! Dziękuję, cieszę się, że mogłam pomóc — wołam za nim, gdy wkracza w cień holu.

Guy rzuca przez stół widelcem, który grzechocze jak podskakujący kamień i bezdźwięcznie spada na sztuczną trawę. Stoję bez ruchu.

— Co? — cicho wypuszcza powietrze, odwraca do mnie zgnębioną twarz. — Czego chcesz?

— Och. — Biorę wdech. — Czy wszystko w porządku?

— Nie — mówi cicho. — Pracowałem po dwadzieścia pięć godzin dziennie przez ostatnie osiemnaście miesięcy, od chwili kiedy to był jedynie zalążek pomysłu, na który wpadłem pod prysznicem. — Pociera twarz. — To moja sprawa. Moja. — Zdobywa się na ponury śmiech. — I nagle fiu, znika, wiesz?

— Wiem.

— Jasne — szydzi. — Na pewno.

I... znów go nienawidzę...

— Dostałam kartkę od Jeffreya, mam się z nim spotkać na dole o dwunastej.

— Więc możesz to zrobić? — Z trzaskiem otwiera różową gazetę i zaczyna nerwowo ją przerzucać. — Czy najpierw musimy poddać to psychoanalizie?

Topomniespływatopomniespływatopomniespływa.

— Mogę. Ale będę potrzebowała piętnastu minut, żeby wprowadzić cię w PowerPointa.

— Nie mam piętnastu minut. — Pospiesznie składa pierwsze strony i otwiera „Giełdy". — Po prostu idź się spotkać z Jeffreyem. To facet od marki. Chce popracować nad twoją.

— Moja marką?

— Rozchmurz się, Girl. To tylko takie powiedzenie.

— Okej. Więc... — Wpatruje się w gazetę. — Guy, z tego, co mi dotychczas powiedziałeś, wynika, że zanim zobaczę się z klientem, musimy jakoś się porozumieć.

— Jezu, Girl, po prostu spotkaj się z Jeffreyem i nie sprawiaj mu kłopotów.

Zatem nie powinnam przylepiać mu gumy do żucia do włosów?

— A, zaraz, hej! — przywołuje mnie. — Zrób mi grzeczność i każ obsłudze zanieść Seline jakieś śniadanie. Naleśniki czy coś. Coś urodzinowego. Och, i niech włożą w to różę. — Dzwoni jego komórka, podnosi teczkę i kładzie sobie na kolanach. — Jeff, stary. Co jest? — Twarz mu mrocznieje, odwraca się ode mnie, a ja jestem dość domyślna, żeby wyjść, zamówić urodzinowe śniadanie i pogapić się przez okno na cztery zatłoczone pasy i jedną samotną palmę.

Punktualnie w południe przed hotel podjeżdża srebrne porsche z Jeffreyem, który gada jak nakręcony na siedzeniu pasażera.

— Nie, nie, to wszystko nie tak! — woła, kiedy wciskam się do tyłu.

W odpowiedzi rozbrzmiewa bezcielesny głos:

— Jeffrey, zawsze zamawiasz cztery półmiski krewetek. Nie ma powodu, żeby wrzeszczeć.

— Rozmawia przez zestaw — bezgłośnym ruchem warg przekazuje mi ten sam wspaniały blond surfer, który odebrał ich z lotniska, mrugając do mnie z siedzenia kierowcy. — Tad, „asystent" Jeffreya. — Wyciąga do tyłu prawą rękę, prowadząc auto lewą.

— Cześć — szepczę w odpowiedzi.

— Nie rozmawiaj ze mną tym tonem. Ostatnim razem zabrakło ci w połowie, więc będę wrzeszczał, jeżeli mi, cholera, przyjdzie ochota — rzuca zirytowany Jeffrey, rozłączając się i dzwoniąc do swojego biura.

— Jeffrey — wtrąca Tad. — Potrafię się zająć tym gównem. Nie musisz się przejmować takimi drobiazgami.

— Nie chodzi o to, że ci nie ufam. — Klepie Tada po udzie. — Po prostu boją się tylko mnie. A teraz bądź kochany i przełącz mnie do florysty... zmieniłem zdanie, chcę bambus.

— Jeffrey, co do mojej marki — wykorzystuję przerwę.

— Nie teraz, Girl. Poświęcę ci całą swoją uwagę, kiedy wysiądziemy z samochodu. Tak, cześć, tu Jeffrey Wainwright. W sprawie bambusa... — Po tym niepowodzeniu rozsiadam się wygodnie i chłonę miasto, podczas gdy w lejącym się z nieba słońcu ruch uliczny zwalnia do żółwiego tempa. Z pokrytych papą dachów wzdłuż Sepulveda unosi się biały opar, a nieustanna paplanina Jeffreya, mieszanka uroku i drwiny, towarzyszy nam w drodze przez całe miasto. Gdy zajeżdżamy przed Freda Segala, niesławne centrum handlowe często odwiedzane przez sławy, Tad obiega porsche, żeby wypuścić Jeffreya na rozgrzany asfalt. — Girl, jesteśmy. Ciach, ciach. Tad, zadzwonię.

Przez podmuchy zimnego powietrza i ryk techno podążam za Jeffreyem labiryntem drogich butików, patrolowanych przez różne, choć jednakowo beznadziejne przedstawicielki odrębnych grup społecznych — żona, kelnerka, gwiazdka, gwiazda i stylistka. A jednak mimo różnic w statusie wszystkie kobiety mają takie same za bardzo blond włosy, zbyt opaloną skórę, zbyt mocno otwarte oczy, zbyt pełne wargi, zbyt małe nosy i zbyt sterczące piersi. Wszystkie ubrane są według tego samego schematu „góra bez ramion, dół do pół łydki". Różni je tylko wybór dodatków — od toreb sportowych przez tanie torby, darmowe torby, torby robione na zamówienie, aż po dwanaście toreb.

— Chodź! — Jeffrey odwraca się jak Orfeusz, żeby się upewnić, czy nie zostałam znienacka zaatakowana przez

„byłe". — Czekają na nas. — Docieramy do recepcji jasno oświetlonego salonu w stylu popart. — Cześć, jestem umówiony z Jean-Claudem — oznajmia recepcjonistce ubranej w staroświecki biały fartuch na czarnym golfie.

— Cześć, Jeffrey — potwierdza, mrugając czarną firanką sztucznych rzęs jak Edie Sedgwick. — Możecie zaczynać.

— Twoja kolej, Girl. — Wskazuje na kobietę, która trzyma złożony szlafrok. Sceptycznie przenoszę wzrok z niej na niego. — Raz, raz. Ruszaj. — Zdejmuje okulary przeciwsłoneczne od Prady. — Czy Guy nie opowiedział ci o naszych planach?

— Nie, i nie będzie żadnego „raz, raz", dopóki nie porozmawiamy...

— Co za facet. Co my z nim zrobimy? — Uśmiecha się, przechodzi na konspiracyjny ton, ponieważ mój protest wzbudza zainteresowanie innych klientek, paradujących po białej podłodze w botach z UGG i dżinsowych mini tak krótkich, jakby zostały zaprojektowane jedynie z myślą o zasłonięciu szpar z obu stron. Zniża głos do pomruku. — Moja droga, jesteś teraz w LA. A tutaj dziewięćdziesiąt procent to bajer, dziesięć wkładka.

— Wkładka?

— Wkładka. — Macha rękoma, okulary zamykają się i otwierają. — Zawartość. Dziesięć procent zawartości. Boże drogi, po prostu się *odpręż*.

— Boże, jestem odprężona! Słuchaj, chcesz mi zafundować darmową stylizację, nie ma sprawy. Ale uważam, że zasługuję na wyjaśnienie, co mój wygląd ma wspólnego ze sprzedażą naszych usług... — Przerywa mi stylistka, którą wcześniej widziałam, mijająca nas z naręczem butów.

— Cholera, nie wiem, która para — słyszymy zza parawanu z ryżowego papieru. — Sieć ma klientów z grupy nastolatek, więc chcę czegoś, co mówi „młodość". Ale młodość doświadczona. Dowcipna. Z wyczuciem dramatyzmu. I z talentem do pisania dialogów dla gliniarzy.

Jeffrey macha okularami w kierunku butów, które zaraz udadzą się na spotkanie.

— W tym mieście każdy drobiazg opowiada całą historię. Chcemy, żeby w twoim wypadku opowiadał właściwą.

Biorę szlafrok i nachylam się do Jeffreya.

— Świetnie. Ale żadnych implantów. I wychodzę stąd jako brunetka.

— Idziemy. — Manewrujemy wśród donośnego szczękania nożyczek, idziemy wzdłuż długiej ściany z oprawionymi w ramki okładkami czasopism, na których nabazgrano wyrazy wdzięczności, do miejsca, gdzie mężczyzna z platynową bródką czeka za pustym krzesłem.

— Girl, Jean-Claude. — Jeffrey zniża głos, kiedy się do niego zwraca. — Ta, o której rozmawialiśmy. — Porozumiewawczo kiwają głowami.— Gdybym był potrzebny, będę pod komórką.

Jean-Claude odprawia Jeffreya machnięciem obciążonej diamentami ręki.

— Więz — mówi, przesuwając palcami po mojej głowie. — Piękne. — Ujmuje moją twarz w dłonie i odwraca z boku na bok. — Wysoka, czupła, mogłaby być modelką, nie? Ale musisz być jaśniej. Jesteź ponura, taka ponurrrra. — Kpiąco unosi pasmo moich brązowych włosów. — Twoje ubranie ponurrre. Włosy ponurrre. Wy, nowojorczycy, potrzebujecie, żeby rozjaźnić wasze *dusze*. *Tout de suite!* — Klaszcze w dłonie, żeby moja dusza biegiem przeniosła się na stanowisko do koloryzacji. I ja mu na to pozwalam.

Kilka godzin później włosy mam w pracowicie wynegocjowanym kolorze karmelu, paznokcie ciemnoróżowe i gwałtownie dojrzewającą sztuczną opaleniznę. Jestem sobą w wersji Malibu. Przebieram palcami wśród wieszaków, w rytm dudniącego z głośników Prodigy tanecznym krokiem podążam wzdłuż Wielkiej Gali, Oficjalnego Wyjścia, Obiadu Dobroczynnego, Koktajlu i Domku na Plaży. Z ramionami pełnymi Marca Jacobsa i Marni po chwili natykam się na przedmiot mojego pożądania, żakiet od Nanette Lepore, w którym paraduję przed lustrem, starając się przeanalizować, jaką historię w ten sposób opowiadam.

— Masz, przymierz te — odzywa się stylistka, podając mi kolejną stertę. Wygrzebuje ze stosu bluzkę z krótkim rękawem, przymarszczoną na ramionach.

— Dzięki! Ma być feministycznie, ale jasno i na luzie i bez... hm, ponurego aktywistycznego gie. — Przesuwam dłońmi wzdłuż ciała. — Odbierasz coś takiego?

— Musisz to nosić z ironią. Zmień koszulę na koszulkę bez rękawów i znajdź do tego różową skórzaną bransoletkę.

— Dzięki! — Bawię się znacznie lepiej, niż zdarzyło mi się od wieków. Moje zAnistonowane ja wyrusza do działu biżuterii, żeby znaleźć bransoletkę.

— Girl! — Jeffrey dopada mnie, kiedy z rozmarzeniem gapię się na kuferek Me&Ro. — Cudownie. Wyglądasz idealnie. Dobra robota. A teraz chodź. — Truchtem przegania mnie do przymierzalni.

— Pokażę ci, co wybrałam. Myślę, że będziesz naprawdę zadowolony. — Zdejmuję kupę ciuchów z blatu uplecionego z pustynnej trawy.

— Mmhmm... — Wpatruje się w Nanette Lepore i znów żuje końcówkę zausznika. — Tak, tak i tak, ale z koszulką bez rękawów, i potrzebna jest skórzana bransoletka... różowa. — Z dumą wysuwam z rękawa nadgarstek z bransoletką. Wyjmuje służbową kartę AmEx. — Okej, jesteś zaopatrzona na spotkania. A to na dzisiaj. — Wręcza mi aksamitny woreczek na biżuterię.

— O rany. Fiu, fiu.

— Idź przymierzyć. A potem mi się pokaż.

Wracam do kabiny przebieralni i ostrożnie rozwiązuję wstążeczkę, która zabezpiecza woreczek. Nastawiam lewą dłoń i wytrząsam... kupkę złotych łańcuszków. Co do...? Rozplątuję je i przykładam do dekoltu, zawiązuję luźno i zostawiam te nieco szersze części, żeby wisiały jak poddana dekonstrukcji obróżka z kwiatami od Chanel.

— Ta-da! — Wyskakuję z przymierzalni.

— Nie na szyi. — Brwi mu podjeżdżają w górę, gdy ocenia mnie z miażdżącą pogardą. — To bikini, ty idiotko.

— Co?!

Pociąga za sznureczki.

— Girl, to jest przyjęcie przy basenie... drobne przełamanie lodów z klientem. — Wciska mi zwinięty w kulkę materiał w garść i zaciska palce wokół moich. — Wszyscy będą w kostiumach kąpielowych. Chcemy, żebyś czuła się swobodnie.

— Swobodnie? — Unoszę brew, odsuwam się od niego.

— Nie bądź taka upierdliwa — mówi z uśmiechem. — Po prostu włóż go jak należy. — Jedną ręką podtrzymuje łokieć drugiej i machnięciem odsyła mnie z powrotem.

— Bez szans, Jeffrey — stwierdzam, śmiejąc się z samego pomysłu.

Zaciśnięte szczęki, urok wyparował bez śladu, zbliża się do mnie groźnie, zniżając głos do ostrego syku.

— Zetrzyj z twarzy ten uśmieszek. Mogę cię zwolnić jednym telefonem.

— Ja...

— Masz szczęście, że tu w ogóle jesteś. Zapłaciliśmy, żeby się tobą zajął jeden z najlepszych salonów w tym biznesie. Za chwilę kupimy ci całą nową garderobę, do kurwy nędzy. Więc idź i przymierz to cholerne bikini. — Oczy znów mu błyszczą. — Wskakuj w nie!

Z drżeniem drepczę z powrotem do maleńkiego pomieszczenia. Kilka sekund później Jeffrey gwałtownie odsuwa zasłonę.

— No, zobaczmy! Och, cudownie! Idealnie!

Naciągam miniaturowe trójkąty, starając się zakryć część piersi.

— Jeffrey, to jest *praca*. Naprawdę wolałabym jednoczęściowy.

230

— O nie, nie mają takich na składzie. — Jeffrey wstrząsa się z obrzydzeniem, jakbym zażądała wiktoriańskiego kostiumu kąpielowego. — To przyjęcie przy basenie... wyluzuj się! Ten jest idealny!

— Macie sarong? — pytam ukradkiem przechodzącą sprzedawczynię. Spogląda na Jeffreya, a on kręci głową. Szepcze jej coś do ucha, a ona kiwa twierdząco i zajmuje jego miejsce w kabinie.

— Kochanie, co zrobimy z tym krzaczorem?

— Przepraszam? — pytam, oderwana od prób zakrycia sutków.

— Woskowanie, kotku. Musisz się wywoskować.

— Robiłam woskowanie. — Krzyżuję ramiona. — Mam chłopaka. Jestem po woskowaniu.

— Kochanie, to nie Vermont. Każdy włosek rujnuje linię kostiumu. Ludzie będą patrzeć.

Po paru sekundach pocieram skórę po zdecydowanie zbyt intymnej i osobistej wizycie u Jean-Claude'a i zostaję skierowana do Tada, który czeka na mnie w porsche.

— Hej — mówię, rzucając moje trzy torby z zakupami na tylne siedzenie.

— Wskakuj. Jeffrey musiał lecieć. Tu jest nasz adres. — Oddziera kartkę z umieszczonego na desce rozdzielczej notesu, gdy wyjeżdżamy z parkingu. — Bądź na siódmą. — Prowadząc, podkręca wszystkie dziewięć głośników do poziomu imprezy w klubie, co zmusza mnie do przetrawiania swojej złości w milczeniu przez całą drogę do Standard.

W cichym schronieniu własnego pokoju, z wciąż jeszcze pulsującym w uszach basem z techno, ponownie wślizguję się w kostium. Naciągam go wte i wewte, patrząc na swoje odbicie pokryte gęsią skórką.

Jezu, nie. Jestem po prostu goła. Jak w kinie dla dorosłych.

Wyłączam nawiew i szeroko otwieram okno, łoskot z Bulwaru Zachodzącego Słońca przetacza się przeze mnie z falą wilgotnego powietrza. Z rosnącym niepokojem — z powodu żądań Jeffreya, mojego współudziału i przede wszystkim irytującej obecności resztek gorącego wosku — podnoszę słuchawkę i wybieram numer do Chatsworth, licząc na to, że Grace podrzuci mi jakieś zdanie o mocy tabletki z cyjankiem.

— Jeeelllllooo.

— Jack, hej, to ja. Jestem w LA.

— Słyszałem. Słyszałem też, ze dostałaś pieprzoną solidną podwyżkę.

— Nie wyrażaj się.

— Kupisz mi samochód?

— Nauczysz się prowadzić? — Wychylam się przez parapet, słońce dociera do mojej wyziębionej skóry. — Okej, jest taka sprawa.

— Jak zwykle.

Wydymam policzki i wypuszczam powietrze, starając się zdecydować, o którym z dziewiętnastu szczegółów niezgadzających się na tym obrazku powinnam wspomnieć najpierw.

— Mój szef, ale nie prawdziwy, zabrał mnie na wyprawę po zakupy, a skończyło się na rozbieraniu do bikini na tę służbową imprezę dziś wieczorem...

— Impreza służbowa z pływaniem?

— Tak myślę...

— No cóż, jeżeli to służbowa impreza z pływaniem, powinnaś być w bikini.

Spoglądam na swoje prawie odsłonięte piersi.

— Po prostu dziwnie się czuję.

— Bo *jesteś* dziwna.

— Pomocne stwierdzenie.

— O rany, wszystkim się martwisz.

— Nie wszystkim. — Sięgam za siebie, żeby wyjąć papierosa z awaryjnej paczki, którą zwinęłam w holu.

— Myślałaś, że nigdy nie znajdziesz pracy.

— Taa — potwierdzam, zapalając papierosa.

— A masz pracę.

— Więc? — Robię wydech, wypuszczam potężny strumień dymu w smog.

— No więc jesteś w LA, a ja tu czyszczę rynny we wkurzającym deszczu. I jest tu taki facet w pokoju w wieżyczce, który pisze książkę o Czarnobylu. I nie da się zjeść żadnego posiłku bez pogawędki o mutacjach. A kiedy jesteśmy naprawdę grzeczni, przynosi zdjęcia.

Uśmiecham się.

— Dotarło. Kocham cię.

— Taa, chcesz z mamą?

— Sama nie wiem... — Sięgam na zewnątrz i rozgniatam papierosa o zewnętrzną ścianę. — Masz rację. Jestem w LA, w czterogwiazdkowym hotelu, z fryzurą gwiazdy filmowej i opalenizną. To nie koniec świata.

— Uhm. No więc chcesz z nią rozmawiać czy nie?

— Nie. — Wpatruję się w billboard *Słonecznego patrolu*. — Powiedz jej tylko, że u mnie w porządku.

Zachód słońca gwałtownie ochładza powietrze. Wysiadam z taksówki, wygładzam minisukienkę bez ramiączek od Juicy i przewieszam przez ramię żakiet. Po krótkiej, lecz wzruszającej ceremonii pożegnalnej z bikini, świeżym okiem przejrzałam zawartość toreb na zakupy, kompletując „idealny" zestaw „służbowe przyjęcie na basenie". Długie kolczyki kołyszą się w rytm moich kroków, kiedy mijam neurotycznie symetryczny ogród zen Jeffreya; uważam, żeby nie podrapać obcasów nowych butów od Sigerson Morrison. Tajski dżentelmen w białym mandaryńskim stroju wita mnie przy drzwiach i zabiera żakiet.

— Witam. Pani Gihl? Przyjaciółka pana Jeffheya i pana Tada? Phoszę wejść. — Wchodzę za nim do przedsionka wyłożonego kamiennymi płytkami, które ciągną się przez cały przeszklony dom i na zewnątrz, do zatłoczonego basenu. — Pani przebhać tutaj?

— Przepraszam?

— Przebhać teraz? — Ruchem ręki wskazuje na toaletę przy wejściu.

— Och nie, dzięki. Jestem gotowa.

Ton, przed chwilą uprzejmy, staje się nalegający.

— Phoszę zaczekać tu. — Pozostawiona na tekowej ławce przy drzwiach rozcieram ramiona w chłodnym holu. Na zewnątrz grzejniki zapewniają niemal całkowicie męskiemu tłumowi, dokazującemu wśród wszędobylskich bambusów, maksymalne możliwości prezentacji ciała.

— Girl! — Głos Tada rozlega się echem, kiedy rozsuwa drzwi na patio, dźwięki bossa novy z miejsca rozbrzmiewają w kamiennej przestrzeni. Energicznie potrząsa głową, kafle ciemnieją od kropel wody, po czym rusza do mnie w obciskających genitalia kąpielówkach od Gucciego, podkreślających jego rolę w gospodarstwie Jeffreya. — Hej, no więc gdzie kostium?

— Nie pasował. Ale wszystko w porządku, nie planuję pływać.

— Okej, no tak, a jednak naprawdę by nam zależało. Więc po prostu załatwimy ci inny kostium. Jeffrey będzie tu lada chwila, więc, eee, może klapniesz... eee... tutaj! — Wpycha mnie do tekowej łazienki i własnym ciałem blokuje drzwi. — Naprawdę seksownie wyglądasz z włosami w tym kolorze.

— Dzięki — mówię, rozglądam się i stwierdzam, że jedyne miejsce siedzące to deska sedesowa. — Naprawdę nie potrzebuję kostiumu.

— Phoszę pani, szampan! — Lokaj podaje mi wysoki kieliszek ponad ramieniem Tada, idealny, nawet z truskawką na brzegu.

— Dzięki.

— Nie jest pani uczulona thuskawki, phawda?

— Nie.

— Dobrze, dobrze. — Drugą ręką podaje kilka kolejnych aksamitnych sakiewek. — Pan Jeffhey tu niedługo.

Zapędzona w kąt obok muszli sedesowej, patrzę na obie proszące twarze, które szczelnie blokują wejście.

— Panowie, doceniam waszą troskę o mój komfort, ale pływałam w hotelu. Nie będę dzisiaj pływać — oświadczam zdecydowanie, kalkuluję jednocześnie, czy zaraz zostanę powalona na ziemię i ubrana siłą.

Tad ma proste, wyblakłe od słońca włosy, które otaczają mu twarz, upodabniając do szczeniaka. Po prostu błaga:

— Proooszę?

— Gdzie moja dziewczynka!

— Tutaj!

Na głos Jeffreya przeciskam się między moimi prześladowcami z powrotem do holu, a on sunie od strony szklanych drzwi salonu, ubrany w skromne, żółte spodenki kąpielowe Vilebrequin. Prowadzi pod ramię nieudaną kopię młodej Sharon Osbourne, a za nimi ciągnie się słodki głos Deana Martina.

— Marzę, żeby cię tu z kimś poznać — woła Jeffrey, gdy jego towarzyszka, po trzydziestce, energicznie się wyrywa i zatrzymuje przechodzącego kelnera.

— Hej ty, z tymi krabowymi przysmakami! — Akcent z Manchesteru rykoszetuje, odbity od kamieni, a ona bez śladu zakłopotania nabiera solidną porcję ręką ozdobioną rysunkiem wykonanym henną.

Twarz Jeffreya zastyga, kiedy obejmuje wzrokiem moją bezkostiumową postać.

— Girl, to jest Kat, prezes i współzałożycielka firmy Bovary. — Odwraca jej uwagę od przystawek, podczas gdy usiłuję znaleźć jakieś odniesienie. BovaryBovaryBovary? — Kat, poznaj Girl, feministyczny kręgosłup MF.

— Cóż, najwyższy czas. — Kat rozjaśnia się w uśmiechu spod elektryzująco czerwonej króciutkiej grzywki, oszczędzając mi konieczności ujawnienia mojej ignorancji. — A już zaczynałam myśleć, że całe to gówno, które mi wrzucacie o kobiecej twarzy, jest dokładnie tym... gównem. — Jeffrey wygląda na spiętego, do chwili gdy Kat wybucha szczerym śmiechem. Sekundę później przyłącza się do niej nerwowo. Okej, najwyraźniej nie wypada, żeby jego „feministyczny kręgosłup" zaprezentował się jak ktoś, kto guzik wie. Chichoty milkną i kobieta uśmiecha się do mnie ciepło. — Genialna sukienka. Wyglądasz uroczo. — Wsuwa wskazujący palec pod elastyczne marszczenie między moimi piersiami. Oh-keej. — Tak, Girl ma świetne oko — grucha Jeffrey. Lokaj się wycofuje.

— Gdybyś mnie potrzebował, będę tam... — Tad wskazuje w stronę, gdzie mokre męskie ciała kołyszą się w świetle pochodni.

— Jasne, idź — zwalnia go Jeffrey.

— Pójdę z tobą! Nie dotarłam jeszcze nawet do basenu. — Robię krok za nim, ale Jeffrey otacza mnie ramieniem w talii. Niedobrze.

Kat żuje entuzjastycznie.

— Próbowałaś? — Przełyka. — Genialne, kurwa. Zabójczo grzeszne, ale genialne. — Mruga, wycierając palce w rybaczki w maskujący wojskowy wzór.

— Och nie, wsuwaj! Są zapiekane z niskotłuszczowym serkiem — zachęca Jeffrey, popędzając mnie ruchem brwi.

— Nie, jeszcze nie próbowałam...

— Och, dobry Boże, w takim razie ściągnijmy go z powrotem! — wykrzykuje Kat. — Albo jeszcze lepiej, spenetrujmy kuchnię.

Jeffrey chwyta kelnera, żeby zażądać świeżej tacy z krabowymi ciasteczkami, a Kat zniża głos do gardłowego, konspiracyjnego tonu.

— Moja dziewczyna i ja sprawdziłyśmy bibliotekę... niezbyt wiele książek, ale dość filmów z niegrzecznymi chłopcami, żeby otworzyć sklep. — Oblizuje tłuste palce, maleńkie diamenciki w kolczyku, który ma w nosie, połyskują, układając się w „kurwa". — Więc Bovary... co o tym myślisz?

— Co myślę... — Jeffrey ponownie skupia na mnie uwagę i ściska mi bok. Cokolwiek? Co-kol-wiek! Jeffrey dyszy mi w szyję, co niezbyt pomaga. — Ja.. ja... twardo wierzę w organizacje zarządzane przez kobiety. — Kiwa głową. — To samo sedno feminizmu zorientowanego na działanie.

— Tak! — zgadza się. Jeffrey znów mnie ściska.

— Kobiecy zarząd ma kluczowe znaczenie dla zmian. — Przyglądam się dobranemu do spodni stanikowi bikini w ten sam wzór. — Pod warunkiem, oczywiście, że jest prowadzony z klasą.

— Jest boska! Jeffrey, masz absolutną rację... ona rzeczywiście ma styl Bovary.

— W dodatku uważa, że ekspansja twojej marki z sypialni na basen jest genialna! Dzisiaj po południu kupiła jeden z twoich kostiumów w Segal's... była zachwycona.

Jestem tylko z grubsza świadoma ćwierkania Jeffreya. Bo jeżą mi się włosy na karku.

— Zachwycona? — pyta Kat, wbijając we mnie wzrok.

— Zachwycona — śpiewnie odpowiada Jeffrey.

— A ja jestem zachwycona tym. — Ze śmiechem wskazuje na dwóch adonisów, którzy mocują się, siedząc na ramionach przyjaciół w basenie. — *Kocham LA!* — śpiewa, rozkładając ramiona i odwracając się do okien. — Rada chce mieć kwaterę główną w Nowym Jorku... no wiesz, stolica mody, szybkie przeloty na kontynent, a ja uważam, że, kurwa, nie. Chcę mieć słońce! Chcę mieć palmy! Chcę, żeby w moich bokserkach pieprzyły się gwiazdy filmowe! Chcę, żeby moje staniki wisiały na barze w klubach go-go. Chcę gwiazdki filmowej, która zmarła z przedawkowania, z głową na mojej poduszce. Szyk, kotku.

Nie, mamo, źle mnie zrozumiałaś. Nie jestem Ann Coulter. Siedzę w jej majtkach.

— Nienawidzę zjeść i uciekać, ale mamy to cholerstwo w Dolinie. — Kat przejeżdża palcem po gardle. — Kochanie, miło było! Jaki nosisz rozmiar?

— Oczywiście „S" — mówi Jeffrey, aplikując mojej talii ostatni finalny uścisk, co grozi tym, że zwrócę lunch.

— Bosko... każę ci przysłać do hotelu trochę próbek. Do zobaczenia o świcie! — Obraca moją oniemiałą twarz, żeby złożyć po obu stronach błyszczykowe pocałunki.

— Chodź, Girl, twój samochód też tu jest.

— Muszę znaleźć Guya.

— Odprowadźmy Kat do samochodu, a potem ci służę. Marszczę się ze złością i w ciemnościach wierzchem dłoni wycieram ślady jej szminki. Żwir chrupie nam pod stopami, mieszając się z ostrym ćwierkaniem cykad. Kat wślizguje się do limuzyny Town Car, sadowi obok oklapniętej platynowej blondynki, która leciutko kiwa palcami do Jeffreya.

— Pa, kochani — woła Kat, zamykając drzwi.

Samochód toczy się w dół podjazdu, Jeffrey macha na następny w kolejce, a lokaj przynosi moje rzeczy.

— Prawdziwa z niej iskierka — mówi i uśmiecha się do siebie.

— Czemu mnie nie uprzedziłeś? — domagam się odpowiedzi, energicznie ciągnąc żakiet.

— Och, nie uprzedziłem?

— *Nie!* Nie uprzedziłeś! — znów mam to uczucie, że rozmawiam z Marsjaninem.

— Och. No cóż, z pewnością musiałem coś wspomnieć.

— Kurwa, Jeffrey. — Czuję, że krew napływa mi do twarzy. — Pomijając, czym się ta kobieta zajmuje.. to było *kompletnie* nieprofesjonalne! To jest praca. Pracuję dla Mojej Firmy, spółka handlowa. Płacą mi za myślenie i wykonywanie zadań... co wymaga koniecznych przygotowań... przygotowań, które nie mają nic wspólnego z moim owłosieniem łonowym!

Wciąga policzki, wyrażając niesmak.

— Twoje owłosienie łonowe zdecydowanie wchodzi w zakres moich obowiązków, młoda damo. Tak się pracuje. To nie rozdzielanie jakichś żałosnych grancików na ratowanie wielorybów. Sukces zabiera każdą godzinę i każdy cal. Całego człowieka. Myślisz, że urządzam to przyjęcie dla własnej rozrywki? Myślisz, że nie wolałbym owinąć się welurem, popijać piwo i obrastać tłuszczem przed telewizorem? — Pociąga nosem. — W prawdziwym świecie pracuje się dwadzieścia cztery na siedem i wykorzystuje się wszystko, co człowiek ma.

— Może twoja praca nie jest moją pracą.

— Najwyraźniej.

— Muszę porozmawiać z Guyem. — Szybkim krokiem mijam go, idąc w kierunku domu.

— Wszystko, co masz mu do powiedzenia, powinnaś powiedzieć mnie.

— Nie, Jeffrey. To pomiędzy mną a Guyem.

— A ja ci mówię, że wszystko, co masz mu do powiedzenia, możesz równie dobrze powiedzieć mnie.

Odwracam się w stronę pozbawionej twarzy sylwetki, podświetlonej od tyłu blaskiem samochodowych reflektorów.

— To *on* mnie zatrudnił.

— Nawet nie został zaproszony na dzisiejszy wieczór. — Jeffrey odsuwa się poza zasięg światła i patrzy na mnie z góry.

— Świetnie. Rezygnuję.

— Nie, nie rezygnujesz — stwierdza ze śmiechem.

— Owszem. — Maszeruję z powrotem, sięgam poza niego, żeby otworzyć drzwi samochodu. — Jak bardzo by to wszystko było „normalne" — macham wolną ręką w kierunku niemal orgii w jego basenie — ja rezygnuję.

— Nie. Nie rezygnujesz. — Zamyka drzwi, siła tego ruchu wyszarpuje mi klamkę, wyrywa palce. — Słuchaj no, ta stylizacja, po której najwyraźniej przeżywasz coś w rodzaju zespołu szoku pourazowego, to była jednorazowa historia. Byłaś nieoszlifowana. Trzeba było wygładzić ci krawędzie. Informuję cię, Kat jest Paulem Newmanem bielizny. Bovary to druga co do wielkości organizacja w Wielkiej Brytanii, zajmująca się pozyskiwaniem funduszy, zaraz po Princess Trust*. Dali miliony funtów na domy dla kobiet, uchodźców politycznych, raka... — Zbliżają się do nas głuche kroki Tada, który jak listek figowy trzyma przed sobą grube czarne dossier.

— Więc czemu nie powiedziałeś mi o tym wcześniej?

— Mówię teraz. — Otwiera dla mnie drzwi. — Jutro

---

* od 2002 r. organizacja zbierająca fundusze na rzecz wykorzystywanych seksualnie dzieci

239

rano MF składa ofertę, żeby dyrygować ich amerykańską ofensywą. A ja mam zamiar wyświadczyć ci wielką przysługę. — Zamyka drzwi i nachyla się do otwartego okna. — Mam zamiar zapomnieć o ostatnich piętnastu minutach, jakby ich nie było. Nie pozwolę ci zawalić tej szansy tylko dlatego, że jesteś drażliwą ignorantką i szczerze mówiąc, brak ci profesjonalizmu. — Czerwienię się, gdy Jeffrey wsuwa skoroszyt i kładzie mi na kolanach. — Zawiera wszystkie dane na temat Bovary, te, które mają związek ze sprawą. — Niech to się stanie twoją Biblią. Tad odbierze cię dokładnie o dziewiątej trzydzieści. Zwal ich z nóg. Kat była tobą zachwycona. — Zanim zdążam choćby sformułować odpowiedź, stuka w dach kostkami palców i samochód rusza wzdłuż podjazdu.

O drugiej nad ranem wpatruję się w pusty kubek po kawie w loży hotelowej restauracji, urządzonej w barowym stylu. Porzuciłam już starania o zrozumienie Jeffreya, ale próbuję pojąć coś z dossier. Przesuwam filiżankę na pomarańczowy plastik, zamykam skoroszyt i pocieram zmęczone oczy, w ucho wpada mi cichy szum CNN z barowego telewizora. Zerkam na dokumentalne zdjęcia z Sierra Leone, a ekran rzuca zielony poblask na kilku pięknych i bogatych, siedzących w pobliskich lożach w poprzyjęciowym otępieniu; ich pijackie pogawędki mieszają się z ponurą relacją.

Biorę głęboki wdech, żeby się trochę rozbudzić, z powrotem otwieram skoroszyt i po raz czwarty czytam ostatni akapit ostatniego artykułu. Nie, naprawdę kończy się w pół zdania. Znów wpatruję się w pustą stronę poniżej. Nic. Każdy kolejny artykuł po wyliczeniu rozlicznych akcji charytatywnych, które wspierało Bovary, kończy się w punkcie, gdy zostaje wspominane ich wejście na amerykański rynek.

W dalekim końcu sali wystylizowanej na wnętrze odrzutowca otwierają się drzwi i ciągnąc za sobą nogi, wchodzi Seline owinięta w jedną z niebiesko-białych, pasiastych koszul Guya, wypuszczoną na dżinsy. Podchodzi do baru i badawczo wpatruje się w stojące za nim butelki, przesuwa obiema dłońmi po potarganych od snu włosach.

— Hej! — wołam do niej. Potrzebuje chwili, żeby się zorientować, kim jestem, zanim machnie mi na przywitanie. — Nie możesz spać? — pytam.

Kiwa głową i wślizguje się na miejsce naprzeciw, chowając dłonie w mankietach.

— Pracujesz?

— Przygotowuję się do jutrzejszego spotkania.

— Jak się wykpiłaś z kolacji? — Podnosi palec, żeby zwrócić uwagę barmana. — Szklaneczkę porto poproszę.

— Byłam u Jeffreya.

— Och, więc domyślam się, że mój wieczór mógł być gorszy. — Bierze do ręki plastikowe menu z przekąskami i pobieżnie rzuca na nie okiem.

— Taa, to było moje pierwsze i pewnie ostatnie gejowskie przyjęcie na basenie.

— Przynajmniej nie spędziłaś wieczoru w Asia de Cuba, gdzie by wmuszali w ciebie kieliszki jakiegoś szlamu, a twój chłopak lizał dupę szefowi. — Wykrzywia się. — Och Boże, oglądasz to? — Lewą dłonią zwiniętą w pięść w rękawie wskazuje okaleczone kończyny, które migają na ekranie nad nami.

— Ratunku — to wszystko, na co jestem w stanie się zdobyć.

— Czy możemy przełączyć na coś lżejszego? — pyta barmana, gdy stawia przed nią wino. Ten pstryka pilotem.

— Mmm, Style Network. — Z ulgą rozluźniam spięte ramiona.

Seline podciąga nogę pod siebie, ja robię to samo, a ekran zapełniają obrazy przemiany prawdziwych ludzi i domów w chwilowe ideały.

— Jak twój masaż? — pytam, przelotne oderwanie się od ludobójstwabieliznyludobójstwabielizny wyraźnie mnie ożywia. — Czy twój masażysta... miał wrażenie, że...

— Przez cały czas Guy na balkonie rozmawiał przez telefon, więc rozumiesz. — Wysuwa z rękawa przedramię i poluzowuje bransoletkę, która utknęła jej pod łokciem, a mnie wpada w oko godny Whitney samotny diament. Z całą pewnością wczoraj go tam nie było.

— To... rany — mówię, szeroko otwierając oczy.

— Dwa tygodnie temu przechodziliśmy obok sklepu. Powiedziałam: „Rany, ale brzydka ta bransoletka". — Wygina nadgarstek, kamienie księżycowe połyskują. — Chyba się domyślamy, którą część usłyszał. — Na dużym ekranie kobieta z Shabby Chic buszuje po pchlim targu.

— Przepraszam, miałam na myśli pierścionek. Gratulacje.

— Och. — Ponownie chowa ręce w obszernych rękawach koszuli, materiał zasłania diament. — Oświadczył się dzisiaj wieczorem, więc właściwie nie miałam czasu, żeby... Dzięki.

Obie gapimy się w telewizor. Pffff. Szukam dogodnego tematu wśród zestawu naszych jakże ograniczonych wspólnych doświadczeń.

— Tak naprawdę, to się tego nie spodziewałam. — Spogląda w sufit. — Z nim... nigdy nie wiadomo. To znaczy... czy ma zamiar z tobą zerwać, czy...

— Dać ci awans?

— Tak. — Śmieje się, odsuwa rękaw i spogląda na swój czterokaratowy awans, aż nagle jej oczy wypełniają się łzami i mruga, rzęsy ma mokre. — Jest świetną partią i ten pierścionek jest wielki jak cholera, a potem... a potem próbowałam zasnąć, ale serce mi waliło jak szalone. — Przyciska dłoń do piersi i bierze płytki oddech. — Niezłe urodziny.

— A właśnie, wszystkiego najlepszego!

— Dzięki. — Kolejny oddech na uspokojenie i wygląda przez ciemne okno knajpy na podjazd, gdzie grupka bagażowych przepycha się żartobliwie. — Trzydziecha.

— I jakie to uczucie? — pytam, żądna doniesień z frontu.

Wzrusza ramionami.

Opieram głowę o chłodną szybę, wyobrażam sobie przyszłość poświęconą samodoskonaleniu.

— Do tego czasu będę jednym wielkim wyznaczaniem granic, więc mi pomóż.

Sygnalizuje prośbę o dolewkę.

— Tak myślisz?

— Mam nadzieję.

— Wciąż sobie odpuszczam. To znaczy, nie w pracy albo z przyjaciółmi, ale... jestem dziewczyną, która dużo odpuszcza. Może on szuka żony, która robiłaby to samo. Albo nie. Nie wiem. — Seline podnosi ręce. — Nie spodziewałam się. Po prostu nie jestem... przygotowana. — Oczy ma wbite w ekran, gdzie trwa staranne odmalowywanie ramy, i nie za bardzo wiem, czy chce, żebym drążyła temat, czy go porzuciła.

— Chodzi o styl życia związany z wygodą, relaksem i pięknem... — buczy nosowy brytyjski głos, wystające spod koszuli palce Seline chwytają i puszczają szklaneczkę.

Wysusza ostatnie krople.

— Problem w tym, że są setki kobiet, które nawet okiem by nie mrugnęły, słysząc, jak odwołuje kolację godzinę po czasie, kiedy miał po nie przyjechać.

Robi pauzę i zwalczam impuls, żeby teraz wypatroszyć Guya. Nie wsiadać na niego. Nie wsiadać na niego.

— Wydaje się... zajętym człowiekiem.

— Owszem. Ale gdy jest ze mną, to do tego stopnia, że to elektryzujące. — Jej twarz mięknie w łagodnym uśmiechu. — Jest niesamowity, kiedy chodzi o moją rodzinę. Kocha dzieci. Oboje uwielbiamy czarne labradory. Tak bardzo chce być „panem domu", „mężem". Bez trudu umiem go sobie wyobrazić, jak przychodzi na mecze dzieciaków. I bez trudu umiem sobie wyobrazić, jak nigdy nie wraca do domu. — Ponownie się chmurzy. — Ale czy w ogóle ktokolwiek jeszcze wraca do domu? — Patrzy na mnie i czeka, co powiem.

— Nie wiem. Tak myślę. Taką mam nadzieję.

— Boże, przydałby mi się papieros.

— Mam w pokoju — proponuję.

Kładzie przedramiona płasko na blacie.

— Szokujące, że nie ma żadnych oczywistych rozwiązań. Nie mogę uwierzyć, że zaczynam stać twarzą w twarz z trzydziestką i wciąż nie wiem, na co warto patrzeć przez palce.

— Wysyła sprzeczne sygnały.

Bo wysyła. Powiedziałabym mu to prosto w oczy.

— Wszyscy są tacy. Zdecydowanie wytrzymywałam już gorsze rzeczy — mówi z uśmiechem. — Bywają dużo gorsi.

Mogłabym znacznie gorzej trafić.

— Mogłabyś. — Mógłby być dupkiem i maniakalnym zabójcą.

Kiwa głową, patrząc na własne ręce, a potem spogląda na mnie.

— To dobra rzecz.

— Okej.

— Dobra. Wziął mnie przez zaskoczenie... ale tak to powinno być, prawda? Stąd się bierze romantyzm.

— Tak.

Za każdym razem, kiedy mnie bierze przez zaskoczenie, ledwie mogę dychać.

Seline wysuwa się z loży, pierścionek iskrzy się w przyćmionym blasku reflektora nad naszym stolikiem.

— Och, nic mi nie jest. Muszę się tylko porządnie wyspać. Dzięki, to było naprawdę pomocne. Jakoś sobie wszystko poukładałam. Powodzenia rano.

— Dzięki.

Tobie też.

Porsche podjeżdża do niewyróżniającego się budynku ze stiukami na Melrose i popędzana przez Tada wysiadam, tym razem w pełni ubrana w garnitur od Marca Jacobsa, z rybaczkami.

— Wejdź tylnymi drzwiami. Pierwsze piętro.

Mijam pojemnik na odpadki i docieram do czarnych metalowych drzwi, biorę głęboki wdech, gotowa rzucić ich na kolana.

— Gi-irl! — wita mnie Jeffrey, kiedy z klatki schodowej wychodzę na przemysłowy korytarz z wykładziną, obstawiony stojakami z niedużymi torbami na ubrania ze znaczkiem Bovary. — Idealnie. W samą porę. Kat o ciebie pytała. Masz teraz wejść do sali konferencyjnej i odwalić swoje. Sprzedaj całą tę dobroczynność, sprzedaj feministyczne zaangażowanie MF, ale lekko. Jasno i lekko! — Chwyta klamkę jednego skrzydła dużych stalowych drzwi i zanim mam szansę na zorientowanie się, co się dzieje, patrzę na kilkanaście osób usadzonych bezładnie wokół dużego stołu z pleksi, któremu nadano kształt i kolor gorsetu, a nawet zasznurowano.

— Do wszystkich, to Girl. — Guy odwraca się na swoim miejscu i oznajmia to pogodnie twarzom, które kilka godzin wcześniej widziałam imprezujące w minimalnych skrawkach lycry.

— Dziewczynka Girl! — Kat w bluzce od Diora, zapinanej na sprzączki, z kwietniowej okładki „Elle", wita mnie entuzjastycznie. — Dobrze spałaś?

— Tak, dziękuję — rzucam niewinne kłamstewko.

— A to jest Liz. — Obok niej siedzi cichutka blondynka z limuzyny w białym kombinezonie z głębokim dekoltem, który niezbyt korzystnie prezentuje się przy wywołanej kacem bladości. Klapnięta, chciwie ściska kubek z kawą.

Reszta zebranych, faworyci Jeffreya i chórzyści Bovary, wszyscy są androginicznie wbici w najmodniejsze ciuchy, więc Guy wygląda jak osioł, jedyny bez skórzanej bransoletki.

— Cześć. — Wykonuję zjednoczeniowe machnięcie swoją różową bransoletką i upuszczam torbę na podłogę. — Moim zadaniem jest przedstawić państwu część działań non profit, które Moja Firma kładzie na stole... czy też gorsecie... jako swój wkład. — Sięgam do torby po laptopa. — A więc, jeśli tylko pozwolicie mi państwo uruchomić system...

— Girl, wszyscy mają zestawienie, które przygotowałaś... strona szesnasta — mówi Jeffrey, podając mi skoroszyt z odblaskową strzałką, która zaznacza odpowiednie miejsce.

— Och...! Okej! Świetnie. — Otwieram na stronie szesnastej, żeby znaleźć tam podkolorowaną wersję mojej fatalnej propozycji, tylko że wątpliwości stały się tu deklaracjami, obficie wspartymi spreparowanymi cytatami z wypowiedzi nieistniejących studentów: „Jako studentka gender polegam na codziennych doniesieniach Mojej Firmy na temat usprawnień w rewolucyjnych technikach chirurgii plastycznej!". Jak w skonfiskowanych listach, przepuszczonych przez machinę komunistycznej rosyjskiej propagandy, co drugie słowo w tym podrabianym dokumencie to „rewolucja". „W przyszłości feministycznej rewolucji będą służyć zrewolucjonizowane kobiety, które mogą upiększyć się rewolucyjnymi barwami wojennymi naszych sióstr z Avon, Revlon, Estée Lauder...". Odwracam stronę, a potem, oszołomiona, przerzucam cały materiał. Poprawione po partacku fragmenty moich pomysłów są wszędzie — frazy ukradzione z mojego biurka i laptopa kompletnie przekształcone, jakby zredagowane przez Chrissie i jej kohorty z połyskliwym cieniem do oczu. Na poparcie tego wszystkiego rozrzucono po tekście wnioski z moich sfałszowanych kwestionariuszy na temat bielizny. Rzucam spojrzenie przez stół i napotykam wzrok Guya.

Chrząka.

— Zanim Girl wróci do tematu, wykorzystam tę chwilę, żeby powiedzieć, jaką niesamowitą wykonała robotę, wskazując naszemu zespołowi właściwy kierunek, nastawiając nasze kompasy na Bovary. Należą się jej za to oklaski! — Niepewne klaśnięcie tu i tam. — Taa, Girl, zaczynaj.

Wyliż mnie.

— A więc... — walczę, żeby wrócić na właściwy tor — poświęcenie się sprawom kobiet ma w Mojej Firmie wymiar zarówno... filozoficzny, jak i filantropijny. — Przez piętnaście minut wywalam wszystko, poczynając od tego, jak to pierwsze zajęcia Guya w ramach studiów gender na uniwersytecie w Santa Cruz obudziły w nim świadomość walki prowadzonej przez kobiety, walki, której znaczenia nie doceniał jako uprzywilejowany samiec, podkręconą na potrzeby skryptu wersję handlu ludźmi. — A zatem dzięki Magdalenkom i pieniądzom, które im daliśmy, po pewnych drobnych trudnościach te młode damy naprowadzane są na nowe, właściwe tory! Podsumowując, mogę stwierdzić, że Moja Firma ukierunkowuje swą aktywność na sprawy kobiece, a dobro kobiet leży jej na sercu.

— Brawo, Girl! — Kat pokazuje uniesione kciuki. — Ale, Jeffrey, kochany — kładzie mu rękę na ramieniu — przecież to właśnie robimy.

Ożywiając się, Liz wyraża protest, opierając rękę na udzie Kat.

— Z wielkim powodzeniem, Kat.

— Ale to jest nowy kraj, nowy rynek, nowa granica.

— Dziękuję Girl, to wystarczy. — Jeffrey stuka w mój skoroszyt, a Guy zaczyna być w wyczuwalny sposób niespokojny. — Spotkamy się w hotelu...

— Och nie — protestuje Liz. — Czy ona nie może zostać? *Proszę? Proszę?*

Guy robi mi miejsce obok siebie.

— Chcę powiedzieć — ciągnie Kat — że mamy taką markę tylko dlatego, że Europejczycy są cholernie poważni. Ale jeżeli mamy zamiar zaatakować Stany, chcemy zrobić coś znacznie bardziej *zabawnego* i naprawdę *ekspansywnego*... zmienić wizerunek. Bovary jako *styl życia*. — Kat rozgląda się przy wtórze pochlebczego kiwania głowami. — Bosko. A teraz, skoro już o tym mowa, nasz cel jest dwojaki. Po pierwsze, znaleźć amerykańską firmę, która pomoże nam myśleć po amerykańsku i przyciągnąć amerykańskiego konsumenta. To dlatego spotykamy się z wami i waszymi większymi konkurentami. I, Guy, po kilku spotkaniach widzę teraz, że miałeś rację przynajmniej w jednym punkcie: brak doświadczenia nadrabiacie osobistym zaangażowaniem w sposób, który jest nieosiągalny dla takich potworów jak McKinsey. — Wydyma policzki jak ryba głębinowa. — Ale nie zamierzamy odrzucać ich słusznych uwag, a mianowicie, że jako nowa marka na zatłoczonym rynku zyskamy znacznie lepszą szansę na sukces, jeżeli połączymy siły z jakimś dobrze osadzonym na rynku produktem, który nie stanowi dla nas konkurencji, i w ten sposób skorzystać ze wszystkich zalet operowania rozpoznawalną marką. Nadążacie? Bosko. Pokażmy im wideo. — Wskazuje na chłopaka z irokezem na głowie, który garbi się nad klawiaturą. Kilka stuknięć w klawisze i z miękkim bzyczeniem okna zostają zasłonięte białymi płaszczyznami, a światła wygaszone. Kat, oświetlona prostokątnym reflektorem jak Evita, z wielką pasją rzuca w ciemność. — Oto nasza obsesja: kobiety pracujące. Czujemy, że kobiety pracujące straciły kontakt z zabawą. Są takie żałosne. — Gnie się miękko nad stołem dla podkreślenia swych słów. — Liz i ja przeglądałyśmy „Fortune" i „Crane's", odbywałyśmy spotkania ze wszystkimi bankami danych i wszędzie, gdzie spotykamy pracującą dziewczynę, jest to samo. Kompletna żałość...

— Zdecydowanie — Guy zgadza się z nią z pełnym przekonaniem.

— ...smutne miny, nudne garnitury i ponurość, ponurość, ponurość. Wyglądają na *wyczerpane*. A kilka wolnych klastrów w ich mózgach zajmuje trening piłkarski małego Johnny'ego i popis gry na pianinie małej Suzie. *Gdzie zabawa?* — Rozgląda się w mroku. — Tragedia. A my chcemy coś z tym zrobić. Wideo, bardzo proszę.

Rockowa muzyka zaczyna się razem z reklamówką, którą natychmiast rozpoznaję z późnowieczornego przeskakiwania po kanałach. Ujęcie za ujęciem niebezpiecznie pijanych studentek, podnoszących bluzki, żeby pokazać piersi. „Laski na dziko!", krzyczy Kat w chwili, gdy pojawia się tytuł na tle dwóch nastolatek, które beznamiętnie się bzykają, przymykając przekrwione oczy.

Kat zrywa się na równe nogi, wielkimi krokami idzie na środek sali i zajmuje miejsce przed ekranem, zniekształcone sylwetki pary dziewcząt topless pojawiają się na jej piersi.

— Ten człowiek, Jed Devlin, to cholerny geniusz... zabawa, duch i wyzwolenie, wszystko w jednej marce! Ma wideo, imprezy, restauracje, szacunek wszystkich tych znanych ludzi... w przyszłym tygodniu będzie miał płatki śniadaniowe. — Pstryka pilotem i przesuwa taśmę. Reklamy gładko przechodzą w wywiad z *Primetime* *. Jed Devlin rozpiera się na tylnym siedzeniu wydłużonego hummera, dołki w policzkach i strój łyżwiarza nadają mu wygląd dwudziestolatka, ale samozadowolenie postarza o kolejną dekadę.— Proszę, posłuchajcie jego filozofii.

— *Oskarżenie o gwałt to totalne gó(piip). Sama na mnie leciała, człowieku...*

— Och, to nie to, zaraz. — Kat przewija do przodu.

— *Te procesy to totalne gó(piip). Dostaję wezwanie do sądu za każdym razem, kiedy ojciec studentki, która szaleje w czasie przerwy semestralnej, z przerażeniem łapie się na tym, że wali konia przed własną pijaną w trzy dupy córką...*

— Nie. — Celuje znów pilotem, aż wreszcie Jed się powiększa i otwarcie patrzy w kamerę.

— *Tak, prowadzę interes.* — Ostatnie słowo niemal wypluwa, waląc pięścią w sufit hummera. — *Jestem biznesmenem. To nie było tak, że pewnego dnia obudziłem się jako cesarz miliarder od Lasek na dziko. Nie miałem tyle szczęścia. Niedobrze mi się robi, kiedy tego słucham. Wypracowałem taki rozwój sytuacji. I to jest czysty geniusz. Spójrzcie na Hefnera, spójrzcie na Flynta, spójrzcie na ich koszty. Ja dostaję ten materiał, nie płacąc ani centa za prawa autorskie. I nie dostaję piep(piip) tantiem.*

— Wyłącz. — Kat wydaje polecenie facetowi z irokezem i projekcja znika. — Nie dostaje tantiem. A powinien. Miliardowy rynek Jeda Devlina wykorzystuje moment utraty niewinności, rozdziewiczenia, jeśli chcecie. Codziennie dostaję z pięćdziesiąt spamów, pewnie wszyscy dostajemy... „najmłodsze”, „gorące nastolatki”, „mokre dziewice”, bla, bla, bla. Młodość i niewinność są seksowne. A jednak wasza dominująca marka, Vicky's Secret, sprzedaje wizerunek dziewczyny, która jest o wiele za bardzo doświadczona.

---

* program TV ABC

Trąci aurą przegiętej utrzymanki w wieku Zsa-Zsa Gabor, która załapie się jeszcze najwyżej raz. Ignorują psychologię *potężnego* rynku, który Jed Devlin filmuje na potrzeby swoich *Lasek na dziko*.

Dobry Boże, czy mnie słyszysz? Siedzę w niedużym białym budynku, ozdobionym stiukami, na Melrose, z kompletnie obłąkaną, choć dobrze ubraną kobietą. I gdybyś tylko mógł, sama nie wiem, uruchomić alarm przeciwpożarowy albo coś...

— Więc najpierw ubierzemy jego studentki w bokserki z jednorożcem i tęczowe staniki, a kiedy utrwalimy markę, przeniesiemy rewolucję na następne pokolenie. Ostatecznie chcę w sześć miesięcy trafić do każdej sali w Ameryce, gdzie spotyka się rada nadzorcza, i chcę, żeby te wszystkie czterdziesto- i pięćdziesięciolatki — Kat znów wskazuje na Irokeza i *Laski na dziko* w rozmiarze naturalnym pojawiają się za jej drobną sylwetką — chciały pokazać mi cycki, jak banda szalonych, beztroskich nastolatek!

— Zamknij, kurwa, usta — cicho mruczy mi do ucha Guy.

— Och, Kat, to... — wybucha Jeffrey — to takie nowe i takie... takie...

ZŁE?! Złe, złe i ZŁE?!

...świeże. Myślę, że kobiety pracujące w Ameryce czekają na właśnie taką rewolucję.

Odzyskuję głos.

— Czy planujecie prowadzić interesy według swojego europejskiego modelu? Przekazywać część zysków na kobiecą dobroczynność?

— Może. — Kat wzrusza ramionami.

— Nie, nie, zdecydowanie — entuzjazmuje się Liz.

Kat rzuca jej ostrzegawcze spojrzenie, po czym sięga przez stół, żeby wziąć garść skittlesów.

— Bo tak szczerze mówiąc, czy jest lepsza zabawa niż dzieciństwo? — Liz przygnębiona ucieka wzrokiem. — Cóż, przynajmniej dla większości, kochanie. — Kat klepie ją po obciągniętym jedwabiem ramieniu. — Mamy zamiar zabrać kobiety sukcesu z powrotem do dzieciństwa! — Macha ramionami i skittlesy lecą na wszystkie strony. — I to jest zadanie Bovary. Myślicie, że dacie sobie z tym radę?

— Bez wątpienia — stwierdza Jeffrey, zamykając notes od Smythsona. — Naszkicujemy harmonogram inauguracji produktu i przefaksujemy ci dzisiaj pod koniec dnia.

Wszyscy wstają i po wielekroć potrząsają moją ręką, jako dodatkowy bonus dostaję pocałunek w policzek od Kat.

— Wszyscy jesteście boscy! — woła, wychodząc z pomieszczenia. — *Kocham* LA!

Krążę wokół hotelowego łóżka, dłonie zaciśnięte w pięści, nieruchomieję co kilka minut, kiedy w rozdzierających wspomnieniach wracają do mnie fragmenty spotkania. Siadam, żeby kopnięciem zrzucić buty, ale zaraz znów wstaję. Zaczynam wyjmować z ucha kolczyki, ale przerywam w połowie czynności. Sięgam po telefon i wpatruję się w jego klawiaturę. Zadzwonić? Do kogo? Halo, czy to ONZ? Tak, dzwonię z Bulwaru Zachodzącego Słońca, żeby donieść o ZAHAMOWANIU ROZWOJU CYWILIZACJI! Rzucam słuchawkę przenośnego aparatu na łóżko, odbija się od poduszki, robi wgłębienie w kołdrze.

Jestem taka...

Ja po prostu...

Nie mogę...

— KURWA! Kurewska kurwa. — Wściekła ześlizguję się na podłogę. Nie pisałam się na coś takiego. Ani ciut-ciut. Wyobrażam sobie Grace, jak chichocze ze sponsorami Chatsworth, podciągając koszulę. Albo Julia. Na pewno pokazanie cycków jest dokładnie tą rzeczą, która pomogłaby jej rozwiązać kłopoty z urzędem imigracyjnym. Czy ludzie nigdy nie dorastają?

Robię gwałtowny ruch, żeby chwycić telefon, wyciągam go spod łóżka, gdzie w końcu wylądował.

— Tu Guy. Zostaw wiadomość i oddzwonię przy najbliższej okazji.

— Cześć, tu Girl. Co za spotkanie... interesujący kierunek. Powinniśmy, hmm, porozmawiać... — wykasowuję i zaczynam od nowa. — Cześć, musimy o tym porozmawiać... o tym nowym kierunku. Dzisiejsze spotkanie naprawdę postawiło pod znakiem zapytania twoją... i MF... misję... wartości... etykę... to, jak bardzo jesteś zły... to jest takie złe... — Znów kasuję. — Cześć, zastanawiałam się, czy moglibyśmy wypracować jakiś system? Bo prawdę powiedziawszy, znacznie lepiej pracuję, kiedy się mnie nie okłamuje przez cały czas. KŁAMCAAA!

Wykasować! Wykasować!

Dzwoni telefon, który wciąż trzymam w dłoni.

— Proszę pani, tu centrala hotelowa. Czeka na panią wiadomość od pana Jeffreya Wainwrighta.

— Dziękuję.

Patrzę na czerwoną lampkę w telefonie, która mruga jak paciorkowate oczko cyklopa. Mogę to sobie wyobrazić: *Girl, spotkaj się ze mną w południe na dole z kneblem w ustach i brudną pieluszką na głowie — Jeffrey. Girl, spotkaj się ze mną w południe na dole z talerzami przymocowanymi do kolan i piórkiem w dupie — Jeffrey. Girl, spotkaj się ze mną w południe na dole z wciąż bijącym sercem Glorii Steinem w dłoni i własną moralnością nabitą na rożen — Jeffrey.* Z całej siły rzucam telefon i kulę ramiona, a łzy frustracji płyną mi strumieniami. Pełznę do łazienki po chusteczkę, dotykam mokrym policzkiem zimnych białych kafli i znajduję pociechę w melodramatycznym zestawieniu pozycji mojego ciała i sytuacji.

Przewracam się na plecy, gapię na biały jak jajko półksiężyc, który muszla sedesowa tworzy na metalicznym suficie. Rozpaczliwie potrzebuję porady. Wpada mi w oko telefon, wisi tuż nad siedzeniem, sięgam, żeby wybrać numer do...? Kiry? Boże, gdyby się dało. Grace? Gruba przesada. Muszę się posuwać małymi krokami.

— Czego? — odbiera Luke.

— Cześć — pociągam nosem. — Mogę mówić z Busterem?

— Może. — Zaliczamy „kto kogo przetrzyma" w wersji audio. — BUSTER, ODBIERZ TELEFON! — Z szarpnięciem odsuwam głowę.

— Taa, już mam. — Buster odbiera.

— Masz, bo ona ci daje — rzuca Luke szyderczo na użytek publiczności i odkłada słuchawkę.

— Zignoruj go. Hej, co się dzieje?

Układam się na boku pod wieszakiem na ręczniki.

— Klient, o którego się staramy, to firma bieliźniarska, ale chcą zmienić wizerunek na coś w stylu *Lasek na dziko*, żeby każda kobieta na amerykańskim rynku korporacyjnym czuła się jak dwunastolatka i pokazała cycki szefowi...

— *Laski na dziko?*

— Tak, i jakimś sposobem ja do tego wszystkiego napisałam scenariusz.

— I to niedobrze, tak?

— Buster, *nie po to mnie zatrudnili!* Kiedy tylko samolot wyląduje w Nowym Jorku, składam wymówienie.

— Prr. Prr, wymówienie?

— Tak, nie mogę brać w tym udziału. Nie mogę.

— Girl, zarabiasz więcej niż moi rodzice.

Siadam.

— I to wszystko usprawiedliwia?

— Nie, ale wiesz, co się dzieje. Jest *naprawdę* kiepsko. Luke'owi skończyło się bezrobocie i przeprowadza się z powrotem do swoich starych w Binghamton. Myślisz, że taki miał plan?

— Nie.

— Wszyscy idą na kompromis. Moja ciotka straciła w zeszłym roku cały fundusz emerytalny i kuzyn nie może teraz iść do college'u. Jest gorzej, niż było przez całe nasze życie.

— Ale ja...

— Słuchaj, wybieramy się na pożegnalne piwo z Lukiem. Mogę do ciebie oddzwonić?

— Proszę, muszę to jakoś poskładać do kupy.
— Nie rób niczego pochopnie. Tęsknię za tobą jak wariat.
— Ja też, pa.

Zbieram się z podłogi i grzebię w torebce w poszukiwaniu ostatnich awaryjnych papierosów. Wyjmuję piórko z tyłka i dzwonię pod numer hotelowej poczty głosowej.

— Cześć, tu Jeffrey. Dzwonię, żeby ci powiedzieć, jak genialnie się dzisiaj spisałaś... Kat była tobą *zachwycona*. Może sprawiać wrażenie nieco przesadnie zapalonej, ale tak jak na pokazie widzi się fantastyczną wersję tego, co trafia na sklepowe półki, tak jej pomysły zostaną bardzo zasadniczo stonowane na potrzeby prawdziwego rynku. Słyszysz mnie, panienko Tragedia i Ponurość? Burza mózgów oznacza ekstremalne koncepcje i chcę uzyskać od ciebie zapewnienie, że nie ciągniesz jeszcze za hamulec awaryjny. Prawdę mówiąc, to wyróżnienie dla kogoś z twoim doświadczeniem, Kat zażądała, żebyś od poniedziałku została do niej przydzielona... a Liz była zachwycona twoją sprawą z uchodźcami! Jeżeli właściwie to z nią rozegrasz, mogą się znaleźć dodatkowe pieniądze. Więc... postaw sobie w nagrodę jakąś frymuśną kolację, i nie mogę się doczekać, kiedy zobaczymy się w Nowym Jorku!

Oddzwaniam, ale nikt nie odbiera.

Piąta rano i telefon uparcie milczy. Podnoszę słuchawkę i wybieram numer do Chatsworth.

— Sto lat, sto lat — śpiewam miękko, nagrywając się na sekretarkę Grace, z nadzieją, że może odbierze. — Myślę o tobie, Mamo. Kocham cię... Pa. — Chwytam szczoteczkę do zębów, chowam do kosmetyczki, zapinam. Zamykam walizkę. Może za dużo wypił i odłączył się od przyjaciół... Może uderzył się w głowę i spadł na autostradę... Boże, a jeśli wpadł do rzeki! Telefon dzwoni i rzucam się do niego przez łóżko.

— Halo!

— Budzenie. Dzień dobry, aktualny czas to... — Z brzękiem odkładam słuchawkę i wkładam płaszcz na kostium. Co za dupek. Mam nadzieję, że uderzył się w ten głupi łeb i utonął w pieprzonej rzece.

Padam na fotel wypełniony gałkami, zapadam się w srebrny winyl, zwolnionym ruchem podciągam kolana pod brodę. Obejmuję spojrzeniem kosz na śmieci, w którym piętrzą się opakowania po kolacji z zapasów z minibaru, i zza trzepoczących zasłon oglądam pojawiający się raz po raz billboard *Słonecznego patrolu* po przeciwnej stronie ulicy. Opieram głowę o ścianę, czuję, jak napięcie i dwie nieprzespane noce przelewają mi się kwasem w żołądku. Toczę stopą po podłodze ostatnią butelkę wody, podnoszę, odkręcam zakrętkę i pociągam długi łyk. Musi tam być... no która? Przynajmniej ósma.

Równie dobrze mogę zadzwonić. Upewnić się, czy nie utonął.

— Halo? — odzywa się nieprzytomny męski głos.

— *Co jest, kurwa?*

— Cholera! Kto mówi? — Poznaję Trevora.

— Przepraszam! Przepraszam, przepraszam. Uch, jest Buster? — Telefon brzęka i staram się ocenić; został upuszczony czy odłożony.

— Jeszcze nie wrócili.

— Co?! Jesteś pewien?

— Taa. — Martwa cisza na linii.

— Halo? Halo? — Odkładam słuchawkę. I płaczę. Płaczę, gdy robię ostatni obchód pokoju, płaczę, gdy idę do windy. Płaczę, gdy się wymeldowuję.

Mija mnie Guy, ciągnie torbę podróżną do porsche. Mimo nieba w kolorze ciemnego indygo też ma na nosie okulary, jego przyszła panna młoda najwyraźniej nie leci z nami. Wywlekam swój bagaż na zewnątrz i wciskam się z nim na tylne siedzenie, po czym oparcie fotela Guya spada mi na kolana.

Jeffrey, już odświeżony po wizycie na sali gimnastycznej,

wiezie nas w milczeniu przez Hollywood Boulevard. Słońce zaczyna się piąć w górę. Mijamy bezdomnych, którzy pchają pracowicie wyładowane wózki z supermarketów, gdy tymczasem rozsiane tu i ówdzie dziwki zaglądają do nas na każdych światłach, żeby sprawdzić, czy nie znajdą sobie porannej klienteli.

Budzę się, gdy samolot podskakuje na pasie startowym, kołysze się na boki w strugach deszczu i sunie wzdłuż cieśniny Long Island. Walcząc, żeby wydobyć się na powierzchnię z głębokiej mgły wyczerpania, niepewnie idę za falą pasażerów do miejsca odbioru bagażu, gdzie widzę Guya obok mężczyzny w czapce, który macha tabliczką „P. M. OJAFIRMA".

Kluczymy na drodze z JFK, stajemy i ruszamy, Guy rozmawia przez komórkę, zęby ma zaciśnięte.

— Nie, Seline, *nie to* miałem na myśli... Co mam ci powiedzieć? Halo? Jesteś tam?... Och cóż, niczego nie mówiłaś... Seline, jesteś tam?... To czemu nic nie mówisz? ...Bo wiem, że to nie jest w porządku... Nie! Nie mów „w porządku", kiedy tak, kurwa, nie myślisz... Okej. Okej, więc *w porządku*. — Rzuca telefon, który mocno uderza mnie w udo. Wygląda przez zalane deszczem okno ze ściągniętymi ustami. — No więc Girl — odchyla głowę na oparcie — jak się trzymasz?

— Zmęczona — mówię, przez deszcz przyglądam się, jak opuszczamy tunel Midtown.

— Rozumiem — odpowiada. — Zaplanowałaś sobie relaksującą niedzielę?

— Mam nadzieję.

— Czeka nas szaleńcza praca... — Zawiesza głos, a ja widzę iskierkę szansy.

Odwracam się do niego twarzą, pilnuję, żeby zachować zmęczone spojrzenie i zrelaksowany ton. — Więc Jeffrey naprawdę...

— Taa — prycha Guy.

— Czy będę musiała mu zdawać sprawozdania? Teraz, kiedy wróciliśmy?

Siada prosto.

— Kto powiedział, że masz się rozliczać przed Jeffreyem? Rex? Rex ci to powiedział? Rozmawiał z tobą?

— Nie! Guy, nie. — Badawczo patrzy mi w oczy. — Ależ nie. Rex nie odezwał się do mnie ani słowem. — Zwalczam impuls, żeby uspokajająco poklepać go po dłoni. — Po prostu Jeffrey sugerował, że, że on... że powinnam z nim omawiać sprawy, to wszystko.

Guy powoli kiwa głową i lekko zapada się w sobie, opiera brodę na dłoniach dziecięcym gestem.

— Ale ja chcę rozmawiać z *tobą*. — Przekręcam się na siedzeniu, żeby patrzeć mu prosto w twarz, nachylam się bliżej. — Jak widzisz moją rolę w dalszej perspektywie? Jak dokładnie ma działać cała ta sprawa z Kat? Co oznacza awans na wiceprezesa? Co o tym myślisz? Boże, tak się cieszę, że rozmawiamy.

Dzwoni jego telefon, otwiera go jednym ruchem.

— Seline, przepraszam... — W miarę jak słucha, twarz mu się ściąga. — Cóż, jeżeli tak czujesz. Nie, w porządku. W porządku, w takim razie zostaw pierścionek u mojego portiera. Muszę kończyć. — Z trzaskiem zamyka komórkę, ma wściekłą minę, a ja intensywnie wpatruję się w mijane ulice, rozważając, jaki byłby stopień obrażeń, gdybym teraz wyskoczyła. Czuję, jak się nadyma. — Twoje jojczenie jest żałosne, Girl. — Odwracam się, żeby spojrzeć w jego płonące oczy. — Przestań się na mnie oglądać przy każdym pieprzonym drobiazgu. Ty mi pokaż, czemu jesteś elementem istotnym dla utrzymania tej firmy przy życiu.

Podjeżdżamy pod mój dom, kierowca wyskakuje z parasolem, żeby wyjąć moją torbę podróżną z bagażnika. Wycieraczki przesuwają się tam i z powrotem. Macam w poszukiwaniu klamki.

— Przykro mi z powodu Seline.

Szybko opuszcza i podnosi powieki.

— I musisz zacząć przechowywać notatki czy co tam robisz na laptopie, palmtopie i tak dalej. Kompletny, kurwa, absurd, żebyś pracowała dla firmy zajmującej się softwarem i organizowała całe gówno w szkolnych zeszytach.

Kierowca otwiera moje drzwi i odgłosy ulewy zagłuszają napięcie między nami.

— Do zobaczenia w poniedziałek. — Wypuszcza powietrze, ponownie zapada się w polerowaną skórę.

— Do zobaczenia — wyduszam, po czym wychodzę poza zasięg parasola, na ulewny deszcz. Kiedy samochód z bryzgiem włącza się do ruchu, odwracam się i widzę Bustera skulonego na werandzie, przemoknięty do nitki wyciąga przed siebie bukiet pełnych nadziei białych tulipanów. Mrugam w ulewnym deszczu, ale w całym tym gównie ten gest jest tak czysty, tak czysty, że w jednej chwili tonę w jego ociekających wodą ramionach.

Rozdział 10

Chcesz, żebym co?

Bez tchu wpatruję się w ciemność, w czerwone oko mojego budzika, który odlicza godziny do chwili, gdy ponownie zamelduję się w MF. Stanę przed Kat. Przed Guyem. Przed „pokaż mi, czemu jesteś elementem istotnym dla utrzymania tej firmy przy życiu...". Przykładam rękę do piersi i zmuszam płuca, żeby się wypełniły, cicho wypuszczam powietrze w stronę sufitu, koncentruję się na dochodzącym z dołu szumie mokrej od deszczu ulicy. Nie wiem, co powoduje mocniejsze kołatanie serca — być elementem istotnym dla utrzymania tej złejzłejzłcj firmy przy życiu, czy perspektywa, że przestanę nim być.

Staram się nie obudzić Bustera, którego tulipany były zaledwie uwerturą do weekendu poświęconego „wynagradzaniu mi", i wolno wysuwam się z łóżka. Na palcach omijam wciąż nierozpakowaną torbę, podnoszę jego miękką bluzę, zapinam ją na zamek i ostrożnie zamykam drzwi.

Nalewam wodę do szklanki i sączę ją wśród cieni rzucanych przez promienie świateł ulicznych, które załamują się w szybie kuchennego okna. Serce stopniowo zwalnia, sadowię się na futonie w salonie i włączam pierwsze poniedziałkowe programy poranne. Przełączam kilka kanałów z reklamami — brzuszki, brzuszki, brzuszki, brzuszki... trądzik — w końcu dochodzę do *Cheers* i sennie patrzę, jak prawa

Diane zachowuje zawodową godność wśród bywalców sportowego baru. Potem zapadam w niespokojny sen, budzę się w chwili, gdy Julia Roberts uczy pana Gere, jak się prowadzi samochód z ręczną skrzynią biegów, precyzyjnie obsługując pedały w skórzanych botach do pół uda... Mmm, a potem jest tak ślicznie i idealnie w filmowych dekoracjach, kiedy w końcu ona się podkrada, żeby go obsłużyć w penthousie w Beverly Wilshire.

Budzę się z przestrachem na dźwięk męskiego głosu, który wybija się ponad miękki rytm deszczu. Chwilę trwa, zanim rozpoznaję pożółkły film, który rozświetla pokój — Jack Lemmon sztorcuje recepcjonistę w hotelu, patrzy na to Sandy Dennis. „Proszę mi podać swoje nazwisko. Skontaktuje się z panem mój prawnik". Siadam prosto, nakładam bluzę Bustera na podciągnięte pod brodę kolana.

Wkrótce głośno chichoczę, przypominam sobie, jak oglądałyśmy *Za miastem* razem z Kirą, kiedy pierwszy raz przeprowadziłyśmy się do Nowego Jorku, jak doskonale oddaje to poczucie, że jest się obiektem nieustannej napaści, i oburzenie, które towarzyszy zdobywaniu tego jeśli-się-uda-tu-to-uda-się-wszędzie miasta, albo, jak to nazywała Kira, „Wyprawie Robinsona na Manhattan". Opieram brodę na kolanach, na nowo urzeczona niezdarnym facetem z Ohio, który stara się załapać na Idealną Posadę i każdą przeszkodę odbiera osobiście — zgubiony bagaż, odwołaną rezerwację w hotelu, złodzieja i tak dalej, nawet strajk śmieciarzy i ulewny deszcz. A razem z nim, dla kontrastu, żona, która z błogim spokojem stara się jak może, kiedy on toczy bitwę z bezustannymi wyzwaniami miejskiego życia. Jest taki... taki... urażony.

Obejmuję ramionami podwinięte nogi. Jestem zmęczona byciem Jackiem Lemmonem w Mojej Firmie. Wyczerpana.

Wpatruję się w telewizor. A jeżeli Bovary to nic innego jak tylko ulewa albo strajk śmieciarzy? Gdybym tak przestała reagować na tę pracę jak na gwałt na mojej osobie? A jeżeli to *tylko praca*? Czuję, że w mojej głowie coś opornie przeskakuje i kiedy pojawiają się napisy, żołądek rozluźnia mi się pierwszy raz od tygodni.

Zdejmuję bluzę Bustera, cicho idę z powrotem do sypialni. Naciągam na siebie róg ciepłej kołdry, wsuwam rękę w jego dłoń, a on, mimo że twardo śpi, ściska moje palce. W kilka sekund zapadam się w błogosławioną nieświadomość, moja ręka luźno leży w jego dłoni.

— G? — szturcha mnie Buster. — Telefon.

Mrużąc oczy, sięgam przez niego po słuchawkę, a świt wlewa się przez listewki żaluzji.

— Halo? — mruczę.

— *Kochanie*, przepraszam, że cię obudziłam, ale po prostu *muszę* się z tobą zobaczyć. Jeffrey dał mi twój numer.

— Kat? — chrypię, na wpół siedząc, a Buster odwraca się ode mnie i naciąga na głowę moją poduszkę.

— Kochanie, jestem na dole. Tak, wiem, proszę o *ogromną* przysługę, ale po prostu narzuć płaszcz na koszulę i spotkaj się ze mną przed domem. — Sygnał wolnej linii.

— Wszystko w porządku? — pyta Buster, sięga ręką za siebie i poklepuje mnie trochę po udzie, a trochę po materacu.

— Nie wiem — odpowiadam, siedzę teraz zupełnie prosto. — Klientka, ta kobieta, Kat, jest na dole.

— Okej — mówi i jego oddech już się wyrównuje.

Nisko stojące słońce osusza chodnik, a ja człapię na dwór, ciasno owijam płaszcz na koszulce i poruszam stopami, żeby do końca wcisnąć pięty w tenisówki. Klucząc między parującymi kałużami, podchodzę do białej długiej limuzyny, zaparkowanej równoległe do jakiegoś samochodu. Dźwięk silnika pracującego na luzie jest jedynym dźwiękiem na pustej ulicy, oprócz ćwierkania głodnych szpaków.

Przeciskam się między dwoma ciasno zaparkowanymi samochodami, a drzwi limuzyny otwierają się przede mną powitalnym gestem. Zakładam włosy za uszy, pochylam się, żeby zajrzeć do środka.

— Kat?

Wychyla się bokiem w poranne słońce, światło elektryzuje jej farbowane henną włosy, kiedy unosi się i całuje mnie w policzek, pozostawiając zapach wody kolońskiej o drzewnej nucie.

— Kochanie, jak dobrze, że zeszłaś. Wiem, że jestem uciążliwa, ale właśnie dokonałam niesamowitego odkrycia. Brit, przesuń się. — Kat ciągnie mnie za rękę i zagłębiam się w ciemnym wnętrzu, wpycham płaszcz pod uda.

— Cześć. — Ogólnym machnięciem ręki witam cztery pozostałe kobiety, rozparte na czerwonych aksamitnych siedzeniach. Owinięte w wieczorowe jedwabie, zalegają w różnych wymyślnych pozach, wypoczywając wokół sterty zsuniętych szpilek od Jimmiego Choo. Olśniewająca cera bez śladu makijażu, zrelaksowane, jakby siedziały w saunie, pociągają świeży sok pomarańczowy z małych buteleczek. W odległym kącie śpi Liz oparta o przyciemnioną szybę.

— Sok pomarańczowy? — Kat sięga do torby z delikatesów, która stoi przy porzuconych szpilkach na pokrytej tapicerką podłodze.

— Nie, dzięki

— Bajgla?

— Dziękuję — odmawiam, a Brit wgryza się w swój, zlizując z kącika ust zabłąkaną kapkę serka śmietankowego. — Przepraszam, chciałaś mi coś powiedzieć? — Tłumię ziewnięcie.

Liz budzi się i przeciąga, składa ręce na piersi oplątanej wstążkami kreacji od Versacego, jej głowa opada na oparcie.

— Muffin! MuffinMuffinMuffin*Muffin*! — rozsmakowuje się w tym słowie.

— Nie, dziękuję, Jeszcze nie jestem głodna.

Kobiety wybuchają gardłowym śmiechem. Kat tylko się uśmiecha.

— Nie, kochanie, to nie jedzenie... to *styl życia* — mruczy.

— Filozofia — deklaruje Brit z szerokim gestem, duży diamentowy motyl na jej prawej dłoni wydaje się frunąć.

— Rewolucja! — wykrzykuje Liz. — Byłaś? No dobrze, to jak brzmi pierwsza sylaba?

— Nie jestem pewna... — Mrużę oczy, patrzę na Kat, która wydaje się bardziej trzeźwa niż reszta towarzystwa i przewodniczy zebraniu z królewską godnością.

— To spotkanie towarzyskie... — pozostałe zaczynają mi tłumaczyć, wszystkie naraz. — Karnawał! Ruch! Nauczycielski ton Brit góruje nad pozostałymi.

— To jest czczenie bogini; odwołuje się do starożytnych rytuałów i obrzędów, w których celebrowano kiedyś nasze ciała, naszą moc, wszystko, co odebrała nam tradycja judeo-chrześcijańska...

Włącza się kobieta obok, z grzechoczącymi sznurami nieoszlifowanych akwamarynów na szyi.

— Nie ma żadnych powinności, wstydu, fałszywych świętości.

— Możesz być w całej pełni sobą — nuci kolejna, z torebki ze skóry pytona wyjmuje słoiczek witaminowego kremu Jo Malone i podaje siedzącej po lewej. — Tańczyć przy Madonnie i służyć religii własnej rozkoszy.

— Ooch, puśćcie jeszcze Sarah McLachlan — prosi Liz, wskazując palcami panel obok łokcia sąsiadki. — Z głośników sączy się *Surfacing* i kobiety kołyszą się na siedzeniach, nucą z zadowoleniem, zatopione w myślach; ożywiony „Vogue". Kat wciąż się do mnie uśmiecha, jakbyśmy miały wspólną tajemnicę.

— No dobrze — mówię, wciąż beznadziejnie zagubiona. — To świetnie, że się dowiedziałyście. I wpadłyście, żeby, eee, się ze mną tym podzielić. Teraz wiecie, gdzie mieszkam, i to... dobrze. Więc...

— Dziewczynko Girl. — Kat pochyla się w moją stronę, podczas gdy reszta tańczy. — Popatrz na nie. *To jest to! To jest nasza amerykańska marka!* Ma w sobie tajemnicę i strukturę i... z daleka widać, że to szansa dla Bovary.

Brit skrapia się wodą Evian, Liz macha palcami stóp, połyskującymi bordowym lakierem.

— Zostawiamy tego okropnego Jeda Devlina.

— *Laski na dziko* to jednorazowe zagranie — ciągnie zelektryzowana Kat. — Nie ma powodu, żeby się z nim łączyć, kiedy jest...

— MUFFIN! — krzyczą wszystkie w ekstazie.

Chwytam Kat za ramię, zdumiona, że pierwsze piętnaście minut patrzenia na świat z perspektywy odmiennej niż punkt widzenia bohatera Jacka Lemmona może okazać się tak owocne.

— Koniec z *Laskami na dziko*? Rezygnujemy z tego planu? — Nie chcemy już trafić do każdej sali w Ameryce, gdzie spotyka się rada nadzorcza, nie chcemy, żeby te wszystkie czterdziesto- i pięćdziesięciolatki pokazywały cycki jak banda szalonych, beztroskich nastolatek?

— Koniec. Po sprawie. Teraz idź się przekimać. Przed nami wielki dzień. — Sięga przeze mnie, żeby otworzyć drzwi, i przyłącza się do chóru śpiewającego *Building a mystery*.

Tego samego ranka o zdecydowanie bardziej cywilizowanej godzinie z dumą kładę swój nowy telefon komórkowy obok nowego palmtopa. Nauka posługiwania się tym kurewstwem zajęła mi cały weekend z Busterem. Siadam na krześle przy biurku i otwieram laptopa. Nawet logo Mojej Firmy przyczepione nad ekranem wygląda mniej rażąco. To będzie dobry dzień i dobra robota. Dam radę.

— Odkąd wyjechałaś, twój telefon się urywa — mamrocze Stacey, przechodząc obok z tacą ciastek.

— Przepraszam. — Reaguję odruchowo. — Dobrze być z powrotem! — wołam za nią. Kręci głową w taki sposób, że pewnie przewraca oczami, ale nic nie szkodzi.

Spoglądam na biurko, żeby odczytać wiadomości.

— *Girl!* — wita mnie kipiący energią głos Julii. — Cześć,

jest środa. Znalazłam miejsce! Jest idealne, lecz muszę podjąć decyzję. Znasz już datę wypłaty? Zadzwoń do mnie.

— *Cześć, tu Julia. Może już wyjechałaś na weekend, ale chcą, żebym do poniedziałku podpisała umowę najmu. Czy wiesz, kiedy wpłyną pieniądze? Dzięki. Jestem pod komórką.*

— *Cześć, Girl. Nie chcę być natrętna ani cię naciskać, ale trochę się martwię, że się nie odzywasz. Nie wiem, czy mam rozumieć, że...*

— Girl, jesteś potrzebna. — Stacey wskazuje pokój Guya takim ruchem, jakby strzelała z bicza.

Odkładam słuchawkę i wchodzę, palmtopa trzymam przed sobą.

— To ci się naprawdę spodoba. — Jeffrey omija mnie, żeby podejść do Reksa, który siedzi majestatycznie rozparty w fotelu Guya. Pozbawiony zwykłego miejsca Guy chodzi w tę i z powrotem przed rzędem zasłoniętych stojaków. Nie odwracając nawet głowy, Jeffrey podaje mi zestaw markerów.

— Guy — odkładam pisaki na stół. — Muszę powiedzieć Magdalenkom, kiedy dokładnie prześlemy im pieniądze.

— Uhm. — Guy z irytacją wysuwa szczękę.

— Więc jaką datę ustalamy? Muszę wyjść i oddzwonić, zanim zajmiemy się tym tutaj... Guy?

— *Tym tutaj*, Girl? — Zatacza rękami wielkie, okrągłe znaki zapytania. — *Tym tutaj* właśnie zdobywamy pieniądze na tę twoją drobną dobroczynność, więc wyluzuj, tak na pięć minut. — Pięć minut... i... start. — Dobra, Martho Stewart — rzuca zgryźliwie w stronę Jeffreya. — Kat będzie tu lada chwila, zobaczmy, co masz.

Kiedy mierzą się wzrokiem, znajduję sobie krzesło i siadam.

— Trzymaj to. — Jeffrey bierze pisaki ze stołu i z naciskiem wkłada mi z powrotem do ręki, całą uwagę skupia na naszym rozpartym w fotelu przywódcy. — Rex, myślałem, żeby podejść do tego tak jak do projektu, który realizowałem w Miami, biorąc poprawkę na to, że Kat jest znacznie bardziej na lewo. — Rex kiwa głową, nie podnosząc wzroku znad faktury z purpurowym napisem Wainwright, Ltd. w nagłówku. — A więc musi zatwierdzić projekt, koncepcję, wykonanie, budżet — odlicza na palcach — no i oczywiście musi się zdecydować.

Twarz Reksa się chmurzy.

— Policzyłeś podwójne nadgodziny dla całego swojego zespołu za ten weekend. Drogo.

— Chciałeś mieć to, co najlepsze — sucho odpowiada Jeffrey.

— Guy. — Rex upuszcza fakturę na biurko. — Cierpliwość banku się wyczerpała.

— Ja jestem gotów ruszyć z kopyta. — Guy podnosi w górę dłonie. — Jestem gotowy od lutego...

— Nie możemy za mocno naciskać. — Jeffrey wzdycha, poprawiając frędzel przy mokasynie czubkiem metalowego wskaźnika. — Pracowałem już z takimi jak ona. Tego typu osobowość lubi przymilanie.

— Bzdura, daj mi tylko z nią pogadać...

— Dobrze, idźmy dalej. — Rex macha ręką. — Jestem ciekaw spotkania z panią, która trzyma was za kolektywne jaja. — Zakłada ręce za głowę.

— Cześć, chłopaki. — Odwracamy się i Kat stoi w drzwiach w garniturze bouclé, pod którym ma pocięty w paski i hojnie pospinany agrafkami T-shirt oznajmiający „Tak wygląda feministka".

— Kat przyszła — anonsuje zza jej pleców zdenerwowana Stacey.

Jeffrey rzuca się, żeby ją ucałować.

— Kat, kochanie, przyszłaś przed czasem.

— Wiem. — Wzrusza ramionami, wymienia spojrzenia z Reksem, który nawet nie drgnął, po czym omija wszystkich, żeby przyłożyć czerwone usta do mojego policzka. — To jedna z moich słabostek. Cóż, zawsze mówię, że lepiej za wcześnie niż za późno. — Dla podkreślenia wagi tych słów klepie się po macicy, po czym opada na krzesło obok mnie. — No więc, co tam mamy, Jeffrey?

— Cóż, po pierwsze i najważniejsze, chciałbym przedstawić Reksa, prezesa Mojej Firmy.

Rex wstaje odrobinę zbyt wolno, na co Kat demonstracyjnie odwraca się tyłem do niego, w moją stronę.

— Udało ci się z powrotem zasnąć?

— Ee, tak. — Rzucam w stronę heteroseksualnej części pomieszczenia surowe spojrzenie, które mówi: „niczego sobie nie wyobrażajcie".

— Jeffrey, mam tylko pół godziny. Zaczynajmy.

Guy unosi brwi, patrzy na Reksa, przekazując nad głową Kat: *Mówiłem, że to suka.*

— Oczywiście, zaczynajmy. — Jeffrey klaszcze w dłonie. — Girl, rób notatki na tablicy. — Zajmuję stanowisko, ja, strażniczka pisaków, protokolantka, wiceprezes. — Od naszego piątkowego spotkania pracowaliśmy bez przerwy, przekopując obszerną bazę preferencji użytkowników MF, żeby znaleźć coś, co mogłoby posłużyć kampanii promocyjnej, mającej połączyć marki Bovary i *Lasek na dziko*. — Spodziewam się, że Kat uaktualni jego informacje, ale nic nie mówi. — *Fakty*, które poznajemy dzięki milionom kobiet codziennie odwiedzających portal MF, składają się na spójny obraz. Im *młodsza* modelka w reklamie, tym *więcej* kliknięć odnotowuje dany produkt. Bovary jednak chce zrewolucjonizować pokolenie starszych, bardziej ustabilizowanych kobiet, pracujących w korporacjach. Mając to na uwadze, proponujemy, aby te piękne panie... — dramatycznym gestem odrzuca zasłonę i odsłania makiety przedstawiające ciała na progu okresu dojrzewania, figlujące w scenerii jak ze szkolnej przerwy wiosennej, do których idealnie dopasowano pięćdziesięcioletnie głowy w stylu Catherine Deneuve.

— Hmm — mruczy Rex, pożerając wzrokiem numer trzeci, jedenastoletnie ciało na trampolinie z rozłożonymi rękami i nogami, z wstawioną za pomocą Photoshopa radosną głową matrony.

— Zaczniemy w miejscu, w którym skończył Calvin Klein — mówi Jeffrey, rozkoszuje się każdym słowem, wskazując ciało młodszej siostrzyczki Kate Moss, która zsuwa kostium kąpielowy i prezentuje fragment bezwłosego wzgórka, podczas gdy głowę ma w wieku emerytalnym. — Otwieramy pole starszym kobietom... — Jeffrey raptownie urywa, kiedy dostrzega kwaśną minę Kat. — Ale, oczywiście, jesteśmy elastyczni.

— Cóż, nie jest to *dokładnie* to, o czym myślałam. Piszę, skrzypiąc mazakiem: „Nie o tym Kat myślała". Guy zerka ukradkiem na Reksa.

— Ale, Kat, na tym etapie zainwestowaliśmy w twoją sprawę znaczące środki — zwraca się do niej, jakby strofował kapryśne dziecko. — I oczekuję czegoś wiążącego.

— Ależ chłopcy. — Kat odrywa oczy od kartonowych Chimer, żeby pogrozić palcem. — Chcecie mnie przygwoździć! — Jeffrey, a po nim Guy uśmiechają się z przymusem. — Mówiłam, że was powiadomię, kiedy tylko zarząd Bovary podejmie decyzję. W tej chwili jestem naprawdę zdana na ich łaskę. Kontynuujmy zatem, *jak gdyby*. Na razie jedź dalej z tym koksem. — Parska śmiechem, jej komórka zaczyna beczeć owczym głosem. *Cześć, Julia, skarbie, to ja. Kontynuuj jak gdyby. Dobra?* — Lepiej się czujesz...? No tak, mówiłam ci, że tequila po tym całym winie to głupi pomysł... Obudzę cię, kiedy wrócę. — Wrzuca telefon do torebki. — Liz rzyga jak kot. Poszłyśmy wczoraj wieczorem na niesamowitą imprezę i właśnie o tym chciałabym z wami porozmawiać. Im więcej o tym myślę, tym bardziej odrzuca mnie koncepcja doprowadzenia do małżeństwa mojej rewolucji z takim aroganckim palantem jak Jed Devlin. A więc nowa marka: Muffin.

— *Nowa* marka — powtarza Rex.

— Tak, *nowa* marka — potwierdza Kat. — Myślałam nad tym, *Laski na dziko*... to dobre na teraz, czyli już należy do przeszłości. Muffin to przyszłość. Urządzają imprezy całkowicie zorientowane na samorealizację rewizualizacji kobiecej seksualności. *Z kimś takim* powinno się związać Bovary... mój produkt w każdej torbie z upominkami i promowany na ich portalu internetowym...

— Tak, świetnie, Muffin. — Rex wyrzuca w górę ręce.

— Słucham? — Kat się jeży.

— Muffin, świetnie.

— Jestem całkowicie za — dodaje Guy. — Przyszłość. Imprezy. Kobiecy seks. Seksowne kobiety. Tak. — Kiwa głową zakłopotany. — Na pewno możemy się na tym oprzeć...

— Mamy umowę czy nie?

— Rex z pewnością chce przez to powiedzieć...

— Sam mówię we własnym imieniu, Jeffrey. Chcę przez to powiedzieć, że podpuszczalska suka z pani, młoda damo. I sprawia to pani przyjemność. Daliśmy pani sporo czasu. Znaleźliśmy sposób, żeby zamienić pani pomysły w konkrety. Wykazaliśmy się. — Rex wzrusza ramionami, jakby nie było już nic do dodania.

— Czyżby? Nie wiedziałam, że możecie sobie pozwolić na rozmowę z pozycji siły. — Kat wydobywa z siebie pomruk.

— No cóż, wszyscy jesteśmy dorośli — ciągnie Rex, a Guy nerwowo pstryka długopisem. — Powiedzmy wprost. Albo sranie, albo jazda z nocnika.

W gabinecie robi się cicho. Patrzę na każde z niech: Jeffrey, usta ściągnięte, oczy wzniesione, zdegustowany; Rex, pogardliwy uśmieszek, ręce założone za głowę; Kat, dumne czoło, powoli wsysa policzek między zęby; i Guy, blady jak ściana szarpie kołnierzyk, strużka potu spływa mu po skroni.

— Kat — zwracam się do niej z walącym sercem. — Moglibyśmy zrobić ten...

Chwyta torbę z podłogi.

— Girl, miło było cię poznać.

— No, no, Rex. — Jeffrey rozładowuje napiętą atmosferę śmiechem. — Ty to masz gadane.

— Kat, pozwól, że cię odprowadzę.

Czekam.

— Dzięki, ale podpuszczalska suka sama trafi do wyjścia. — Nie oglądając się, ostentacyjnie wychodzi z pokoju. Zabiera z sobą gwarantowaną przeze mnie wypłatę.

— Sprowadź ją z powrotem.

Jeffrey odwraca się od drzwi.

— *Sprowadź ją z powrotem* — powtarza Guy, jego wy-krzywiona twarz nabiera koloru głębokiej czerwieni.

Rex, zaskakująco spokojny, schyla się po kij golfowy.

— Mówi się „proszę" — zgryźliwie zauważa Jeffrey.

— Nie ty. Girl.

Drzwi do apartamentu Kat w hotelu Mercer uchylają się i pojawia się umazany tuszem policzek.

— Tak? — chrypi cienki głosik.

— Cześć! Cześć. Pamiętasz mnie? Z limuzyny?

Drzwi uchylają się szerzej i mała Liz owinięta w za duży frotowy szlafrok patrzy na mnie, wycierając brokat z prze-krwionych oczu.

— Jestem z MF. Przepraszam, że przeszkadzam, ale szukam Kat.

— A tak, pamiętam cię — mówi z akcentem arysto-kratycznego dziecka. — Ty jesteś Girl. Ta śliczna. — Wyco-fuje się ciężkim krokiem i puszcza drzwi na mnie. Łapię je, zanim się zatrzasną, wciskam się do zaciemnionego pokoju. Zasłony są zaciągnięte, a powietrze ciężkie od smrodu stęchłego dymu papierosowego. Klucze wśród aksamitnych poduszek z sofy, porozrzucanych po podłodze wokół stolika do kawy zachlapanego stearyną.

— Siadaj, proszę. Napijesz się? — Liz wyjmuje korek z otwartej butelki szampana, którą zdejmuje z telewizora gruntownie owiniętego jedwabną apaszką.

Siadam na brzeżku gołej ramy od sofy.

— Nie, dziękuję. Spodziewasz się, że Kat zaraz przyjdzie?

— Tak, wyskoczyła tylko na chwilę do jakiegoś spa, ma taką spokojną, seksowną nazwę. — Liz przebiera palcami w powietrzu.

— „Rozkosz"?

— Tak! — Wyrzuca w górę ramię jak u szkieletu. — Właśnie. Nie masz nic przeciwko, żebym wzięła kąpiel?

— Ee, nie, oczywiście, że nie, nie krępuj się.

— Wspaniale! — Odwraca się w stronę białych składanych drzwi i rozsuwa je, prezentując łazienkę. — Czy to nie cudownie? Amerykanie są tacy towarzyscy... uwielbiam to. — Prostokątna marmurowa wanna ciągnie się wzdłuż całego otworu drzwiowego. Liz odkręca wodę i hojnie wsypuje do niej większość niebieskiej soli ze słoika na brzegu.

— Wiesz co, chyba po prostu poczekam w holu. — Podnoszę się.

— Nie, nie, porozmawiaj ze mną. — Liz kręci się tu i tam, na chwilę staje w drzwiach między łazienką a korytarzem. — Jestem tu całe dnie, tak mi się przynajmniej zdaje. — Zrzuca szlafrok i zanurza swoje drobne, posiniaczone ciało w kolosalnej wannie. — Uff, zawsze jestem taka poobijana po tańcach.

Powoli siadam na leżącej na podłodze poduszce i staram się wyrzucić z głowy natłok poleceń wykrzyczanych do mnie przez GuyaJeffreyaReksa.

— Więc... to ty założyłaś Bovary?

— Och, zaczęłam robić majtki dla przyjaciółek, kiedy byłam jeszcze w Royal College. Kat była asystentką mojego taty i po prostu zakochałyśmy się w sobie do szaleństwa. Ja miałam fundusz po rodzinie mamy, a ona miała to jakmutam do biznesu. — Z roztargnieniem strzela palcami w powietrzu.

— Smykałkę?

— Jasne! — Chwyta się za nos i nurkuje pod wodę, zostawiając mnie na krótką chwilę samą.

— Twoja praca charytatywna jest godna podziwu — mówię, kiedy się wynurza.

— Wiem, jestem z tego naprawdę dumna. — Znajduje niedużą szczotkę z włosia i zaczyna szorować małe stopy. — Dwadzieścia pięć pensów z każdej transakcji na coś idzie. Możesz mi podać tę butelkę? — pyta, wyciągając rękę.

Biorę ciepły szampan ze stolika do kawy, gdzie go zostawiła, i podaję jej.

— Dzięki. — Pociąga kolejny, spory łyk, poklepuje brzeg

wanny, żebym usiadła. Moja spódnica wchłania bryzgi wody, a ja się zastanawiam, czy do następnego zlecenia MF będę musiała włożyć nogi w strzemiona. — Myślę, że o to w tym wszystkim chodzi, ale cóż, Kat właściwie jest tym... no...

— Kim jestem? — Otwierają się drzwi i wkracza Kat.

— Mózgiem! — wykrzykuje Liz radośnie, odnajdując zgubioną myśl. — Właśnie opowiadałam Girl o naszej filantropii. Udany masaż?

— Tak, kochanie. — Całuje Liz od niechcenia w czoło, a ja szybko wstaję. — A więc stary pierdziel przysłał ciebie.

— Nie! Co? Nie. Nie, jestem tu, bo... eee, tak. Noo tak, przysłał.

Kat zdejmuje spodnie, a ja wycofuję się z łazienki, kiedy siada, żeby się wysiusiać.

— Nie mogę powiedzieć, żeby mi było przykro, że cię widzę.

— Rex naprawdę żałuje swojego nietaktu — mówię w stronę zaciągniętych zasłon.

— Skurwiel. I nie mów, że masz inne zdanie. — Pauza, Kat prawdopodobnie sięga po papier toaletowy. — Słuchaj, Girl, sama też byłam niewolnicą. Znasz tatę Liz, Robby'ego Switcha, był producentem tych różnych gównianych zespołów w latach dziewięćdziesiątych? — Kiwam głową, siedząc ponownie na metalowej ramie kanapy. — Cóż, to była moja pierwsza robota po uniwerku.

— Mówiłam jej. — Liz ze złością prycha wśród piany.

— A mówiłaś, że jednym z moich rozlicznych zadań było zabrać na skrobankę laseczkę, która zaszła z nim w ciążę, bo chciał mieć pewność, że to zrobi... no szczyt szczytów i poza wszelkim pojęciem. — Parska z obrzydzeniem na samo wspomnienie, a Liz kończy szampana. — Dlatego nie muszę do tego wracać, dziękuję bardzo.

— Ale ty nie pracujesz dla Reksa, a ja tak. Słuchaj, do niego dotrze, że nie może ci pyskować, tylko daj mu szansę, żeby mógł się przyzwyczaić...

— Prędzej uciąłby sobie jaja spinką do banknotów.

— Ale to niebywała okazja! — Wstaję i błagam, przebijam się przez spuszczaną przez Kat wodę. — Obiecał dać milion dolarów organizacji charytatywnej, która ratuje ofiary białego niewolnictwa...

— Ten fragment mi się podoba — mówi Liz i grzebieniem rozprowadza odżywkę na włosach. — To służy naprawdę dobrej sprawie, Kat.

— Tak jest! — Z powrotem do nich wchodzę, gdy Kat zapina spodnie. — Ale będziemy mogli im pomóc tylko pod warunkiem, że się zaangażujesz. To bardzo w stylu Bovary... pieniądze zostałyby przeznaczone...

— *To* był tylko sposób, żeby wyróżnić naszą firmę na nasyconym europejskim rynku. — Kat macha ręką, grzebie w kosmetyczce. — Ale przykro mi, Girl, Liz, Amerykanki nie robią zakupów dla sprawy. One kupują majtki po to, żeby ktoś je przeleciał. — Z jednej z zamszowych przegródek wyciąga diamentowego roleksa i wsuwa na rękę. — Więc w jaki sposób możemy im pomóc, żeby ktoś je przeleciał?

— Kat, jesteś taka grubiańska. — Liz wychodzi z wanny i sięga po ręcznik. — Mamy *obowiązek* pomagać tym, którym mniej się poszczęś...

— Proszę, daruj sobie te świętoszkowate pierdoły. To pięknie, że nauczyli cię dobroczynności w tej twoje elitarnej szkole z internatem, ale *ja* prowadzę interes, z którego prawie każdy pierdolony cent idzie do budżetu państwa na uspołecznione *to* albo na uspołecznione *tamto*, więc naprawdę uważam, że, kurwa, *robię, co do mnie należy!* — Trzaska drzwiami do łazienki, prawie trafiając w Liz.

— Jak *śmiesz*?! — Liz otwiera drzwi, stara się nadążyć za Kat przez zawaloną poduszkami podłogę sypialni. — Beze mnie byłabyś *nikim*. Nie miałabyś *nic*...

Słysząc wyraźny odgłos wymierzanego policzka, ruszam w stronę drzwi wyjściowych.

— Weź się w garść — syczy Kat. — Jesteś taka nawalona, że zaraz pofruniesz jak pieprzony latawiec. To żałosne.

— Kitty, Kitty, przepraszam. Przepraszam, poczekaj! — szlocha Liz.

Kat wychodzi zdecydowanym krokiem z sypialni, po drodze pociąga mnie za sobą.

— Chodź.

— Powinnam sprawdzić, co z nią. — Milknę, bo Kat wyciąga mnie na słabo oświetlony korytarz.

— Nie — mówi, naciskając guzik windy. — Zawsze taka jest, kiedy się nie wyśpi. — Rozluźnia ramiona i sapie. — Liz jest bardzo namiętną osobą. Właściwie nie jest stworzona do robienia interesów.

Otwierają się drzwi do wyłożonej hebanem windy i w półmroku opadamy do holu. Kat rozpina torbę i wyciąga błyszczyk, nakłada go starannie, przeglądając się w panelu z przyciskami. Patrzę na nią przez mgiełkę niechęci, ona uśmiecha się do siebie, przechyla głowę na boki, po czym przeczesuje palcem włosy, żeby dodać animuszu sterczącym kosmykom. Kiedy drzwi się otwierają, znowu jaśnieje pełnym blaskiem.

— Posłuchaj, Girl — mówi i staje twarzą do mnie w bladofioletowej poświacie wnęki z windami. — Europejski rynek też jest obecnie w gównianej formie. To przedsięwzięcie ma teraz znacznie większe znaczenie, niż miałoby rok temu. Musi. Być. Spektakularne. Chcę, żeby to był Muffin. Ich członkowie to nasi docelowi klienci... wciągną nas bezpośrednio w strefę zysków. Zapamiętaj, co ci mówię, *to* jest nowa rewolucja seksualna. — Potrząsa głową. — I już słyszę brzęk pieniędzy.

— Brzęk pieniędzy, których strużka trafi do Magdalenek? — pytam spokojnie, ona kroczy przez hol.

— Myślę, że się rozumiemy. — Uśmiecha się do portiera, który przytrzymuje otwarte drzwi limuzyny, i zatrzymuje tuż przy nim, przekrzywiając głowę w moją stronę. — Podobasz mi się, Girl. Spodobała mi się twoja prezentacja. Podobał mi się wyraz konsternacji na twojej twarzy w towarzystwie tych bezużytecznych palantów. — Mruży oczy, taksując mnie od stóp do głów. — Masz w sobie coś, czego moim zdaniem brakuje w Bovary.

Sumienie?

Wyciąga okulary przeciwsłoneczne.

— Niezależnie od tego, jakie będą losy tej transakcji, chcę z tobą pracować. A ty?

Otacza nas stado turystów, dzięki czemu zyskuję chwilę, dopóki nie przejdą.

— Kat, jestem zaszczycona, naprawdę. Ale to, czego chcę, czego w tej chwili potrzebuję, to uzyskanie dla Magdalenek funduszy, które obiecał Guy. *Ja* obiecałam. Po prostu... to się *musi* udać.

Ręką zatacza wokół mnie krąg, jakby ogarniała moją aurę.

— Podoba mi się to. Spotkajmy się wieczorem. Możesz powiedzieć chłopakom, że przyjdę jutro na prezentację. — Pospiesznie zapisuje adres na odwrocie wizytówki. — Impreza jest o jedenastej. Spotkamy się na zewnątrz.

— Spróbuj serowych, to specjalność zakładu. — Julia przesuwa talerz krakersów Ritz z kupkami pomarańczowego musu. Biorę jeden, zaskoczona, że w Klubie Harwardzkim, bastionie elity społecznej i intelektualnej, specjalizują się w czymś, co tak bardzo przypomina topiony ser. Julia wcina swoją grillowaną kanapkę z wołowiną, serem i kiszoną kapustą. — Cóż, nie ma co ukrywać, musiało być niezręcznie.

— Było.

— Ale już po wszystkim.

Unoszę w górę brew.

— Ta cała Kat dała ci jeszcze jedną szansę. To, w czego osiągnięciu pomagasz Magdalenkom, jest nie do przecenienia...

— Julio, może nie dość wyraźnie powiedziałam: Kat ją spoliczkowała, i to mocno.

— Nie twierdzę, że to nie było przykre. Mówię po prostu, dodaj to do swojego bagażu doświadczeń. Mój jest już wystarczająco duży: posiłki przy samowarze z obsługą kuchenną, podczas gdy moi koledzy, mężczyźni, są obsługiwani od frontu, taniec erotyczny dla wszystkich. — Jej głos rozchodzi się w wyłożonym drewnianymi panelami pokoju. — Czy prowadziłam chociaż jedno spotkanie bez czyjejś ręki na moim kolanie?

Emerytowane kohorty w karmazynowych strojach spoglądają na nas znad zupy z małży.

— Nagle mam wrażenie, że moja matka znalazła się w tym hotelu razem ze mną. I czuję, jak tą pracą sprawiam jej zawód, zdradzam wszystkie zasady, które mi wpoiła, a teraz...

— Ona żyje w innym środowisku. Proszę bardzo, niech stanie na twoim miejscu i zrobi coś inaczej.

— Namalowała nad moim łóżeczkiem: „Powiedz mi, z kim przestajesz, a powiem ci, kim jesteś". Przywiązałaby Kat do szezlonga taśmą klejącą i przemawiała do niej, aż „pozbyłaby się złości".

— I dokąd by to miało cię doprowadzić? Naprawdę, Girl, czy złość Kat ma cokolwiek wspólnego z tym, co starasz się osiągnąć?

— Nic.

— Przypominam sobie protestujące kobiety, które mijałam, idąc do pracy. I gdzie są dzisiaj? W sali balowej hotelu Marriott toczą pianę z ust w sprawie pozwoleń na parkowanie. To performance art. Więc nie mieszaj do tego Grace. Nie należy mieszać matek i biznesu. — Julia starannie wyciera usta lnianą serwetką.

— Mówisz, jakby to było takie łatwe.

Julia wybucha szczerym śmiechem.

— Tak? Nie jest. Jest idiotycznie trudne. Ale nie umiem żałować tej Liz. Z tego, co mówisz, to otumaniona narkotykami gówniara, która, Bogu dzięki, wciąż ma sumienie i chce robić coś dobrego. Co stanowi szczęśliwy przypadek, bo mam na głowie trzy próby samobójcze, ciążę pozamaciczną, sześć zakażeń HIV i brak łóżek. Dlatego...

— Wiem — mówię szybko. — Dziękuję, że znalazłaś w tym natłoku zajęć czas, żeby mnie uspokoić.

— Oczywiście. — Julia otwiera skórzane etui, żeby wyjąć rachunek.

— Och, proszę, pozwól, chociaż tyle chciałabym zrobić. — Sięgam po rachunek.

— Nie bądź niemądra.

Oblicza napiwek, a ja patrzę na wyszczerbiony talerz z nadrukowaną szkarłatną literą H, tak jak na wszystkim w tej sali. Wypieram z pamięci odgłos policzka, skupiam się na liczeniu wszędobylskich spinek do krawata w kształcie litery H, eleganckich czerwonych apaszek i kolczyków Veritas, tak bezwstydnie powszechnych, że zdają się sugerować spodnią warstwę: tatuaże z literą H, stylowe czerwone stringi i biżuterię Veritas w przekłutych częściach ciała.

— No dobrze, Girl. — Julia wkłada długopis do przegródki skórzanego etui. — Pójdziesz na tę swoją imprezę, ja na mój bal dobroczynny, obie będziemy robić, co do nas należy. Z pomocą Bożą na koniec tygodnia Magdalenki będą miały pełną szkatułę. Okej? — Julia kieruje spojrzenie na moją zmartwioną twarz. — Nie sprowokowałaś tego, nie popierałaś tego, więc nie popadaj w obsesję. Po prostu rób swoje, jasne?

— Jasne — odpowiadam.

Julia proponuje mi ostatniego krakersa, ale odsuwam talerz w jej stronę.

— Jak chcesz. — Wkłada go do ust.

Wieczorem taksówka kluczy w dół Siedemnastej Alei, a ja staram się robić swoje. Wygładzam koszulkę bez rękawów z napisem TYLKO OGLĄDAM, wyszytym kryształami od Svarowskiego, i sięgam w dół, żeby wyciągnąć nogawkę dżinsów, która utknęła między piętą a podeszwą klapki na szpilce. *Drryń-drryń, drryń-drryń, drryń-drryń...*

— Halo? — Niezgrabnie otwieram nową komórkę.

— Udało mi się? Zadzwoniłem pierwszy? — głos Bustera dociera do mnie z przerwami.

— Tak! — Uśmiecham się szeroko. — To niesamowite, rozmawiam z tobą z taksówki przez mój własny telefon.

— Ale z ciebie maniak technologiczny — mówi ze śmiechem. — Dokąd jedziesz?

— Idę na taką imprezę z Kat, Muffin.

— Nie gadaj. To zajebiście. Zaczekaj, aż powiem Samowi. Camille ciągle tam chodzi, jest *członkiem klubu*.

— Rozumiem, robi wrażenie. A ty, co knujesz? — Wyciągam luźną nitkę z obrąbka koszulki.

— No właśnie, po to dzwonię. Wychodzę z jednym koleżką z pracy, znowu wieczór kawalerski, chciałem cię uprzedzić.

— Okej — mówię, ale nie jestem pewna, do czego ta rozmowa prowadzi.

— Nie ma problemu?

— Z czym?

— Nie, to śmieszne — mruczy. — Nie do wiary, że tu stoję i muszę do ciebie dzwonić.

— Gdzie stoisz?

— Klub Hustlera.

— Dzwonisz do mnie spod baru ze striptizem?

— Ty idziesz na seksparty!

— Buster, nie rozumiem, chciałbyś, żebym udzieliła ci zezwolenia?

— Nie wiem, przekazuję informację — mamrocze.

— Więc przyjmuję do wiadomości, że za chwilę spędzisz wieczór, płacąc kobietom, żeby zachowywały się, jakby chciały się z tobą pierdolić. Dziękuję za powiadomienie.

— Zachowujesz się w tej chwili jak kompletna hipokrytka.

— Jak dawno wiesz o tym wieczorze kawalerskim?

— Nie wiem, od paru tygodni.

— I mówisz mi teraz? Co byś zrobił, gdybym nie miała komórki?

— Chodzi o to, że ci mówię. Myślałem, że tego chciałaś. — Wzdycha. — Słuchaj, muszę lecieć. Pogadamy później. Wpadnę do ciebie.

— Dobrze — mówię. Mam już dość.

— Dobrze, czyli zgoda?

— Dobrze, czyli nie będziemy teraz o tym rozmawiać.

— Dobrze.

Zamykam telefon i wrzucam z powrotem do torebki. NiemamteraznatomiejscaNiemamterazatomiejscaNiemamteraznatomiejsca.

Przyczesuję włosy i zaczynam się czuć, jakbym była w szóstej klasie. Oblatane dziewczyny zaraz przeszmuglują mnie na pierwszy film od osiemnastu lat i spodziewam się... Nie wiem, czego się spodziewam. Naprawdę szczęśliwych kobiet. Spokojnych, zachwyconych kobiet. Kobiet, które na nowo definiują komfort. I czeku na milion dolarów.

W oparach uciążliwego zapaszku z pobliskich zakładów mięsnych Kat i Liz czekają w identycznych, krótkich satynowych trenczach.

— Cześć — mówię, niezgrabnie muskam podstawione policzki tuż pod namalowanymi na nich połyskującymi motylami.

— Ciao, kochanie! Zaczekaj tutaj. — Kat najwyraźniej doszła już do siebie po wydarzeniach dzisiejszego popołudnia. Ustawia nas w kolejce przytulonej do ceglanej ściany, po czym maszeruje wzdłuż barykad na linię frontu.

Odwracam się do delikatnie wibrującej Liz.

— Jak się czujesz? — pytam subtelnie.

Patrzy na mnie z pełną uwagą.

— Lepiej się czujesz?

— Aaa, taktaktak. — Kiwa gwałtownie głową. W jaskrawym świetle kilku nieosłoniętych żarówek oznaczających wejście jej oczy są jak niebieskie, pozbawione źrenic spodki. — Tak, nicdziśniepiję,właśniezażyłammetadonittomipowinnowystarczyć, chcesz trochę? — gada jak nakręcona, po czym przysysa się do butelki z wodą.

— Nie, dziękuję.

— Dobra, jedziemy! — Kat pojawia się ponownie, chwyta Liz za tyłek i popycha obok kolejki, w której czeka zaskakująco wielu mężczyzn.

— Facet, nigdy nie zgadniesz, gdzie jestem — radośnie obwieszcza swojej komórce jeden z mijanych mężczyzn. — Jestem w Muffin...Wiem! Za każdym razem kiedy tu przychodzę, zaliczam bzykanko.

Kat sięga do tyłu po moją rękę i mijamy zaporę ze sznurów. Wchodzimy, Kat patrzy ze zniecierpliwieniem, jak Liz pokazuje swoją kartę Muffin i mozolnie odlicza z rolki pięćdziesiątki, żeby mnie wprowadzić, jako gościa.

— Tędy, kochane! — Kat rozchyla aksamitne zasłony i kiedy wchodzimy do klubu oświetlonego jak dyskoteka i naszpikowanego błyskotkami, usianego grupkami innych przybyłych przed czasem gości, uderza w nas muzyka. Na scenie mistrz ceremonii, gibki mężczyzna z ostrym makijażem, w krótkim topie i czerwonych winylowych biodrówkach, chodzi tam i z powrotem. Rozgląda się po sali, mikrofon ma ustawiony pod błyszczącymi ustami.

— *Dalej, napalone boginie, ruszamy do tańca!*

— Ho, hoo! — Kat, z prawą ręką wciąż na tyłku Liz, lewą podnosi moje ramię do uroczystego wiwatu, do którego przyłączają się inne małe grupki dwudziestoparolatek w ciuchach w stylu agent provocateur.

Idę za nimi po schodach do oddzielonej sznurem strefy dla VIP-ów za głośnikami.

— A, współzałożyciele rewolucji! — Kat wykrzykuje na powitanie do pary o kruczoczarnych włosach, na oko w moim wieku. Szczupli, piękni i kompletnie androginiczni, oboje odpowiadają niemrawym machnięciem z sofy pokrytej skórą lamparta, na której zalegają wśród wielkich butli szampana. Kat zsuwa trencz, po czym ściąga płaszcz z chwiejącej się Liz, odsłaniając takie same przejrzyste topy i dżinsowe spódniczki, zaledwie dotykające ich ozdobionych podwiązkami ud. Teraz ja zdejmuję marynarkę i kładę ją razem z innymi. Pod nami zaczynają się gromadzić ludzie, hip-hop robi się głośniejszy, kobiety szybko się rozbierają, prezentując nagie piersi, gdy mężczyźni spokojnie przechadzają się w garniturach. *Śniadanie na trawie*, teledysk.

— Drinka kochanie? — Kat częstuje się miniaturową butelką pipera ze srebrnego kubełka z lodem.

— Pewnie — odpowiadam, gapię się na rewolucję, która na razie zdradza uderzające podobieństwo do starego reżimu.

— Romy. — Kobieta z króciutko ostrzyżonymi włosami kiwa mi głową w ramach prezentacji. — To mój brat Remus. — Ujmuje moją dłoń w wiotkim i wilgotnym uścisku.

— A to moja Dziewczynka Girl. — Kat wślizguje się na sofę, w wąską przestrzeń między nimi, zostawiając mi przyciągnięcie dwóch ciężkich otoman. Liz siada na brzegu swojej na niecałą minutę, po czym podskakuje i rozpoczyna gorączkowy taniec obok naszego stolika.

— Dostaliście paczkę, którą wam wysłałam? — pyta Kat.

— O tak — Romy chichocze, spogląda na kiwającego głową brata, szukając potwierdzenia. — Te bez kroku były genialne... bardzo w stylu Muffin. Myślę, że świetnie by się tu sprzedawały.

— No pewnie! — Kat kciukami wypycha korek, który uderza w sufit.

— Pracujesz w Bovary? — zwraca się do mnie Remus, podając drugiego pipera.

Unoszę pierwszego, prawie pełnego.

— Nie, zalecamy się do Bovary, żeby zostać konsultantem ich wejścia na rynek.

— Ach, jesteś poddaną McKinseya.

— Pracuję w Mojej Firmie. — Bliźniaki wymieniają spojrzenia.

— Chyba nie powiesz, że z *nimi* flirtujesz? — Remus zwraca się z pytaniem do Kat, ściąga czarne brwi. — To znaczy, bez obrazy, ale oni gówno wiedzą...

— Nie znają się na cipkach — chichocze Romy, jej małe

piersi na moment uwalniają się z dekoltu koktajlowej sukienki.

Nagle ścieżka dźwiękowa wywiadu wyświetlanego na ekranach zamontowanych wokół sali zastępuje muzykę.

— No, jestem... osobą seksualną. — Al Goldstein trzyma mikrofon przy ustach krzykliwie ubranej rudej dziewczyny. — Po prostu... kocham seks. — Pociąga czerwonym nosem, przesuwa pod nim dłonią z długimi pazurami. — Strzeliłam dziś podwójnego anala — mówi tępo.

— Rany — Al puszcza uśmieszek do kamery. — Na to chętnie bym się załapał.

— Było naprawdę... fajnie.

— Przypuszczam. — Obleśny uśmieszek. — Pewnie dochodzisz na okrągło.

Ona mruga sztucznymi rzęsami.

— Jasne. Dochodzę już, kiedy parkuję pod studiem.

— Założę się, że w tej chwili też dochodzisz.

— Co? A tak, tak, dochodzę. Po prostu uwielbiam seks. Po prostu jestem... bardzo seksualną osobą.

— Hej, kiedy masz następny casting?

Kobieta mruga w jaskrawym świetle, top z logo Muffin zjeżdża w dół, odsłaniając górny brzeg nabrzmiałych do rozmiaru spodków sutków. — Po prostu jestem... bardzo seksualną osobą. Po prostu... kocham seks.

— I seks kocha ciebie. Za chwilę wrócimy do rozmowy z Ginger, legendą przemysłu wideo, która występuje *na żywo* w klubie Muffin w Nowym Jorku, więc zostańcie z nami!

— Dostęp do telewizji kablowej. Nowe terytoria Muffin — oznajmia Remus.

— A skoro o tym mowa — pytam z nadzieją — kiedy Muffin zaczyna?

— No właśnie — rzuca Remus. — Przepraszamy na chwilę. — Schodzą po schodach na scenę, gdzie mistrz ceremonii przekazuje im mikrofon. — Próba mikrofonu! — krzyczy Remus, uśmiecha się szatańsko, a jego głos grzmi ponad pełnymi oczekiwania twarzami. — Witam wszystkich i każdego po kolei na naszej Pierwszej Dorocznej Imprezie Wyzwolonych Warg! — W rozentuzjazmowanym tłumie wybuchają okrzyki i wiwaty. — Tym, dla których dzisiejszy wieczór jest pierwszym Spektaklem Muffin, powiem, że jesteśmy wieloplatformową firmą produkcyjno-rozrywkową dla młodych heteroseksualnych kobiet, które uosabiają współczesny kobiecy seksualny styl życia! — Niezręczna cisza. — I jesteśmy po to, żeby was rozgrzać! — Gorące owacje.

— Czy to nie boskie? — Usta Kat znajdują moje ucho. Czy *co* nie jest boskie?

— Dziś wieczorem przynosimy rewolucję wargom, którym odmawia się swobody w naszej kulturze wstydu! — Romy unosi szczupłe ramię w górę w geście wsparcia, a on ciągnie: — Chcemy, żebyście korzystały z warg, żeby wyrazić swoją wolność i indywidualność. Niech będą na ustach wszystkich! Użyjcie warg, żeby wykrzyczeć swoje imię!

Pod sufit wznosi się ochrypła mieszanina imion wykrzykiwanych piskliwymi sopranami.

— *Kaaaaaaat!* — ogłusza mnie jej wrzask.

— Ogłoście swoje prawa Muffinek! — rozkazuje Remus.

— Nagość! Klapsy! Dojść! Szaleć!

Włącza się, żeby wydać ostatnią instrukcję:

— A teraz... *chwytajcie za fiuty!* — Romy udaje, że sięga drobną dłonią w stronę krocza brata, a prowadzący wtacza na scenę okrągły stolik, na którym stoi sztuczny penis, wysoki na trzy stopy, wystawiony jak tort weselny. Na parkiecie wybucha szalony wrzask, na scenę wdzierają się starannie uczesane kobiety w samych majtkach, zupełnie jakby ktoś krzyknął: „Pali się!" w trakcie pokazu Victoria's Secret.

— Ssijcie go! — krzyczy aseksualny mistrz ceremonii, który tymczasem odzyskał mikrofon.

Mężczyźni w tłumie aż się trzęsą z zachwytu. Wypychają biodra w garniturowych spodniach w prążki, oferując swoje instrumenty wyzwolenia. Uniosłam brwi tak wysoko, że niemal zniknęły pod włosami. Romy i Remus przeciskają się przez rosnący tłum harcowników i wbiegają schodami na górę. Sięgają po nowe butelki i opadają na sofę, ponownie biorąc Kat w nawias.

MiliondolarówmiliondolarówmiliondolarówNieJack-LemmonNieJackLemmonNieJackLemmonNiemieszasię-matekibiznesuNiemieszasięmatekibiznesuNiemieszasięmatek-ibiznesu...

— Widzisz, Kat — Romy wraca do rozmowy bez śladu chichotów, z kamienną twarzą. — Nie potrzebujesz ludzi z jakiegoś przebrzmiałego portalu zajmującego się urodą, udających konsultantów. W ogóle nie potrzebujesz konsultantów, kropka. — Prr, prr, prr! — Kat, sprzedawanie seksu to nie neurochirurgia. Kobiety *chcą* wierzyć, że *to*, najbardziej akceptowana komercyjnie droga, może zmienić świat — peroruje najwyraźniej podniecona znalezieniem publiczności, która wysłucha jej filozofii marketingowej. — Sprzedajemy im wizję, zgodnie z którą wyzwolenie to publiczne seksualne występy przed męską widownią. I że powinny czuć się tym *uświęcone*.

— Kto nie chciałby przeprowadzić rewolucji, leżąc na wznak? — dodaje rzeczowo Remus.

Ja?

— Zrób mu dobrze... zmienisz świat — mruczy Kat z uznaniem, a wokół nas podrygujące głowy w ciemnych kątach najwyraźniej ten postulat realizują.

— Właśnie tak. Jeżeli im to sprzedamy, kociątko Kat, zrobimy z Bovary ogólnokrajową markę w ciągu pięciu miesięcy.

— Ale w umowie jest mowa o wzajemności — podejmuje Remus. — Pozwalamy twojej marce związać się z naszą przy wejściu na rynek w Stanach, a w przyszłym roku Bovary promuje Muffin na rynku europejskim.

Romy kładzie dłoń na obciśniętym pończochą kolanie Kat.

— Jesteśmy już w Miami i w Vegas. W przyszłym miesiącu startujemy w Los Angeles i Chicago.

— Rozejrzyj się... — Remus wskazuje parkiet, który

przeistoczył się w bachanalia w Bergdorfie, gdzie starannie wypielęgnowane palce wczepiają się w pasemka od Frederica Fekkai, ciemna opalenizna z St Bart's uderza w spocone torsy, pijane języki oblizują czerwone podeszwy trzymanych wysoko szpilek od Christiana Louboutina. — To nie są urzędnicy średniego szczebla. Muffinka bez mrugnięcia okiem zapłaci trzy setki za stanik... twoje produkty wykupią na pniu.

— *Jeżeli* im każemy — dodaje Romy, oblizując się jak kotka, jakby z jej ust mogło wypaść piórko kanarka. — Bo, rozumiesz, kto mógł przypuszczać, że uda nam się je namówić na kupowanie szklanych sztucznych fiutów? — Remus wybucha śmiechem i kładzie głowę na jej kolanach. Siostra przeczesuje palcami jego ciemne loki i wylicza: — Założył się ze mną, że nie dam rady, a sprzedaliśmy za pośrednictwem Internetu *ponad dwieście. Szklane! Fiuty!* — Wolna ręka Romy wciąż spoczywa na kolanie Kat, palce zaczynają wędrować w górę uda.

— Zabawne! Mogłabym produkować sztuczne fiuty — mówi Kat i chwyta podskakującą Liz za pasek mini, bo o mało nie wypadła przez balustradę. — Mogłabym umieścić etykietę Bovary na czymkolwiek. A, jak mówiłam, chcę mieć w ręku kobietę ze szczytów świata korporacji. To wielki, niezagospodarowany rynek, który tylko na nas czeka.

Remus prostuje się, żeby spojrzeć Kat w oczy.

— *Jeżeli* będziesz gotowa pozbyć się kuli u nogi, którą jest dla ciebie dobroczynność. — Ruchem głowy wskazuje w stronę Liz, która siedzi odwrócona plecami, patrząc w dół na parkiet, i tylko ja widzę, jak zaciska oczy, kiedy Remus mówi dalej: — Powiedz Mojej Firmie i wszystkim pozostałym konsultantom, żeby poszli się pieprzyć. Bovary i Muffin zjednoczą marki, żeby wprowadzić was na rynek i przedstawić Ameryce nową odmianę wyzwolenia... bardzo lukratywną. Umowa stoi? — Remus pstryka palcami i pojawia się naga kelnerka z ustawionymi na lodzie małymi kieliszkami z przezroczystym płynem. — Wypijemy za to?

— Och, Remus. — Kat grozi mu palcem. — Próbujesz mnie przygwoździć! — Najwyraźniej dręczona patologicznym lękiem przed zaangażowaniem się, Kat stuka się z nimi. — Za monogamię! W łóżku, ale nie w zarządzie!

— Nie marnuj naszego czasu, Kat. — Remus karci ją surowo, wywołując u mnie uczucie déjà vu.

Kat pociąga długi łyk z kieliszka, przedłużając ostatnie chwile wolności. Wstrzymuję oddech. Dłonie Liz zaciskają się na czarnym aksamicie, oczy ma zaciśnięte.

— Remus, umowa stoi.

Pokój zaczyna się kołysać.

— Cudownie! — Romy klaszcze w dłonie, pochylając się, żeby objąć Kat, nowy triumwirat wymienia delikatne pocałunki w usta. Sznur oddzielający przestrzeń dla VIP-ów opada i pojawia się pijana tancerka, która podryguje między mną a pozostałymi, jej stringi służą jako lokomotywa, za którą ciągnie się cała kolejka kobiet. Poprawiam się na otomanie i czuję, jak zimna dłoń Liz chwyta moją. Bliźniaki unoszą się z sofy niczym balony wypełnione gorącym powietrzem, żeby dołączyć do wijącego się korowodu tańczących sambę.

— Zdrówko! — Kat wychyla do dna i podąża za nowymi towarzyszami zabawy.

Nagle Liz i ja zostajemy same, zapomniane, ściskając się za ręce.

— Powinnyśmy się napić — odzywa się i sięga do kubełka z lodem.

— Co? — Mój głos brzmi jakoś dziwnie. Czuję się, jakbym spadała; to gorsze niż gdybym wyleciała z pracy. Nie ma klienta dla Reksa, nie ma pieniędzy dla Julii.

— Liz, potrzebuję tego miliona dolarów. Czy nie mogłabyś...

— Trzymaj. — Potrząsa przede mną kieliszkiem. — Weź to. Wypij.

Wypijamy po jednym, potem jest następny i jeszcze jeden, cały czas trzymamy się za ręce, a muzyka obmywa nas jak fale. Kiedy puszczam jej rękę, odsuwa się i zwija w kłębek na pustej sofie, usta poruszają się, recytując tekst piosenki, jakby odmawiała szeptem różaniec, dzikie oczy śledzą migotliwe światła na parkiecie.

Schylam się, żeby zbliżyć twarz do jej twarzy.

— Liz, masz władzę, która pozwala ci robić naprawdę dobre rzeczy.

Jej oczy skupiają się na mnie, a potem zamykają się z wolna.

— Popłynęłam — szepcze tak cicho, że tylko widzę, jak drobne usta układają się w kształt tych słów. Łzy lecą jej strumieniami, rozmazują malowanego motylka, drobna postać trzęsie się od nadmiaru emocji.

Wódka uderza mi do głowy.

— Liz! — ujmuję jej ramiona.

Wzdryga się.

— Jestem skończona — mówi płaczliwie, otwiera oczy i stara się usiąść. — Chce mnie wykupić, więc *dobrze*.

— Wykupić? — mrugam, bo obraz Liz zaczął mi się zmieniać w trzy zamazane odbicia.

Kiwa głową, wycierając łzy.

— Dała mi dokumenty w Los Angeles, ale nie myślałam, że mówi poważnie.

— To idealnie! Możesz zacząć na nowo, robić coś innego i Magdalenki byłyby doskonałym...

— Nic, *kurwa*, nie rozumiesz, prawda? — Zatacza się, żeby wstać i maca w poszukiwaniu płaszcza, gwałtownymi szarpnięciami wywleka go zza sofy. Potykając się, schodzi ze schodów prosto w tłum Muffinek, które wykonują taniec erotyczny przed swoimi mężczyznami.

Idę za nią, ale znika mi z oczu. Szukam jej, kluczę wśród tańczącego tłumu w kierunku wyjścia, remiks *Erotiki* Madonny wali jak młotem, obijają się o mnie spocone błyszczące kończyny. Wyciągają się do mnie ręce, alkohol otwiera mi w mózgu klapkę i zaczynam słyszeć: Poddaj się, rób, co każę, poddaj się i pozwól mi zrobić to, co chcę. Palce wplątują się w moje włosy. Zamykam oczy, pozwalam umysłowi potoczyć się w tył, kołyszę biodrami w takt, zapadam się w muzykę coraz głębiej i głębiej. Czuję miękkie wargi przyciśnięte do mojej szyi, po kręgosłupie przechodzi dreszcz. A potem się całuję. Całujemy się. I to nie jest Buster. I chcę do domu. Otwieram oczy i odsuwam się.

Od Kat.

Robię chwiejny krok do tyłu. Ona się wywija, unosi ją strumień pulsujących ciał.

— Czekaj! — woła przebrany za cherubina hiphopowiec, kiedy przedzieram się przez aksamitną kurtynę. — Twoja torba z upominkiem! — Wciska mi w dłoń srebrny uchwyt, pierzaste skrzydła uderzają mnie w ramię. Wypadam na chodnik, łapię wielkie hausty powietrza, niemal przewracając się o kartonową tabliczkę należącą do chłopca, który siedzi zwinięty w kłębek obok śpiącego mastiffa. Trzy chichoczące blondynki wysiadają z taksówki, rzucam się do środka i kiedy włączamy się do ruchu, przewracam na bok, zbyt pijana, żeby utrzymać pion.

W domu mocuję się z kluczem, otwieram na oścież drzwi mieszkania i wtaczam się do ciemnego wnętrza. Znajduję łóżko, wspinam się na nie i siadam okrakiem na krzepiącej sylwetce w pościeli, którą jest mój chłopak.

— Obudź się — mówię i całuję go w ucho. Usta Bustera reagują, zanim jeszcze w pełni oprzytomniał.

— Inaczej smakujesz — mówi, ale ja już ściągam ubranie w gorączce nasączonego alkoholem aktu skruchy i pożądania. Toczymy się po łóżku, wbija się w nas srebrna torba z upominkami. — Co jest w torbie?

— Nie wiem — mruczę w jego szyję, ściągam mu bokserki.

Wyjmuje czarny jedwabny sznur i uśmiecha się do mnie.

— Powiedz mi, jak było.

Patrzę na niego w pijackim oszołomieniu.

— Nie, ty mi powiedz.

Odwraca mnie szybkim ruchem, wiąże ręce na plecach. Zaczynam się śmiać, nerwowy śmiech w poduszkę, nawet nie jestem w stanie wyrazić, czy chcę w ten sposób, czy nie, mam wrażenie, że wszystko, co dzieje się z moim ciałem, dociera do mnie całe minuty po wydarzeniach. A ja próbuję to nadgonić. A ja próbuję to nadgonić. Próbuję. Nadgonić. Próbuję. Nadgonić. Mrugam, oczy zamknięte, oczy otwarte, twarz wciśnięta w poduszkę, jego oddech na mojej szyi. Bez twarzy, bez słów, bez miłości.

Trzęsąc się gwałtownie, wycofuję się do łazienki, tam zwijam się w kłębek pod prysznicem, płaczę pod wodą, nie umiem się wynurzyć, wytrzeźwieć ani zrozumieć, co się nam przydarzyło.

Rozdział 11

Czekaj no, wiesz, do czego byłabyś idealna?

Wchodzę do recepcji, w jednej ręce ściskam wgnieciony kubek z kawą, a drugą przykładam do pulsujących skroni. Uch. Zaczynam kroczyć po cementowej posadzce MF, gdy nagle znajduję się w centrum wielkiej migracji. Wszyscy pracownicy opuszczają biurka i gromadzą się w odległym kącie biura, gdzie, jak widzę, przygotowano rzędy składanych krzeseł. Uch. Pozwalam się nieść prądowi, który osadza mnie na metalowym siedzeniu w tylnym rzędzie, gdzie znowu zginam się wpół. Czuję się paskudnie, tak skacowana, że musiałam dwa razy wysiadać z autobusu, żeby zadośćuczynić nudnościom. Siłę napędową daje mi determinacja, żeby przekonać Reksa do wytrząśnięcia z banku funduszy dla Magdalenek. To oraz widmo głośno chrapiącego Bustera, rozwalonego w poprzek mojego materaca.

— Proszę o ciszę! Wszystkie oczy tutaj! — Kipiący energią Jeffrey rozrywa mi bębenki, dmuchając w gwizdek trenerski, żeby skupić na sobie uwagę. Nie troszcząc się o tych z nas, którzy siedzą naprzeciwko wielkiego okna na całą ścianę, podnosi żaluzje. Promienie słońca oświetlają parafernalia klubu Muffin, uderzające w oczy z każdej płaszczyzny. Odbija mi się tostem.

— Czas nabrać energii! Weźcie po jednym i podajcie dalej. Weźcie po jednym i podajcie dalej. — Jeffrey sunie wąską alejką między krzesłami, rozdając fiszki. Staram się skupić przesuszone oczy na drobnym druku, który zaczyna się od listy zwrotów „zatwierdzonych przez firmę Muffin". — Proszę o uwagę! Rozumiem, że nie mieliście żadnego zebrania od miesięcy, więc oczekuję od was *pełnej* koncentracji. Zwołaliśmy was dzisiaj, żeby pokazać naszemu nowemu klientowi, firmie Bovary, że największym majątkiem Mojej Firmy jesteście *wy*, jej zespół pracowniczy, trust mózgów. W tym celu każdy otrzymał listę wypowiedzi dotyczących klubu Muffin. Proszę natychmiast nauczyć się ich na pamięć. — Wszyscy niepewnie kiwają głowami. — Przeprowadzimy burzę mózgów, kiedy przyjadą przedstawiciele Bovary.

No właśnie, jeśli o to chodzi.

— Jeffrey? — Podnoszę rękę i wzdrygam się, boleśnie rażona dźwiękiem własnego głosu.

— Później, Girl. Burza mózgów przebiegać będzie w sposób następujący: entuzjastycznie zwrócę się do was z prośbą o „wkład". Wy macie podawać „pomysły" wypisane na kartach, które właśnie rozdałem. Uwaga, za każdym razem, kiedy poprawię krawat, to będzie sygnał do natychmiastowego zgłoszenia się. Ci, którzy mają na karcie literę A, mówią w pierwszym kwadransie, B, w drugim, a, ci, co mają C, będą służyć wsparciem w pierwszym i drugim kwadransie. Uwaga, chcę, żeby wszyscy spojrzeli teraz na zegarki i sprawdzili, czy wskazują dziewiątą siedem. Iiiiiiii... start.

— Jeffrey, myślę, że powinieneś wiedzieć... — Podnoszę rękę do góry, aby uniknąć tego festiwalu beznadziei.

— Nie. *Teraz.* — Jego syk od razu powstrzymuje wszelkie moje wiceprezesowskie odruchy, żeby pomaszerować na środek sali, gdzie, jak uczy doświadczenie, a) wręczono by mi pisaki, b) przebrano w bikini, lub c) bito by mnie po głowie.

Dobra. Jak sobie chcesz. Podczas gdy moi koledzy krzywią się, nic nie rozumiejąc, daję odpocząć pulsującym oczom. W ciągu kilku sekund odchodzę w niebyt, broda mi opada, umysł spiralnym torem wraca do łóżka, sznur ociera mi się o nadgarstki, ja się wiję, usta przyciśnięte do poduszki. *Próbuję. Nadgonić. Próbuję. Nadgonić.* Bawełna grzeje mi skórę, stoję przyciśnięta do Kat, tłum męskich twarzy jak z obrazu Toulouse Lautreca patrzy pożądliwie.

— Chryste, gdzie ona jest? — budzi mnie nagle głos Guya.

Spoglądam na zegarek, prawie dziesiąta. Widzę, że obaj moi sąsiedzi ukradkiem grają w stonogę na swoich palmtopach. Patrzę na masę niespokojnych głów z przodu. Guy drapie się w zaczerwienioną twarz z wysypką po goleniu. Jeffrey nie wygląda na zadowolonego.

— Girl!

— Tak?

— Wstań, nie widzę cię. — Jeffrey macha w moim kierunku.

Morze głów odwraca się w moją stronę, ja się podnoszę.

— Ona nie przyjdzie.

Opadam na siedzenie.

— Co? Dlaczego? — dziwi się Jeffrey, zdejmując okulary.

— Dlaczego? — powtarzam.

— *Dlaczego?* — z naciskiem pyta Guy. — Gdzie ona jest? Odbywa kazirodczy stosunek w trójkącie?

— Porozmawiajmy o tym w twoim biurze, Guy.

— Byłaś z nią wczoraj wieczorem. — Brwi unoszą się nad losem gejszy z Mojej Firmy. Podniecone pomruki.

— Guy, może lepiej nie...

— *Chryste panie, po prostu odpowiedz* — wybucha.

— Dobrze. Kat i ludzie z klubu Muffin świetnie się dogadali...

— No to super! — przerywa, wyrzucając dłonie w górę, a jego podniecenie nabiera cech maniakalnych. — Więc dzwonimy do niej i zaczynamy!

— Guy, naprawdę nie sądzę...

— Jeffrey, zrób to.

Dobrzedobrzedobrzedobrze, to twój pieprzony problem. Jeffrey odwraca się od nas.

— Panie i panowie, nasz klient najwyraźniej nieco się spóźnia...

— Nieco? — prycha ktoś za mną.

Nasz klient? — prycham sama do siebie.

— Zatem przeprowadzimy to spotkanie przez głośnik. Obowiązują te same zasady i instrukcje, tylko teraz nie będzie nas ograniczać jej obecność, więc będę mógł wskazywać, kiedy zechcę, żeby ktoś uczestniczył w rozmowie. — Guy opada na krzesło ustawione przodem do tłumu, a Jeffrey wstukuje numer do urządzenia do konferencji na odległość, które wygląda raczej jak miniaturowy model UFO.

— Hotel Mercer, z kim mam połączyć?

— Pokój sześćset dwanaście — instruuje Jeffrey.

— Halo? — chrypi głos Kat, a mnie zalewa kwas.

— Dzień *do*-bry, Kat!

— Kto mówi?

— Tu Jeffrey i Guy oraz cała rodzina Mojej Firmy. Tak bardzo chcemy z tobą porozmawiać o twoich Muffinkach, że pomyśleliśmy sobie, skoro ty nie możesz przyjść do Mojej Firmy, Moja Firma przyjdzie do ciebie! — szczerzy się do UFO, podczas gdy Guy niecierpliwie bębni w stół. — Tak jest, zebraliśmy *całą* firmę... i szkoda, że tego nie widzisz, Kat, robi spore wrażenie...

— Posłuchajmy więc — mamrocze ponuro Kat.

Jeffrey chichocze, jakby rzuciła jakiś żarcik.

— A zatem, oczywiście wyszłoby to bardziej naturalnie, gdybyś była tu z nami...

— Jak wczoraj obiecałaś — wtrąca Guy, patrząc na mnie spode łba.

— Ani tu, ani tam! — Jeffrey gładko go zagłusza. — Tak czy owak, zgromadziliśmy się, aby zaplanować, jak rozegramy kampanię Bovary—Muffin. Rex nie mógł dziś być z nami, ale czeka w pełnej gotowości i wprost się pali, żeby poznać twoją opinię o naszych planach.

— Nie wątpię.

— Kat, powinnaś to zobaczyć, sala kipi, po prostu kipi od

pomysłów. Okej, okej, po kolei, każdy zostanie wysłuchany. Tak... ty! — Gwałtownym gestem przyzywa kobietę siedzącą kilka rzędów dalej, ta z fiszką w garści pędzi zająć miejsce z przodu sali.

— Cześć, jestem Marsha. Mam... — Przebiega wzrokiem kartę — Mam doktorat. Doktorat? — Jeffrey rzuca jej wściekłe spojrzenie. — Doktorat. Z marketingu i... seksuologii?

Jeffrey dyryguje akcją, wskazuje poszczególnych pracowników, którzy muszą przepychać się między sobą, żeby dotrzeć do stołu, gdzie prawie wdusza im mikrofon do gardła, a oni sztywno deklamują jego „pomysły". Na sali panuje wkrótce przytłumiony chaos, wszyscy szykują się na wezwanie Jeffreya wśród pola minowego ciasno stłoczonych krzeseł. Ale kiedy nagle, bez uprzedzenia, każe dzielić się „własnymi przemyśleniami", wszyscy nieruchomieją, w panice sprawdzają obie strony trzymanych fiszek, potem patrzą bez słowa jeden na drugiego, niepewni, czy mają je faktycznie ujawnić.

— Jeffrey.

— Tak, Kat?

— To koniec. — Nareszcie. — Idziemy w innym kierunku. Jeffrey otwiera usta, potem je zamyka.

Guy blednie.

— Jakim kierunku... dlaczego?

— Bo Rex to kutas. Bo nie potrzebuję konsultantów. Możecie mu to powiedzieć w moim imieniu?

— To żart? — pyta Guy, jego czoło perli się potem.

— Jest *nieprzyzwoicie* wczesna godzina jak na żarty. Powiedzcie po prostu Reksowi, żeby poszedł się jebać. — Niezręczny stukot odkładanej słuchawki, po czym sygnał przerwany przez Guya, który wali dłonią w klawiaturę telefonu.

Wszyscy trwają w kompletnym bezruchu, kolektywnie wstrzymują oddech.

Nagle w powietrzu rozlega się klaśnięcie. Guy wstaje,

klaszcze głośno w ironicznym aplauzie. Klap. Jak policzek dla Jeffreya. Klap. Klap. W naszą stronę.

— Pięknie! Dobra robota! Naprawdę *znakomita robota*! — Opuszcza ręce, robi się czerwony na twarzy, a Jeffrey przebiera minę człowieka ubawionego widokiem warczącego szczeniaczka. — *Ja* robię wszystko, żeby utrzymać tę pierdoloną firmę na *powierzchni*, a wy, dupki jebane, nie potraficie się zmobilizować nawet na jednym marnym zebraniu?! — pluje z wściekłością. — To jest praca zespołowa, dzieciaki. *Weźcie się wreszcie w garść!* — Wybiega z sali i trzaska drzwiami z taką złością, że cała szklana ściana wpada w drżenie. Och-kej.

Wszyscy wyglądają na zmieszanych, z wyjątkiem Jeffreya, który ostrożnie podciąga nogawki i siada. Drzwi znów gwałtownie się otwierają.

— Zrobimy tak! — Guy wielkimi susami wraca środkowym przejściem między krzesłami, emanując ewangeliczną pewnością. — Ludzie, musicie się wszyscy *sprężyć*. Jesteśmy firmą konsultingową, więc zachowujcie się jak konsultanci. — Przez chwilę chodzi w tę i z powrotem, a my, to znaczy brygada techniczna i feministka, czekamy na wyjaśnienie. — Wymyślcie trzech nowych klientów. *Przynajmniej* trzech klientów każdy i przyślijcie mi propozycje e-mailem do końca dnia. Dam... tysiąc dolarów premii za pierwszego potencjalnego klienta, z którym cokolwiek się uda. — Rozgląda się, oczy nawiedzone. — Przestańcie wysiadywać i czekać na mnie, że to, kurwa, załatwię. Zajmijcie się telefonami i siecią! Dzwońcie do rodziców, kolegów z akademika, *cholernych psychologów z obozu letniego*, i dajcie mi tych potencjalnych klientów. *Do roboty!*

Krzesła skrzypią na cemencie, kiedy wszyscy rzucają się do biurek.

— Ty. — Guy wskazuje na mnie, drugą rękę wyciąga do Jeffreya. — I ty. I Stacey, do mojego gabinetu.

— Tak, proszę pana. Bez chwili zwłoki, proszę pana. — Jeffrey uśmiecha się drwiąco do oddalających się pleców

Guya. Schyla się po swój neseser, otwiera go, wkłada do środka niebieski skoroszyt i zgrabnie zatrzaskuje. — Pani pierwsza, *mademoiselle*. — Kłania się lekko i przepuszcza mnie przodem. Każdy krok dudni mi w głowie, wchodzę za Stacey do gabinetu Guya.

— Girl, co, *do kurwy nędzy*, zrobiłaś, żeby to *spierdolić*?

— Nic, Guy, nic. Zrobiłam *dokładnie* tak, jak mi kazałeś. Pojechałam tam. Dotrzymywałam towarzystwa...

— *I co?*

— I Muffin przekonująco wykazał, dlaczego nie jesteśmy potrzebni.

— A ty nic nie zrobiłaś, żeby temu przeciwdziałać? O Jezu, przecież to idiotyczne. Jak, robiąc komuś laskę?

— Guy — mówię, starając się nie poddawać histerii. — Rex nie raczył nawet wstać z krzesła. Naprawdę jej się dziwisz?

— Daj spokój, Girl, ona jest przecież poważnym przedsiębiorcą — szydzi. — Nie ma takich żałosnych zahamowań jak ty. Wiesz co? To bez znaczenia. Po prostu muszę zebrać to do kupy. — Klaszcze w dłonie, jakby oczekiwał, że teraz go uściskamy dla dodania otuchy. — Dobra, Girl była zbyt oczywista. Weźmiemy *ją* i zrobimy na sexy. — Guy pokazuje na Stacey. — Włóż na nią coś z tych rzeczy. — Przerzuca koronkowe sterty próbek od Bovary, leżące na biurku. — Kat lubi trudną zdobycz.

Stacey robi krok do przodu, w końcu wezwana pod broń.

— Jasne. — Jeffrey spogląda na zegarek i wzrusza ramionami. — Cokolwiek sobie zażyczysz...

Guy potrząsa głową z niedowierzaniem.

— Jeff, muszę ci powiedzieć, stary, że odwalasz *gównianą* robotę. Po prostu *absolutnie gównianą* robotę. — Otwiera puszkę coli stojącą na biurku, pociąga łyk. — Szczerze mówiąc, moim zdaniem nie byłeś nam potrzebny, ale zgodziłem się z szacunku dla Reksa. — Wyciera pienistą obwódkę z górnej wargi. — Ale lepiej wymyśl, jak zamierzasz wytłumaczyć to, co się tu właśnie stało, przyjacielu. Musisz się przyłożyć, bo inaczej będę musiał wylać cię na bruk.

— Ty arogancki, mały kutasie — mruczy Jeffrey. — To była dla mnie *wycieczka krajoznawcza*. — Przez chwilę kontroluje stan skórek przy paznokciach, po czym podnosi głowę ze słabym uśmieszkiem. — Twój stołek jest do wzięcia, *przyjacielu*. I co, przypadkiem wpadłeś na niby-dobry pomysł? Nadajesz się do wprowadzenia tej firmy na rynek tak samo jak ona. — Kiwa głową w moją stronę. Prawda. — Gdyby ci się udało uzyskać odcisk łapki Kat pod kontraktem, to kto, twoim zdaniem, miał zrealizować projekt? Szczyl z mlekiem pod nosem, dwa lata po studiach menedżerskich? Naprawdę? — Jeffrey poprawia krawat. — Podziękuj, proszę, Reksowi w moim imieniu za jazdę próbną, ale muszę zrezygnować. — Dostojnym krokiem rusza do drzwi. — Aha, Guy? Arogancja jest czarująca, lecz szybko się przejada. Na twoim miejscu nauczyłbym się dobrych manier.

Nasza trójka patrzy przez szybę, jak Jeffrey wychodzi z Mojej Firmy. Zadzwoń do mnie.

Odwracam się w stronę pokoju i napotykam spojrzenie Guya.

— Pfff... — wypuszcza powietrze i zmusza się do uśmiechu. — Co za nadęty dupek. — Krew pulsuje mu w tętnicy szyjnej, wykonuje obrót w kierunku okna.

— Guy...

— Wyjdź.

Schodzę za Stacey ze schodów, a w naszą stronę przez salę kroczy Rex.

— Zanim wejdziesz — mówię i staram się zatrzymać go, składając ręce jak do zdrowaśki — musimy porozmawiać o donacji dla Magdalenek. Moja Firma zobowiązała się dać pieniądze, to znaczy, że bank zobowiązał się dać pieniądze...

— To nie jest właściwy moment. — Z jedną nogą na stopniu zatrzymuje się na chwilę, żeby spojrzeć na mnie drugi raz, odkąd wygnał mnie do damskiej toalety w klubie. Przez moment stoję jak wrośnięta w ziemię, czuję za nim moc instytucji.

— Bank musi dotrzymać słowa.

— Wracam właśnie z posiedzenia. Dyskusja trwa — odpowiada stanowczo.

— Co *dokładnie* mam im powiedzieć?

— Przeciągnij rozmowy o dwadzieścia cztery godziny.

Chwyta za klamkę, jego szerokie plecy wypełniają drzwi gabinetu Guya, idzie porozmawiać ze szczylem, który ma mleko pod nosem.

— Minąłem Jeffreya, który właśnie wychodził. — Stoję w miejscu, czekając na reprymendę. — Nie będziemy za nim płakać. Przechodzimy do planu B. — Z okrutnym uśmiechem Rex zatrzaskuje drzwi mokasynem.

Przez piętnaście godzin śpię jak zabita, po czym o dziewiątej rano wracam między żywych i teraz już tylko dwóch godzin brakuje do wyznaczonego przez Reksa Czasu Przeciągania Rozmów. Dzwoni telefon, na wyświetlaczu znowu miga numer Julii. Stoję nieruchomo, aż w końcu przestaje dzwonić. Halo, wiceprezes do spraw przeciągania rozmów. *Drryń... Drryń... Drryń.* Wyświetla się numer Bustera... pewnie zostawia kolejną wesołą wiadomość. Nie wiem nawet, co mu powiedzieć. Nie wiem nawet, od czego zacząć.

— Idziesz na szkolenie? Wszyscy mają być obecni. — Guy nuci, stuka w moje biurko, przechodząc. Wczorajsza apokalipsa wyraźnie mu już nie ciąży.

— Czego to szkolenie dotyczy? E-mail był raczej ogólnikowy.

— Jezu, czy tobie wszystko trzeba tłumaczyć w najdrobniejszych szczegółach?

— Nie musisz. Czy Rex przyjdzie?

Ignoruje mnie i odchodzi w kierunku ustawionych w podkowę krzeseł, które stoją tak od przerwanej „burzy mózgów". Zażywam dwa tumsy i idę za nim. Pracownicy wchodzą w grupkach, niespokojni, kubki z kawą w dłoniach. Guy zajmuje miejsce przed swoimi „parafianami", ja opadam na siedzenie, zerkając na zegarek.

— Dzień dobry wszystkim, cieszę się, że was dzisiaj widzę. — Guy zwraca się do nas rozluźniony i czarujący, jakby właśnie wrócił z tygodniowego pobytu na wyspach. — Wiem, że wczoraj była ostra jazda i słyszałem, że niektórzy z was martwią się o przyszłość. Prawda jest taka, że *kompletnie* nie macie się czym martwić. Informuję was, że Moja Firma *ma się dobrze*. Obiecuję. Jesteśmy *rodziną*! *Walczymy* jak rodzina. Mieliśmy trudny dzień, ale wiem, że rzucicie mi linę, tak jak ja ją wam rzucę.

Podnosi się czyjaś ręka.

— Tak?

— Zastanawialiśmy się, czy bonus za potencjalnego klienta jest w dalszym ciągu aktualny?

— Co? — krzywi się Guy.

— Wczoraj powiedziałeś, że będzie tysiąc dolarów dla pierwszego potencjalnego klienta, z którym coś wyjdzie — rozlega się drugi głos.

— Tak, ale jest taka sprawa, Stan, że nie czułbym się teraz zbyt dobrze, płacąc dodatkowo za pracę, która nie jest dodatkowa. Znajdowanie potencjalnych klientów to właśnie zajęcie konsultantów. No dobra, na dziś koniec trudnych tematów. Okej...

— To znaczy, że nie dajecie już premii? — komentuje ktoś z dalszych rzędów.

— Nie. Nie wiem. Wszystko jedno, idźmy dalej. Przekażę teraz głos Lylowi i Lynn. — Guy składa dłonie z szerokim uśmiechem i wycofuje się do stołu na tyłach.

Lyle i Lynn, najwyraźniej Książę i Księżna Planu B, przejmują prowadzenie, oboje ubrani w pozbawione wyrazu szare garnitury. Lyle odchrząkuje i sztywnym gestem pokazuje na siebie.

— Dzień dobry, jestem Lyle, a to jest Lynn. Być może niektórzy znają nas albo widzieli w firmie. Jesteśmy radcami prawnymi Mojej Firmy. — Naszymi kim? — I będziemy was dziś szkolić w zakresie czegoś, co dotyczy nas wszystkich. — Zarządzanie schizofreniczne? Niedobór klientów? Upadające morale? — Molestowanie seksualne. — Oczywiście. — Podjęto decyzję, że kwestia ta wymaga natychmiastowej uwagi. Chciałbym z góry przeprosić, gdyż z reguły do tego typu szkoleń zatrudniamy specjalistów z zewnątrz, ale tym razem było bardzo mało czasu, więc dziś honory domu będzie pełnić Lynn.

Lynn uśmiecha się, prosto przycięte włosy przecinają jej twarz, kiedy schyla się po materiały.

— Czym *jest* molestowanie seksualne? Jak poznać, że *jesteśmy* molestowani, albo że *molestujemy kogoś innego*? — Wytrzeszcza oczy w celu podkreślenia wagi słów i czyta z podręcznika. — Jakie są twoje *prawa*? Jakie są twoje *przewinienia*? — Opiera podręcznik o klatkę piersiową i oddycha w rytm pytań. — Na wszystkie te pytania oraz wiele innych odpowiemy w ciągu najbliższych pięciu godzin i czterdziestu pięciu minut, które spędzimy razem. — Moi koledzy powstrzymują jęki rozpaczy, a jej oczy błyszczą entuzjazmem. Najwyraźniej szkolenie w zakresie molestowania seksualnego to dla Lynn jej piętnaście minut sławy. — Na początek, istnieje *wiele* mitów na temat molestowania seksualnego. Kto spośród was myśli, że tylko *kobiety* są molestowane? — Rozgląda się z wyczekującym uśmiechem przedszkolanki. Przynajmniej piętnaście rąk podnosi się. Niech skonam. — No cóż, mylicie się. *Liczne* przypadki, które wyszły ostatnio na światło dzienne, świadczą niezbicie, że przestępstwo to *nie zależy w żaden sposób* od płci. — Proszę to ująć inaczej? — Tak jest. To przestępstwo popełniane przez mężczyzn *i* kobiety. Dziś porozmawiamy o tym, co robić w przypadku molestowania przez szefa. Kiedy szef lub szefowa cię molestuje. — Kilka owłosionych założonych rąk się rozluźnia, a ona czyta dalej, tekst jest najeżony zbitkami zrobił*lub*zrobiła, on*lub*ona, mężczyzna*lub*kobieta.

Nerwowo spoglądam na podwójne drzwi, czekam, aż przyjdzie Rex. Patrzę z powrotem na stół i widzę brunetkę dobrze po trzydziestce siedzącą obok Guya. Są nachyleni do siebie głowami, on potakuje temu, co szepcze ona.

— Następnie będziemy pracować w *małych grupach*, zatem zestawcie krzesła z *czterema* sąsiadami i przedyskutujcie scenariusze, które w tej chwili rozdaje Lyle. Ma to być doświadczenie *wspólne*, więc zsuńcie krzesła tak blisko, jak tylko to możliwe!

Uwięziona, zmieniam pozycję zgodnie z zaleceniem — intymna bliskość — i tkwię wśród pracowników działu technicznego. Chyba. Mimo trzymiesięcznego stażu nie potrafiłabym podać nazwisk więcej niż trojga innych pracowników, choćby nawet ktoś przyłożył mi do głowy elektryczny zszywacz. Dostajemy skrypty z numerowanymi akapitami. Lynn czyta na głos, na wszelki wypadek.

— Zostałeś przedstawiony absolwentce college'u o *obfitym biuście*, która pierwszego dnia zjawiła się w pracy ubrana w *nieodpowiednio skąpy* strój. Nachyla się nad biurkiem twojego szefa. Jakiej rady mógłbyś/mogłabyś jej udzielić, aby *uchronić* ją przed *molestowaniem seksualnym*? Przedyskutuj w grupach.

Programista kiwa blond dredami i klepie się po pasku zarostu na podbródku.

— Myślę, że cycki dają przewagę, no wiecie, przewagę konkurencyjną. — Nie może się oprzeć jedynej okazji publicznego ogłoszenia tej rewelacji i podnosi rękę w górę.

— Tak! Tak! — macha Lynn, zachęcając go do zabrania głosu.

— W mojej grupie rozmawialiśmy o tym, że może ta absolwentka molestowała facetów, z którymi pracowała, bo dzięki cyckom mogła dostać podwyżkę. To znaczy, że jest kryminalistką, prawda?

— No cóż... — Lynn wygląda na kompletnie zaskoczoną. — *Tak!* — Entuzjastycznie kiwa głową, a ja wyobrażam sobie jej podręcznik szkoleniowy, gdzie wypisane są tylko dwa słowa: POZYTYWNE NASTAWIENIE. — *Osoby*, które eksponują części *ciała*, mogą wprawiać innych w *zakłopotanie*. Powiedzmy, że Pat miałalubmiał coś w swoim ciele, co sprawiało, że jejlubjego współpracownik Alex czuł się *zakłopotany*. W takim wypadku *Pat* może molestować *Aleksa*...

Programista odłącza się od naszej piątki i podchodzi do Lynn.

— Chcę się tylko podzielić czymś, co mi się przydarzyło, kiedy pracowałem w sklepie z elektroniką w Seattle. Była tam taka jedna babeczka, zawsze chodziła w naprawdę cienkich koszulkach bez rękawów. Pewnego dnia, to musiało być w listopadzie... może w grudniu? W każdym razie było zimno, aż się jajka marszczyły... ZAMKNIJ SIĘ! ZAMKNIJ SIĘ! ZAMKNIJ SIĘ! Ale on ględzi, jego historia prowokuje ożywioną dyskusję o tym, czy wypada powiedzieć „innej osobie" komplement na temat jejlubjego fryzury.

— Czyli jak powiem Sally, że ma fajne włosy, to mnie aresztujecie?

— Tak! — Mam już dosyć, wstaję. — Tak! To jest *właśnie* to. Czy ktoś mógłby mu dać mikrofon? Bo *ja* mogłabym tego słuchać w nieskończoność.

— Czas na scenki! — przerywa mi Lynn.

Idę prosto do Guya.

— Gdzie jest Rex? — stukam dłońmi w grube dokumenty ułożone w wysoką stertę na stole. Patrzę ponad stosami papierów i widzę, że jego towarzyszka jest w co najmniej szóstym miesiącu ciąży.

— W drodze. Podpisz to. — Guy popycha w moją stronę coś w trzech egzemplarzach oraz długopis. Czytam: ZWOLNIENIE Z WSZELKICH ROSZCZEŃ, wypisane drukowanymi literami w nagłówku.

— Wolałabym wziąć to do domu i...

— Podpisz to — powtarza Guy i uderza długopisem w papiery. — To tylko potwierdzenie udziału w szkoleniu.

Przeglądam błyskawicznie klauzule, które zasadniczo zwalniają Moją Firmę z *wszelkiej* odpowiedzialności, na wypadek gdybym poczuła dyskomfort „z powodu mojej płci w tym środowisku".

— To śmieszne — mruczę. — Nie podpiszę.

— Znów się zaczyna — mówi Guy do swojej towarzyszki, przewracając oczami.

— Guy, co ja mam właściwie z tego wynieść? — szepczę z furią, omiatając ręką scenę zbiorowego śpiewu pod kierunkiem Lynn. — Że *ja* mogę molestować *ciebie*? — Dźgam czubkiem długopisu powietrze w jego kierunku, on leciutko odchyla się do tyłu. — Czy to efektywne poświęcać godzinę na debatę o tym, czy wolno pochwalić fryzurę koleżanki? Czy to nie jest czasem *troszeczkę* nie na temat? Czy my tu czasem nie *zaciemniamy* całego problemu? — Patrzę mu prosto w tę okrągłą twarz. Skończ to, przez wielkie S.

— A jaki *jest* ten cały problem? — pyta kobieta z nosowym akcentem ze Scarsdale, jej ciemne oczy błyszczą.

— Taki, że dziwnym trafem ludzie nie są w stanie *molestować* osób stojących *wyżej* w hierarchii. To nie fizyka jądrowa. Jeżeli nie powiedziałbyś, nie pokazałbyś ani nie zrobiłbyś czegoś w towarzystwie swojej babci, nie mów tego, nie pokazuj i nie rób w pracy. Jeśli chodzi o zawiłości wynikające choćby z tego, że potrzebne jest takie... takie... — potrząsam głupim dokumentem. — Nie potrafię nawet... Posłuchaj, Guy, kiedy tylko Rex się tu zjawi, musimy sformułować plan zagospodarowania pieniędzy, których nie mamy i które obiecałam w waszym imieniu. Nie możemy, *nie możemy* dłużej trzymać Julii Gilman i Magdalenek w zawieszeniu.

— Ty jesteś Girl. — Kobieta uśmiecha się do mnie z rezerwą. — Nie sądzę, żeby Rex miał się tu zjawić w najbliższym czasie, ale mogę cię poinformować w kwestii funduszy.

— Możesz? Przepraszam, nie dosłyszałam twojego imienia.

— Manley. — Wyciąga do mnie drobną, lekko opuchniętą dłoń, odkładam dokument na stos. — Dobrze, w takim razie myślę, że mamy tu wszystko pod kontrolą. — Dźwiga swoje drobne, obciążone ciało ze składanego krzesełka. — Niech nikt nie wychodzi bez podpisania tego. Guy? — Pstryka palcami w kierunku leżącej na podłodze musztardowożółtej birkin, on przez chwilę nie rozumie, a potem schyla się po torebkę.

— A ona? — pyta, pukając w niepodpisany dokument.

— Nie musi tego teraz podpisywać. — Manley mruga do mnie. — Umieram z głodu. Girl, przyłączysz się?

— Jasne...

— Dobrze. — Bez dalszych pożegnań rusza do drzwi. Mimo nieproporcjonalnego ciężaru, jaki niesie z przodu, idzie dzielnie przed siebie. Szyta na miarę bluzka opływa ją elegancko. — Czy oni tu nigdy nie słyszeli o ścianach? Na otwartej przestrzeni pracownicy nie uczą się wydajniej pracować, lecz symulować pracę.

Przytrzymuję jej drzwi, kiedy wchodzimy do Bella Russe, portier najwyraźniej podzielił los przebogatych kompozycji z ciętych kwiatów po zaledwie kilku krótkich miesiącach bycia na topie.

— Mieliśmy z mężem w planie podjechać i wypróbować tę knajpę — mówi, rozglądając się kontrolnie. — Wygląda na to, że się spóźniliśmy.

— W czym mogę pomóc? — pyta uśmiechnięta hostessa, wszystkie stoliki oprócz jednego stoją samotne i puste.

— Przekąski — mówi Manley. Zostajemy zaprowadzone do stolika, który musiał być jednym z najlepszych w lokalu, pod unoszącym się w powietrzu popiersiem Trockiego, po czym opadają nas zastępy niewykorzystanej kadry kelnerskiej.

— No więc, czytałam twoją propozycję — wyjaśnia Manley, kiedy kelner stawia przed nami półmisek z tartinkami na dobry początek. — Właściwie przeczytałam wszystkie twoje materiały. Te pomysły na feministyczną modyfikację portalu były trafione w dziesiątkę. Szkoda, że jemu nie chciało się ich wdrożyć. Pieprzony cyrk. — Przewraca oczami, wkładając do ust kanapeczkę z surową wołowiną.

304

— Jak dotarłaś do moich materiałów? — I kim właściwie jesteś?

— Poprosiłam o nie. Tak czy owak, pomijając fakt, że Guy najwyraźniej robił ci wodę z mózgu na wszystkie możliwe sposoby, nieźle sobie poradziłaś. — Bierze kolejną kanapkę, przeżywając taki sam paroksyzm rozkoszy.

— Dziękuję. Pracujesz teraz dla firmy?

— Zarząd mnie ściągnął. Tuńczyka? — Popycha w moją stronę naczynie wypełnione różowymi kostkami. — Tego też mi nie wolno jeść. — Nakłada pełną łyżkę na kawałeczek bagietki. — Za namową Reksa bank pozwolił Guyowi poprowadzić interes w niedorzecznym kierunku. Rex miał zawsze doskonałe wyniki, więc oczywiście na wszystko mu pozwolili. Ale Guy dopuścił się zaniedbań: nie przeznaczył odpowiednich zasobów na nawiązanie relacji z czasopismami. — Gestykuluje z oburzeniem łyżką, przełyka. — Ani na udoskonalenie oferty technicznej. Zmarnował pieniądze na zalecanie się do Bovary. Nie tak się prowadzi stragan z pietruszką. — Szykuje sobie następną kromkę. — Tak czy owak podjęłam się przywrócić rentowność inwestycji banku w ciągu dwóch miesięcy.

— Czy to się da zrobić?

— Nie podjęłabym się, gdyby się nie dało.

— No tak, faktycznie.

— Dobrze. — Nalewa sobie dużą szklankę wody Fiji. — Chciałam porozmawiać z tobą o twojej roli w przyszłości. Dzięki rozrzutności Guya nie możemy sobie teraz pozwolić na zatrudnianie nikogo z zewnątrz, więc ludzie będą musieli wykonywać zadania wykraczające poza ich oryginalne zakresy obowiązków.

— Nikt mi nigdy nie wyszczególnił obowiązków.

— Nie dziwi mnie to. — Uśmiecha się do mnie i pociąga łyk. — Przyszły miesiąc będzie bardzo trudny, a na dodatek góra wykazuje nadmierną tendencję do improwizacji. Chcę, żebyś współpracowała ze mną, kiedy będziemy ograniczać koszty i zwiększać wpływy. Podobała mi się twoja ocena tego niezbyt wysokich lotów szkolenia na temat molestowania seksualnego. Podobał mi się twój raport. Masz głowę na karku i właśnie ktoś taki jest mi potrzebny. Okej? — Delikatnie pociera rękoma swój wystający brzuch, a ja gapię się na nią, przeżuwając tę szczerą prośbę.

— Przepraszam — zaczynam, walcząc z nieufnością. — Chodzi o to, że było, jak mówiłaś, sporo improwizacji i czuję się lekko zniesmaczona w kwestii... — Patrzy na mnie cierpliwie. — Przepraszam, odzwyczaiłam się już od wypowiadania swoich myśli do końca.

— Rozumiem, że obiecałaś milion dolarów.

— Tak, takie miałam polecenie.

— Firma zamierza dotrzymać tej obietnicy, ale bez tworzenia zagrożenia finansowego dla siebie. Sto tysięcy udostępnimy Magdalenkom w ciągu najbliższych siedemdziesięciu dwóch godzin, resztę przekażemy, kiedy uda nam się zrealizować plan finansowy, nie później niż w ciągu miesiąca.

— Tak po prostu? — pytam.

Kobieta prycha.

— Ty faktycznie *jesteś* w szoku. Nie możemy sobie teraz pozwolić na złą prasę. Tak więc masz moje słowo. — Kiwa ręką, żeby przynieśli rachunek. — Możemy iść dalej?

— Tak, to świetnie. Zaraz zadzwonię do Julii Gilman. — Wyciągam komórkę. — To...

— Wiem. Poprosisz o rachunek, bo będę w toalecie? Siusianie... to nie mit. Przyjdź jutro na siódmą. Mamy przed sobą ważny dzień.

Oszołomiona, chwiejnym krokiem idę do windy, wyciągam klucze, zaczynam mieć nadzieję. Ostrożną, obiektywną, „jestem tu tylko w pracy", ale jednak nadzieję. Nie pokocham jej, nie znienawidzę, po prostu będę dla niej pracować.

Pchnięciem biodra otwieram drzwi wejściowe, torby z zakupami ciężko uderzają mnie w kostki.

— Co, do jasnej... — wita mnie dźwięk wiadomości

wieczornych z dużego pokoju. — Halo? — wołam, przytrzymując drzwi.

— Hej. — Telewizor się wyłącza i przy wejściu pojawia się Buster, staje kilka stóp ode mnie.

Wypuszczam głośno powietrze, zamykam drzwi.

— Cześć. — Moje ciało drży, żeby go objąć, ale nie robię tego

Uśmiecha się, zakłopotany.

— No to chyba musimy porozmawiać. — Wyciąga zza pleców bukiet białych tulipanów.

Wzdrygam się na ten powtórzony gest.

— Próbowałem się z tobą skontaktować.

— Wiem.

Chrząka.

— Więc to koniec?

Patrzę na niego, niepewna.

— Co to było? — pytam. Wyraz jego twarzy jest nieczytelny. — W łóżku. Co to było?

Wzrusza ramionami, oczy ma utkwione w podłodze.

— To po prostu... — Z wysiłkiem staram się opisać zdarzenie. — Miałam uczucie, jakbyś był z kimś innym.

— O czym ty mówisz? — pyta pozbawionym wyrazu głosem.

— Buster, wyszedłeś na miasto.

— Obudziłem się, a ty byłaś taka napalona i taka seksowna. — Chmurzy się. — Nie do wiary. To ty byłaś na jakiejś orgii, nie chciałaś rozmawiać, od razu ściągnęłaś mi szorty.

— Wiem. — Podnoszę rękę, żeby mu przerwać, żołądek mi się kurczy na wspomnienie z parkietu.

— Myślałem, że nam obojgu się to podoba — mówi. — Śmiałaś się.

— Buster, to było... miałam uczucie jakby... — Ponownie mam wrażenie, że zniknął. — Jakbyś był na mnie wkurzony. — Jego twarz nabiera lekko karmazynowej barwy. — Jesteś? Wkurzony na mnie?

— Nie! — protestuje. — Za co niby miałbym być na ciebie wkurzony?

— Nie wiem. Po prostu miałam wrażenie, że byłeś.

— Boże, G — wybucha sfrustrowany. — Uważam przy tobie na każde słowo, na wszystko, co robię... kumple się ze mnie nabijają... musisz dać mi trochę, kurwa, luzu!

Gapimy się na siebie, znowu obcy.

— Jak do tego doszliśmy? — pytam, łzy napływają mi do oczu.

Buster opuszcza głowę.

— Jestem po prostu zmęczony, Girl. Naprawdę zmęczony.

— Dobrze... — mówię, złość sprawia, że łzy mi wysychają. — Nie wiem, co z tym zrobić.

— To po prostu frustrujące.

— Dobrze, czyli... mamy związek, w którym będziesz arbitralnie odgrywał na mnie swoje frustracje.

Nasze oczy się spotykają.

— Dobrze, może, *może* trochę czegoś było, ale musisz przyznać, że ty też się za coś odgrywałaś.

— Przyznaję. Owszem. — Powoli wypuszczam powietrze. — Ale potem tobie się urwał film, a ja płakałam w łazience.

— Cholera. — Żal zmienia jego rysy. — Nie wiedziałem, przepraszam.

— Nie mam zamiaru cię zmieniać, Buster. Ale jeżeli mamy to pociągnąć... muszę wiedzieć, że będziesz ze mną rozmawiać i nigdy nie pozwolisz, żebyśmy doszli do punktu, w którym wszystko jest takie... niestabilne.

— Tak. To znaczy, kocham cię... — zacina się. — To nie sprawi, że cała ta sytuacja zniknie, ale...

— Nie, nie sprawi. — Patrzę na niego, na rozwichrzone włosy, przygryzioną wargę, kwiaty. — Nie sprawi, ale ja chcę, żeby sprawiło. — Sięgam, żeby wziąć od niego bukiet, ale on trzyma mocno i pociąga mnie do siebie. Opieram się o niego całym ciężarem.

O szóstej trzydzieści rano, w pół drogi przez salę Mojej Firmy zauważam, że światło świtu zostało zablokowane przez szare zasłony zaciągnięte wzdłuż szyb w gabinecie Guya. Ostry promień słońca wymyka się przez wąską szparę, tworząc wśród pustych biurek ostre kontrasty światła i cienia.

— Dzień dobry. — Wchodzę do gabinetu Guya i prawie się przewracam o przestawiony szezlong z niewyprawionej końskiej skóry.

— Taa. — Guy ma podwinięte rękawy, odsuwa fotel od świeżutko postawionej ścianki, która dzieli jego pałac na dwie części; męskie zabawki leżą teraz chaotycznie stłoczone na połowie poprzedniej przestrzeni.

— Co się dzieje? — pytam, gdy prostuje się, czerwony z wysiłku.

— To twoje? — Manley pojawia się w drzwiach w ściance działowej, na wystającym brzuchu dźwiga kartonowe pudło z piłką na wierzchu.

— Tak. — Guy, zaskakująco pogodny, manewruje w zagraconym pokoju, żeby odebrać karton.

— Och, dzień dobry, Girl. — Wskazuje za siebie. — Wejdź i siadaj. Guy, zagospodarujesz się później.

— Okej, oczywiście. — Przeciska się wokół przestawionego biurka, żeby pójść za nami na drugą stronę, tę z prywatną łazienką. Z dnia na dzień pomieszczenie przekształcono w gabinet Manley, dodatkowe szare zasłony w oknach, wykresy i diagramy na ścianach. Jej biurko zostało porządnie ustawione w kącie, a oświetlony stół do pracy na środku prezentuje logikę organizacyjną nieznaną dotąd w tych stronach.

— Siądźmy zatem. — Wyciągamy krzesła. Ona siada za stołem i odwraca się do mnie. — Do twojej wiadomości, Guy był wtajemniczony w poprzednią rozmowę na interesujący nas temat. Teraz przedstawię wam nasze zadanie w zakresie, do jakiego upoważnił mnie zarząd. Ponadto zjem pączka. — Podnosi pokrywkę z pudełka z Krispy Kreme i odgryza trzy duże kęsy klasycznego, lukrowanego, po czym wrzuca go z powrotem. — Wszystkie poradniki dla kobiet w ciąży są zaprzysięgłymi wrogami cukru. — Oblizuje usta, zakłada kosmyk konserwatywnie ostrzyżonych na pazia włosów za ucho. — Teraz przekażę wam informacje dotyczące waszych ról.

— Dobrze. — Uśmiecham się szeroko, gdy odsuwając na bok karton pączków, odsłania żółty notatnik, gęsto pokryty ciasnym, odręcznym pismem. Guy bębni palcami, umyka mu nasze wspólne upodobanie do „szkolnych zeszytów".

— A zatem, mamy do wykonania duży reorg...

— Przepraszam? — przerywam. — Przepraszam, ale nie wiem, co to jest „reorg".

— Nie przepraszaj. Pytania to dobra rzecz. — Manley otwiera pudełko i wyciąga niedojedzonego pączka, wrzuca go do ust. — Reorganizacja. Zmieniamy strukturę firmy, żeby zoptymalizować jej efektywność. Nasz obecny model zatrudnienia jest całkowicie przestarzały. — Ściska serwetkę lepkimi palcami, jakby to była piłeczka antystresowa. — Zasadniczo, przystępujemy do zwolnień.

— Och.

— Nie zamierzam cię oszukiwać. To będą duże zwolnienia. I w stu procentach konieczne. — Guy zaciska szczęki. — Będziecie wspólnie opracowywać plany, ale od ciebie, Girl, oczekuję, że poprowadzisz część wykonawczą.

— Ja?

— Pracowałaś na niezależnym stanowisku. To idealna pozycja w odniesieniu do pracowników z sali i wiem, że sobie z tym poradzisz. Skorzystalibyśmy z twojej grupy, zajmującej się zasobami ludzkimi — prycha — ale Guy uznał za stosowne ją rozwiązać. — Znów zaciśnięte szczęki.

— Kiedy to ma nastąpić? — pytam i próbuję pojąć, czego ode mnie oczekuje.

— Tego nie mogę na razie ujawnić. Mamy całkiem sporo czynności reorganizacyjnych, które trzeba wykonać w pierwszej kolejności.

— Ile osób?

— Tego też nie. — Okej. Manley wyjmuje spomiędzy zębów gruntownie ogryziony koniec ołówka. — Moja Firma stoi na progu zasadniczej zmiany. Nie możemy pozwolić sobie na to, żeby łączono nas z redukcją zatrudnienia na wielką skalę, więc *wszyscy* są informowani tylko w niezbędnym zakresie. Obiecuję, że dostaniesz informacje bezwzględnic potrzebnc do rcalizacji tego zadania zgodnie z twoimi możliwościami. Jednak zarząd chce to przeprowadzić dyskretnie.

— Dyskretnie, oczywiście — potwierdza Guy, popychając stół. Nasz ulubiony Wielki Bonzo do spraw Dyskrecji.

— Ja będę przygotowywać wszystko do planowanego ponownego uruchomienia firmy, więc wy oboje możecie pracować w gabinecie Guya. Stacey nie bierze w tym udziału. Pytania?

— Tak — zabieram głos. — Naprawdę doceniam twoje zaufanie, ale moje doświadczenia w zakresie wyrzucania...

— Optymalizacji zatrudnienia — wtrąca Manley.

— Optymalizacji... są bardzo ograniczone. — Wielkie, kurwa, dzięki, Doris. — Chyba mam też zastrzeżenia dotyczące odpowiedzialności.

— Guy, potrzebujemy chwilki.

Spogląda to na jedną z nas, to na drugą, po czym wstaje i przeczesuje dłonią włosy.

— Co za dołująca sytuacja — mruczy i zamyka za sobą drzwi.

Manley czubkiem długopisu podsuwa pączki w moją stronę.

— Coś jest nie tak?

— Chcę postawić sprawę uczciwie. Naprawdę nie mam żadnych kwalifikacji w tym zakresie, a Guy i ja, no cóż... — robię pauzę i spoglądam z niepokojem na ściankę działową.

— Jest dźwiękoszczelna.

— Guy za mną nie przepada.

Uśmiecha się, jakbym opowiedziała jej dowcip.

— Żartujesz?

— Nie.

— I co z tego? — rzuca. — Girl, *co z tego?* Ja się tym nie

przejmuję. Ty z całą pewnością nie powinnaś się tym przejmować. — Odpycha się od biurka, żeby wstać, wciąż szczerzy zęby w uśmiechu. — Nie przepada za tobą — mówi ze śmiechem, kołysze się na boki, idąc do kosza na śmieci, wrzuca do niego karton. — Pokonaj to, Girl. To cię pociągnie w dół.

Robię się czerwona.

— Dziękuję.

— Jasne. — Manley znów się śmieje. — Będziemy używać nazwy „Projekt" i chciałabym, żebyście oboje niezwłocznie zabrali się do opracowania planów jego realizacji. — Wraca do biurka i podnosi słuchawkę. — Nie przepada za tobą — powtarza, a ja wkraczam w labirynt zagęszczonego splendoru Guya.

— Więc będziemy razem pracować. — Zamykam za sobą drzwi.

— Taa. Możesz się rozgościć, eee, o tam. — Rzuca piłkę, żeby mi pokazać kierunek, ta odbija się od szezlonga.

Przeciskam się we wskazane miejsce, kolanami zawadzam o jego biurko.

— Może byśmy zaczęli od wyniesienia części mebli, żeby się swobodnie poruszać?

— Może *ty* powinnaś zacząć od przypomnienia sobie, gdzie jest twoje, kurwa, *miejsce* — marszczy brwi i odwraca fotel w stronę okna. Oj.

— Czemu tu siedzisz?

Następnego ranka, po wycofaniu się na miejsce przy moim starym biurku, patrzę ponad ekranem laptopa na Manley, która trzyma rękę na zniekształconym ciążą biodrze.

— Och, po prostu wydawało mi się, że będę tu bardziej produktywna niż na szezlongu. Wszystko w porządku. Mam wszystko zakryte, poza tym i tak nikt tu nie zagląda. Właściwie to wolę siedzieć tutaj. — Mam nadzieję, że na mojej twarzy maluje się odpowiednio zadowolony uśmiech.

Manley podnosi brew i podchodzi do zamkniętych drzwi gabinetu Guya.

— Bierz laptopa i chodź ze mną. — Niechętnie wyciągam wtyczkę i idę. Manley skupia się na Guyu. — Czy jest tu jakiś problem?

Natychmiast upuszcza na kolana „Harvard Business Review".

— Nie, skąd, po prostu zabijam kilka minut przed zebraniem.

— To biurko jest wystarczająco duże dla dwojga, zrozumiano?

— Tak, oczywiście! — Jaśnieje uśmiechem. — Ona chciała tam pracować.

— Uhm. — Manley wskazuje mi drugą stronę biurka. — Co macie, jak dotąd?

Guy kieruje wzrok na mnie.

— A więc. — Ostrożnie kładę laptopa na przeciwległym rogu. — Sprawdzałam, jakie materiały pomocnicze przygotowują firmy dla zwalnia... optymalizowanych pracowników. Informacje urzędu pracy, doradców zawodowych...

— Uff. — Ręka Manley przytrzymuje podskakujący brzuch. — W porządku, Girl, ale naszym priorytetem jest strategia.

— Myślałam, że pewnie zechcesz poprosić każdą z tych osób do gabinetu Guya i omówić kwestię zwolnienia. — Guy opuszcza wzrok na tyle, że może dalej czytać swoje czasopismo.

— Nie, nie możemy sobie pozwolić na takie załatwienie sprawy. Musimy wszystko zaplanować co do minuty. — Manley znów się krzywi, masuje żołądek. — W porządku, idzie zarząd. — Odwraca głowę w kierunku pochodu białowłosych mężczyzn, widocznych przez otwarte drzwi. Idą wszyscy za Reksem, zupełnie jakby prowadził wycieczkę członków klubu. Guy wstaje, czasopismo spada na podłogę, a przestrzeń wypełnia się jak wagon barowy w godzinie szczytu, ramię przy ramieniu w lekkich letnich wełnach.

Przyparta do ściany słyszę znajomy donośny głos Reksa.
— Wszyscy znacie Guya. — Słychać niewyraźny pomruk. Guy chrząka.
— Cześć, witam wszystkich!
— I — ciągnie Rex — co ważniejsze dla tych, którzy nie mieli jeszcze przyjemności jej poznać, to Manley. Ona doprowadzi nasz mały pododdział do progu rentowności. Panowie, radzę wszystkim słuchać uważnie. Może nas nauczyć paru rzeczy.
— Proszę — kryguje się Manley. — Panowie, to dla mnie przyjemność. Zapraszam do mojego biura i zaczynamy.

Guy rusza, żeby pójść z nimi, i wszystkie oczy zwracają się na Reksa.
— Hej, możesz to zebranie sobie darować.
— Och, okej. — Guy podnosi w górę dłonie, godzi się nieco zbyt dobrodusznie. — Jestem tu, gdybyście mnie potrzebowali. — Wraca na kierownicze stanowisko za własnym biurkiem.

Manley zagląda przez obite materiałem drzwi.
— Girl, przygotuj przez następną godzinę zarys programu Projektu. — Zamyka gabinet.

Wracam na stanowisko na szezlongu. Otwieram pustą stronę na ekranie, przywołuję tamten dzień z Doris, robię zestawienie najgorszych elementów, które złożyły się na tamto doświadczenie, a potem szkicowo przedstawiam, co mogła zrobić, żeby zminimalizować upokorzenie.

1. Paść trupem.

Po godzinie wręczam dokument Manley, w zamian dostaję notatki w punktach, równo zapisane na żółtym papierze.
— To są „Zarażeni".
— Dobrze. — Delikatnie zamykam drzwi, przeglądając nazwiska.

I nazwiska, i nazwiska.

I nazwiska.

Przesuwam palcem wzdłuż pierwszej kolumny, potem przerzucam kartki, żeby policzyć... cztery, pięć, sześć kolumn.

Razy dwadzieścia cztery, to jest, to jest... sto czterdzieści cztery osoby „zarażone".

— Sto czterdzieści cztery? — Zachłystuję się — *Sto czterdzieści cztery?*

— Nie rób tego — syczy Guy.

— Jak moglibyśmy? — Odwracam się do niego. — Czy u nas w ogóle *pracuje* tyle osób?

— Zatrudniamy sto sześćdziesiąt dwie osoby. — Wraca do swojej lektury.

Opadam na szezlong, gapię się na zaciągnięte zasłony, za nimi jest świat, który właśnie mamy — ja mam — unicestwić.

— Guy, to praktycznie cała firma. Myślałam, że mówimy o piętnastu, może dwudziestu osobach. *Ale sto czterdzieści cztery?* W żaden sposób nie mogę...

— A myślisz, że jak *ja* się czuję, Girl? Guy zrywa się i podchodzi do zasłony. — Tam jest moja *rodzina*. — Rozsuwa ją szarpnięciem, rozkłada ramiona we wszechogarniającym geście, przyciąga spojrzenia z sali. — Ci ludzie oczekują, że będę ich przywódcą, a ja muszę ich *wywalić*, muszę zniszczyć ich wiarę we mnie. Czuję się jak kompletny dupek, że muszę to zrobić, więc, więc... — Odwraca się do mnie z dzikim wyrazem oczu. — Po prostu przestań powtarzać tę pieprzoną liczbę.

Przygryzam policzki, czytam krótką listę „Zdrowych", pod swoim nazwiskiem. A potem czytam ją jeszcze raz.

— Stacey. Wyrzucacie Stacey.

— Jeżeli jest na liście Zarażonych. — Guy się jeży. — Nie patrz tak na mnie, odziedziczyłem ją. To nie jest ktoś, kogo sam zatrudniałem.

— Nie zatrzymujecie żadnej kobiety oprócz mnie? — Wstaję.

— O czym ty mówisz?

— Oprócz mnie na liście Zdrowych nie ma żadnej kobiety. — Podsuwam mu kartki.

Otwierają się drzwi i staje w nich Manley.

— Okej, chcą, żeby się to odbyło w czasie krótszym niż

godzina, z samego rana, i żadnych kontaktów między Zarażonymi i Zdrowymi. Girl, potrzeba czegoś realistycznego. — Rzuca mi moje pierwotne sugestie i znika.

Odwracam się do Guya.

— Żadnych kontaktów? Jak mamy to zrobić, tu nie ma ścian.

— Nie wiem, po prostu, eee... rozdamy kartki, no wiesz. — Pstryka palcami. — Czerwone i niebieskie, a potem e-mailem powiadomimy, że niebiescy mają iść na zebranie do mojego gabinetu, a czerwonym się powie, żeby poszli do domu i że do nich później zadzwonimy, a kiedy już niebiescy wyjdą, wezwać czerwonych...

Przestaję go słuchać, patrzę, jak Stacey, człapiąc, wychodzi z kuchni, gazowany napój chyboce się na plastikowym pojemniku, kiedy idzie z powrotem do biurka.

— Guy, nie sądzę, żeby to się udało w ten sposób, z kartkami. Myślę, że lepiej nie robić tajemnicy.

Drzwi się otwierają.

— Chcą, żeby to się odbyło na dachu. — Manley wystawia głowę. — Żadnych możliwości wysyłania e-maili, redukuje ryzyko przecieku do prasy. — Drzwi się zamykają.

— Na kartkach będzie napis „dach" albo „dół" zamiast kolorów, albo i to, i to — ciągnie Guy, chodząc w tę i z powrotem.

Drzwi się otwierają.

— Chcą, żeby przed wejściem na dach skonfiskować telefony komórkowe. Przygotujcie jednak strategię na koniec dnia. Nie chcą, żeby coś zauważyły helikoptery porannych wiadomości, które relacjonują sytuację na drogach. — Drzwi się zamykają.

— Moglibyśmy powiedzieć, że to test systemów komunikacyjnych! — Guy wyszarpuje kij golfowy ze swojej skrzynki z zabawkami i wykonuje zamach, prawie trafia w szybę. — Jest koniec dnia, moglibyśmy ich zebrać po południu i powiedzieć, że zainstalujemy w komórkach nową technologię.

— Czy coś takiego się robi? — pytam cicho. — Instaluje się nową technologię w telefonach?

— A czy to ważne? — Jego policzki zaczynają z powrotem nabierać rumieńców. — Możemy zablokować im komputery dzień wcześniej, wieczorem, a powiemy, że to wirus albo coś.

— To są ludzie obeznani z techniką. Mogą coś podejrzewać.

Drzwi się otwierają.

— Chcą, żeby rozesłać zaproszenie na ceremonię wręczania nagród, wiecie, Najlepszy Programista, coś w tym stylu. — Zamyka. Otwiera. — Przed wejściem na dach musicie zebrać podpisy zwalniające nas z odpowiedzialności w wypadku roszczeń, a gdyby nie chcieli, zagrozicie, że nie dostaną odprawy. — Zamyka. Otwiera. — Chcą, żebyście zagwarantowali obecność ochrony. — Zamyka. Otwiera. — Chcą, żeby szli schodami. Za dużo gadania, jeśli będzie trzeba czekać na windę. Za dużo małych spiskujących grupek. — Zamyka. Otwiera. — Chcą, żeby Zdrowi byli na dachu, kiedy będziemy wyprowadzać Zarażonych, a potem sprowadzić Zdrowych do piwnicy...

Guy promienieje.

— To świetnie. To się świetnie sprawdzi z niebieskimi i czerwonymi kartkami. Czerwone mogą mieć napis „dach", a niebieskie „piwnica". Każemy im czekać w piwnicy, w ciemności będą się spokojniej zachowywać...

— Albo moglibyśmy ich po prostu zagazować.

— Jakiś problem, Girl? — Manley wchodzi, zamyka drzwi, odcinając gwar męskich głosów dobiegający zza jej pleców. Guy opiera się tyłem o swoje biurko, ściska kij między nogami.

Patrzę na jej wyczekującą twarz.

— Nie dam rady tego zrobić.

Zmarszczki między jej brwiami stają się głębsze, odzwierciedlają absurdalność moich wątpliwości.

— Oczywiście, że dasz radę.

— Wiesz, te plany wydają mi się dosyć... ekstremalne. Myślę, że po prostu byłoby sensowniej, gdyby Reks albo Guy... Ktoś, kto brał udział w zatrudnianiu ich w tej firmie... byłby odpowiedniejszy...

— Guy?

— No?

— Potrzebujemy tego pokoju.

— No tak. — Podrzuca kij i łapie go. — Ja to wszystko dobrze widzę. Ciach, ciach i ciach. Całą sprawę z kartkami mam opracowaną, więc tylko dajcie mi znak, jak będziecie gotowi.

— Dobrze.

Guy skacze naokoło kartonów i wychodzi. Manley, wciśnięta w wąską niszę koło drzwi w ściance działowej, bierze mnie za rękę i zamyka moją dłoń w swoich, ciepłych niemal jak w gorączce.

— Posłuchaj, nie będę ci wciskać kitu. Amputujemy, żeby uratować pacjenta. Moja Firma nie ocenia osobowości ani charakterów. Tu chodzi wyłącznie o zestaw umiejętności, które pasują do potrzeb biznesowych albo nie. Tu nie chodzi o to, żeby być lubianym. Ani nam, ani im. — Przepastne ciemne oczy są utkwione we mnie. — Nie wybrałam cię bez powodu, Girl. To dla ciebie wielka okazja do rozwinięcia umiejętności menedżerskich. I naprawdę chcę, żebyśmy mogli przekazać Magdalenkom te pieniądze. Szersza perspektywa, Girl. Zaufaj mi. — Puszcza moją dłoń, wyciąga ramię w stronę sufitu i chwyta mocno zasłonę. Stojąc przodem do sali Zarażonych, kiwa głową Stacey, która gwałtownie odwraca się do swojego monitora. — Nie chcesz siedzieć na tym miejscu do końca swoich dni, prawda?

— Nie — mówię i nie umiem ocenić, czy to było pytanie, czy groźba.

Manley szarpnięciem zaciąga zasłonę, potem zerka na zegarek...

— Posłuchaj, to spotkanie potrwa cały dzień. W księgo-

318

wości jest czek dla pani Gilman. Zanieś go jej, przewietrzysz sobie głowę. Wróć przed drugą.

Drzwi się zamykają.

Jedna z asystentek Julii wprowadza mnie do nowego domu Magdalenek. Przemoknięta do suchej nitki otrząsam parasolkę, która już zdążyła się połamać, a którą kupiłam od ulicznego sprzedawcy na Fulton, z opóźnieniem sięgającym pięciu minut i pięćdziesięciu galonów, kiedy w strugach deszczu szukałam zabitych deskami witryn naprzeciwko kościoła Świętej Trójcy.

— Dziękuję. Ale leje. Czy jest Julia?

— Girl! — Idę za jej głosem przez pokryty popiołem szkielet dawnego magazynu, docierając tam, gdzie ona sama tkwi na szczycie przemysłowej drabiny. W dżinsach i koszuli flanelowej macha do mnie ręką w gumowej rękawicy. — Ścieram tylko kurze! — mówi wesoło, puka gąbką w jedną z długich, płaskich opraw oświetleniowych, które wiszą pod sufitem jak blachy do pieczenia.

— To miejsce jest wspaniałe! — wołam, idę do niej, zostawiając błotniste odciski obcasów na pokrytej linoleum podłodze. — Och, no nie, tylko nabrudziłam. Przepraszam!

— Boże, nie przejmuj się. — Julia pozostawia wiadro na najwyższym stopniu i schodzi w dół. — Całe to miejsce trzeba będzie opłukać szlauchem. Na szczęście reszta przyłączy się już jutro, więc powinno pójść szybciej. — Uśmiecha się i grzbietem ręki, w której trzyma gąbkę, odgarnia włosy z błyszczącej twarzy. — Ale będzie pięknie. Oprowadzić cię?

— Jak najbardziej! — Kiwam głową.

— Przede wszystkim uprzątniemy to — mówi i wywija gąbką kółka w kierunku paru pozostałych gablot ekspozycyjnych. — I to — wskazuje postrzępiony szyld. — Na dole trzeba zainstalować nową wentylację, a to będzie spora inwestycja. — Spogląda na mnie. — Ale potem to już tylko kwestia kilku warstw farby w jakimś wesołym kolorze, żeby zrobić tu wspaniały dom noclegowy z wielką liczbą miejsc. Na tym poziomie wydzielimy część wspólną. — Wskazuje przeciwległą ścianę takim ruchem, jakby kierowała kołowaniem samolotu. — Sale wykładowe, biura. — Wskazuje miejsce z brzegu. — A także... jeżeli znajdziemy fundusze — znów na mnie spogląda — chciałabym urządzić tu nasz pokój do badań lekarskich na miejscu. I... ta-dam! — Na zakończenie rozkłada ramiona, promienieje optymizmem na tle gruzu i pokruszonych cegieł. — I co o tym myślisz?

— Julio, to niesamowite. — Jej zaraźliwe podniecenie przynosi mi dawno zapomniane, nieobecne poczucie dumy. — Robisz coś naprawdę ważnego.

— *Robimy* coś ważnego! — Ściąga rękawice. — Niesamowita jest wysokość czynszu, ale dzięki twojej dotacji damy radę. Jako że Agencja Ochrony Środowiska wciąż mruczy i szumi na temat powietrza, właściciel był zachwycony, że znalazła się grupa, która gotowa jest przymknąć oczy na niewielkie ilości azbestu. Magdalenki mają swoje priorytety — mówi ze śmiechem.

Słyszę skrzypienie schodów i młody człowiek, drugi asystent Julii, pojawia się na dole z kartonem ręczników papierowych w ramionach.

— Julio, potrzebujesz nowych rękawic? — pyta.

— Myślę, że ta para jeszcze trochę wytrzyma. Jak stoimy z ajaksem?

— Zostało pół kartonu — odpowiada asystent i niesie swój ładunek tam, gdzie młode kobiety zeskrobują farbę z okien wychodzących na zaułek.

— I co, masz go ze sobą? — pyta Julia, sięga po butelkę z wodą i pociąga łyk.

— Tak! Proszę. — Wyciągam kopertę z torebki. Całuje ją.

— Naprawdę ulżyło mi, że go widzę.

— Mnie też.

Julia macha czekiem nad głową i woła:

— Słuchajcie wszyscy! Mamy tu sto tysięcy!

— Hej! — gdzieś z tyłu radośnie wołają mężczyzna i kobieta. — Hurra!

— Nasłuchujcie, czy nie idzie ślusarz, ja zaniosę go do banku. — Unoszą kciuki w geście aprobaty i wracają do pracy. — Dziękuję ci, że to przyniosłaś, Girl, zwłaszcza w taką pogodę. — Zdejmuje swój płaszcz przeciwdeszczowy ze sterty kartonów przy wejściu, po którego obu stronach wciąż stoją plastikowe bramki zabezpieczające.

— Nie ma sprawy. Przepraszam, że to tak długo trwało...

— Jestem pewna, że to nie twoja wina. — Julia wkłada trencz, którego zgrabny krój zakrywa robocze ubranie. Pcha drzwi i jednocześnie otwiera parasolkę.

— Mogę cię odprowadzić? — pytam, ciepłe, wilgotne powietrze wpada do pachnącego piżmem wnętrza. Kiwa, żebym schowała się pod jej parasol z napisem Philip Morris.

W milczeniu kluczymy pomiędzy kałużami, Julia obejmuje mnie w talii.

— Uważaj! — Odciąga mnie od fontanny brunatnej wody, którą brysnęła przejeżdżająca taksówka. — Wejście do metra jest tu, obok.

Wyglądam spod parasola, widzę jarzące się na zielono kule przy wejściu. Niechętnie wracam do bunkra Mojej Firmy i jakoś nie mogę się ruszyć.

— Prawie wszystkich zwalniają — wyrywa mi się nagle.

— Likwidują firmę? — Oczy jej się rozszerzają. — A co z naszym funduszem?

— Nie, mają teraz nowego menedżera, prawdziwego menedżera. To kobieta, która wyprowadzi ich na czysto w dwa miesiące. Na pewno przekażą resztę darowizny.

— Mój Boże... czy twoja głowa też jest na pieńku?

— Nie, ale... chcą, żebym to ja zrobiła. Zwolniła wszystkich.

Mocniej zaciska dłoń na moim łokciu i popycha mnie przez zalaną jezdnię.

— Jaki odsetek?

— Mniej więcej osiemdziesiąt pięć procent.

— Fiu — gwiżdże. — W takim razie zwolnienie Moldovy nie miało związku z jej zachowaniem.

— Zwolnili Moldovę?

— Kilka dni temu. Potem miałyśmy spięcie, bo chciała, żeby sfinansować jej studia informatyczne. — Potrząsa głową. — Wiem, że to brzmi banalnie, ale muszę gdzieś wyznaczać granicę. Zastawiłam własny dom, na litość boską. — Przekłada parasolkę do drugiej ręki. — No i oczywiście mam tego dość. Najwyraźniej żadna z pozostałych dziewczyn nie miała do niej telefonu kontaktowego. To przykre, lecz można pomóc tylko tym, którzy... i tak dalej, i tak dalej.

— Ty pomagasz.

— Dopóki są pieniądze. — Podnosi głos. — Okej, nie ma jeszcze powodów do paniki. Jesteś za to odpowiedzialna, to dobry znak. Robi wrażenie.

— Nie robi wrażenia — mówię, zakłopotana komplementem. — Uważają, że najlepiej się do tego nadaję, bo nikogo z nich nie znam.

— Mają trochę racji.

— Julio, ja nie mogę być twarzą, którą ci ludzie... *Zarażeni*... — zaciskam palce — zobaczą o czwartej nad ranem, kiedy się obudzą z żądzą zabicia kogoś.

Odwraca się ode mnie i milczymy przez kilka chwil, idziemy razem, staramy się zrównać krok. Patrzę w dół, na moje zmoczone buty.

— Wiesz — odzywa się Julia — zawsze pocieszałam się myślą, że sześć miesięcy po zwolnieniu większość wyrzuconych znajduje posadę, która bardziej im odpowiada.

— W tej sytuacji gospodarczej? — Wielkie krople spadają na moje odsłonięte ramię.

— Girl, z tobą czy bez ciebie i tak to zrobią.

— Wiem — mówię z irytacją, mam takie uczucie, jakbym szła pod jedną parasolką z Grace.

Julia staje, kopuła parasola przechyla się nieco do tyłu, woda moczy odsłonięty przód mojego płaszcza.

— Jeżeli będziesz w tej sprawie naciskać, ciebie też zwolnią.

— Zdaję sobie z tego sprawę, wierz mi.

— I co, zamierzasz to zrobić?

— Tak. Nie... Nie wiem.

— Naprawdę naraziłabyś Magdalenki na niebezpieczeństwo? — Jej niebieskie oczy wpatrują się w moje, wokół nas ściana deszczu.

— Chyba nie sądzisz, że moja obecność w Mojej Firmie ma aż tak wielki wpływ na wasze finanse.

— Powierzyli ci odpowiedzialne zadanie. Najwyraźniej postrzegają cię jako kluczową postać.

Żołądek zalewa mi kwas, a deszcz uderza z nową siłą, pada rzęsistymi strugami, bębni w parasolkę i pryska nam na nogi.

— Tu chodzi o sto czterdzieści cztery ludzkie istoty, Julio.

— Które zostaną zwolnione z tobą lub bez ciebie.

— Tak, już to powiedziałaś — mówię głośniej. — Posłuchaj, nie powinnam była ci tego mówić. Sprawa jest poufna.

— Cóż, dziękuję za ostrzeżenie. — Julia bierze głęboki oddech i stara się złagodzić wyraz twarzy. — Wiem, że czujesz się paskudnie, ale to naturalny element cyklu korporacyjnego życia. Okej, święta Joanno?

— Tak. — Silę się na uśmiech.

— Przynajmniej są obywatelami USA, mają dyplomy ukończenia szkół średnich i prawdopodobnie dużo więcej... rodziny, które ich wesprą i które nie kupują pod szpitalem ludzkiego mięsa, żeby utrzymać przy życiu dzieci. *Oni* dostaną zasiłki dla bezrobotnych. *Oni* sobie poradzą. Pamiętaj, komu pomagasz tutaj.

— Tak.

— Więc nie narazisz nas na niebezpieczeństwo?

— Nie.

— To teraz leć już i złap pociąg, zanim obie dostaniemy zapalenia płuc i nie będziemy się już mogły nikomu przydać.

Przez dwa niespokojne, ogłupiające tygodnie balansuję na brzegu biurka Guya, oboje czekamy na sygnał od Manley. On łapczywie czyta, na przemian krajowe i lokalne gazety oraz błyszczące periodyki o programach komputerowych, co jakiś czas wyciąga palmtopa, żeby zrobić notatki. Przeważnie jedyną rzeczą, która wyznacza upływ czasu, jest monotonny ruch jego puszki z colą, podnoszonej i opuszczanej na metalową powierzchnię biurka. Manley wpada regularnie, ale „nowe wejście" jest utajnione, dopóki Projekt nie dostanie „zielonego światła", więc zebrania są krótkie i efektywne jak nigdy dotąd. Czas wypełnia mi gapienie się na przemian albo na trzystronicowy szczegółowy harmonogram, co do minuty określający przebieg zwolnień, albo na oprawioną fotografię Guya i Reksa na polu golfowym, aż wyszczerzone w uśmiechu zęby Reksa zaczynają się zlewać z resztą dusznego biura.

Podskakujemy na dźwięk telefonu.

— Tak?... Chwila. — Guy podaje mi słuchawkę, napinając spiralny kabel, ja chwytam wywracającą się puszkę z napojem.

— Halo?

— Jak leci, Terminatorze? — pyta Buster, naśladując głos Schwarzeneggera. Zerkam na Guya.

— Mogę do ciebie za chwilę oddzwonić?

— Wychodzę na imprezę Atari.

— Minutkę. — Oddaję telefon Guyowi. — Skorzystam ze swojego starego telefonu.

— *Ściśle* poufne, Girl — recytuje.

— Oczywiście. Nie, to mój chłopak.

— Dziennikarz?

Taak, dziennikarz, a to wszystko jedna wielka podpucha przygotowana do specjalnego wydania „The Wall Street Journal", nosząca tytuł *Pięćdziesięciu Największych Kretynów*.

— Nie.

Jedno skinięcie głową i na nowo wyrasta ściana z gazety. Zamykam drzwi i wychodzę do pozbawionego słońca biura, morze głów zwraca się niespokojnie w moją stronę, a ja drepczę do dawnego biurka. Schylam się i wybieram numer.

— Cześć, przepraszam. Guy na mnie wsiada...

— Metaforycznie, mam nadzieję, w przeciwnym razie będę musiał mu nastukać.

— Nienawidzę tego — szepczę i udaję, że nie widzę Zarażonych, którzy udają, że mnie nie widzą. — Ta kobieta z marketingu *znowu* mnie dopadła w toalecie, żądała, żeby jej powiedzieć, czy ma finalizować kupno mieszkania. To miejsce robi ze mnie kłamcę, z każdą pieprzoną minutą, którą tu spędzam. Nie wytrzymam tego dłużej.

— W poniedziałek jest Dzień Pamięci, pewnie czekają do wtorku.

W tle za nim rozlega się rytmiczny dźwięk basu, słyszę głosy śpiewające do melodii z filmu *Shaft*.

— Gdzie ten gość, który ma plan? *Buster!*

— Lepiej będę już kończyć

— Chłopaki, dwie minuty! — śmieje się, potem wraca do mnie. — Dobrze, więc idę na ubaw do Atari, będą nas przyjmować z wszelkimi honorami. Później bym wpadł... może koło piątej?

— Jasne, czemu nie.

— Powinniśmy zrobić coś zabawnego!

— Taa — mówię z roztargnieniem, bo zdaję sobie sprawę, że najbliższa grupka wypchnęła Stacey jako emisariuszkę i ta z udawanym luzem zbliża się w moim kierunku.

— Zabawić się — powtarza Buster. — Jakieś pomysły?

— Nie wiem, może jest jakiś pokaz fajerwerków czy coś.

— Spoko, potem moglibyśmy wpaść na imprezkę do Sama. — Stacey przysuwa się coraz bliżej.

— Buster, muszę już kończyć.

— Do zobaczenia wieczorem!

Odkładam słuchawkę na widełki.

— Cześć. — Stacey stoi nade mną, długie rękawy jej swetra ocierają się o moje przedramię.

— Cześć! — wstaję, ale ona się nie cofa, jej pokryta rumieńcem twarz znajduje się tylko kilka cali od mojej.

— Jak wam idzie? Wygląda, że macie bardzo dużo pracy — mówi konfidencjonalnym tonem.

— Tak, Manley ma masę pracy, przy której potrzebuje pomocy. — Robię krok, żeby ją obejść.

— Czy powinnam się niepokoić? — Robi krok razem ze mną.

— Dlaczego? Nie — odruchowo staram się ją uspokoić.

— Girl. Czy powinnam się niepokoić?

— Nie, nie, ja... — Nienawidzę siebie. — Rozmawiałaś z Guyem?

— Przeniósł mnie do recepcji. Wiem, że niespecjalnie się lubiłyśmy...

— Stacey, to nie ma nic do rzeczy.

— Proszę, uczciwie mi odpowiedz.

Wpatruję się w nią intensywnie, staram się, żeby napięcie w moim głosie przekazało to, czego nie mogę wyrazić słowami.

— Nie wolno mi przekazywać takich...

Otwierają się drzwi gabinetu Guya, on sam staje w nich zelektryzowany. Nasze oczy się spotykają, wstrzymuję oddech.

— Odpalamy — mówi.

Stacey się wycofuje.

— Przepraszam.

— Girl.

Wbiegam po schodkach i już jesteśmy w pełnym ruchu. Na biurku Guya wciskam „wyślij" w e-mailu pod tytułem „ceremonia wręczania nagród", a Guy zbiera piętnastu Zdrowych i prosi, żeby dyskretnie weszli do jego biura i zadekowali się w schronieniu za zaciągniętymi zasłonami.

W czasie gdy zaczynają się schodzić Zdrowi, otwierają się dotychczas zamknięte drzwi do gabinetu Manley i wkracza tuzin policjantów po służbie, którzy musieli tam siedzieć od świtu.

— Girl, zaczynasz. — Guy wraca. — Ruszaj.

Idę do wejścia, ludzie niechętnie wstają od monitorów.

— Okej, weźcie torby i proszę wszystkich za mną! — Walcząc co krok z odruchem wymiotnym, prowadzę stu czterdziestu czterech pracowników do podwójnych drzwi, obok rampy i przez rozpadającą się klatkę schodową.

Wspinamy się powoli, w milczeniu pokonujemy pięć kondygnacji, powietrze jest gęste od kurzu. Docieramy do drzwi na dach, popycham je, ale nie ustępują. Parzę w dół i zdaję sobie sprawę, że są zaryglowane i zamknięte na wielką, przemysłową kłódkę. Dobry Boże. Walę kłódką w dźwignię służącą do otwierania drzwi — *Łup! Łup! Łup!* — ale jest jak zaspawana stuletnią warstwą rdzy. Odwracam się na niewielkim podeście.

— Uj — wołam ponad głowami tych, którzy stoją tuż za mną, mój głos niesie się echem w klatce schodowej. — Przepraszam, przepraszam, dach jest zamknięty, więc będziemy ee... ceremonia będzie musiała odbyć się tutaj.

— Wiedziałam — mamrocze kobieta obok mnie, na jej twarzy pojawia się panika, to wywołuje reakcję łańcuchową, rozprzestrzeniającą się w dół schodów, na kolejnych twarzach oświetlonych nagimi, mrugającymi żarówkami, pojawia się wyraz cierpienia i złości.

Przeciskam się do balustrady i drżącą ręką podnoszę swoją kartkę.

— W imieniu kierownictwa Mojej Firmy chciałabym podziękować państwu za waszą pracę...

— NIE SŁYCHAĆ!

— GŁOŚNIEJ!

Drżąc, wciągam powietrze i zaczynam od początku.

— W imieniu kierownictwa Mojej Firmy chciałabym podziękować państwu za waszą pracę. Wysoko oceniamy wasz wkład... — Głos mi się załamuje, z trudem brnę przez tekst napisany przez Manley. — Moim obowiązkiem jest poinformowanie państwa, że zapotrzebowanie na wasze świadczenie pracy wygasa ze skutkiem natychmiastowym.

Zostanie państwu przyznana odprawa w wysokości dwutygodniowego wynagrodzenia w zamian za złożenie podpisu pod oświadczeniem o rezygnacji z roszczeń, który to dokument otrzymacie państwo w holu. Muszę również poinformować państwa, że wasze doświadczenia z okresu pracy w Mojej Firmie stanowią własność Mojej Firmy, co odnosi się także do niniejszego doświadczenia. — Podnoszę oczy znad kartki i mój wzrok pada na twarz kobiety z marketingu, tej z damskiej toalety, patrzy w górę z niedowierzaniem, łzy płyną jej po policzkach. — W razie naruszenia zasad poufności w tym zakresie nie zawahamy się przed wykorzystaniem wszelkich dostępnych środków prawnych. Życzymy państwu sukcesów w dalszych karierach zawodowych. Powrót na poziom dziesiąty jest zamknięty. Prosimy o zejście schodami do holu. Do osób, które podpiszą rezygnację z roszczeń: państwa rzeczy osobiste zostaną spakowane do kartonów i będą wydawane w holu, począwszy od jutra. — Składam kartkę, kręci mi się w głowie. — Proszę, możecie teraz zejść na dół — mówię cichym głosem. — Bardzo mi przykro.

Przez moment wszyscy stoją w całkowitym bezruchu, a ja w półmroku zastanawiam się, czy w ogóle przeczytałam to oświadczenie. Ale potem rozlega się miarowy stukot stóp schodzących po schodach pod nami. Czekam na górze z innymi, którym udało się odsunąć ode mnie mimo ciasnoty. Kiedy w końcu byli koledzy i byłe koleżanki z pracy zwalniają przejście, idę za wszystkimi piętnaście pięter w dół.

W drażniąco jasno oświetlonym holu odbywa się już sprawny przepływ w stronę wyjścia. Falanga barczystych policjantów odbiera oświadczenia o rezygnacji z roszczeń, kierując każdego z byłych pracowników klepnięciem w ramię do wyjścia, zupełnie, jakby to była procedura aresztowania. Z twarzami ściągniętymi upokorzeniem przemieszczają się w stronę drzwi.

— Dziękuję wszystkim! — Oto Guy, wbrew ścisłym instrukcjom Manley, zagradza wyjście, wymusza uścisk dłoni i uścisk z klepnięciem na każdej z wychodzących osób. — Dziękuję za wszystko. Jest mi *naprawdę* ciężko, że muszę się z wami żegnać w ten sposób. *Nienawidzę* tego. Prawdziwy *syf*. Ale musicie pamiętać, że podjęliśmy ryzyko, nie? W tej branży trzeba postawić na jedną kartę, a to pociąga za sobą ryzyko. *Niech to szlag*, nie cierpię tego.

Patrzę, jak wyrzuca ludzi na bruk, jedna z kobiet wystawia środkowy palec nad jego głową.

Z oczyma utkwionymi w ziemię idę szybko pod prąd tego exodusu.

— Hej, paniusiu, dokąd to się wybierasz? — woła za mną gliniarz.

— Jestem na liście. — Odwracam się, podaję mu identyfikator.

— Winda zamknięta ze względów bezpieczeństwa. Trzeba na piechotę.

— Dzięki — mruczę, zawracam.

— Uważaj!

Zderzam się z kobietą z marketingu, jej torebka wywraca się do góry nogami, teczki rozsypują się po podłodze.

— Bardzo przepraszam. — Kucam, żeby pomóc jej zebrać rzeczy, podnoszę obrazki namalowane przez dzieci palcami i listę notatek z nagłówkiem „Ortodonci — Górne West Side". Krzywi się. — Przepraszam, Boże, przepraszam, ale nie pozwolą ci tego zabrać, jeśli będzie w teczkach — mówię, kiedy już stoimy, a ona wyciąga mi papiery z rąk.

— Dlaczego po prostu mi nie powiedziałaś, kiedy pytałam? — Składa szybko pokolorowane kartki i upycha je pod marynarką.

— Nie mogłam... — zaczynam daremne wyjaśnienia, ale ona odwraca się z lekceważeniem i przyłącza do ludzi maszerujących w kierunku wyjścia.

Znowu ktoś z tyłu mnie potrąca i wpadam prosto na Stacey, na policzkach ma plamy.

— Co ty tu w ogóle *robisz*?

— Ja... ja...

— Nieważne. Nic mnie to nie obchodzi. — Staje w kolejce do przeszukania.

Sapiąc, wbiegam na dziesiąte piętro, mój ciężki oddech zdaje się wypełniać pustą klatkę schodową. Przed wejściem do Mojej Firmy stoi kolejny ochroniarz.

— Niebieska kartka? — pyta podejrzliwie.

Wpuszcza mnie do opustoszałego biura, gdzie garstka Zdrowych, sami techniczni i księgowi, bez słowa przesuwa się od biurka do biurka, pakując rzeczy swoich wyrzuconych z pracy kolegów do opisanych kartonów; notatniki, pamiątkowe kubki absolwentów, ślubne zdjęcia. Otwierają się drzwi wejścia towarowego, wchodzi grupa mężczyzn w pomarańczowych kombinezonach; zaczynają ładować opróżnione biurka na wózki. Wolnym krokiem wkracza na salę Rex, ręce ma zatknięte za pasek, jak farmer doglądający zbiorów.

— Uwaga! Proszę wszystkich o uwagę! — Odwracam się na dźwięk nawoływania Guya. — Jestem *bardzo* podekscytowany, że będziemy dalej iść razem. — Wesoły, prawie bez zadyszki po biegu na dziesiąte piętro. — Chcę tylko zapewnić, że *zupełnie* nie macie się czym przejmować. Na pewno z ulgą przyjmiecie wiadomość, że jesteście *zdrowi*, kompletnie *zdrowi* mimo udziału w wydarzeniach dzisiejszego ranka. — Promienieje, nieświadomy, że używa żargonu z Projektu i że bynajmniej nie działa to kojąco na ludzi. Jednemu z księgowych wypada z drżących rąk kosmetyczka należąca do Zarażonej koleżanki, opakowanie tabletek antykoncepcyjnych spada na podłogę, dokładnie u stóp Guya, czyli bez wątpienia tam, gdzie chciałaby je umieścić właścicielka. — Zróbmy to szybko. Kiedy już skończycie, opróżnijcie własne biurka. Przeprowadzamy się do nowego lokalu w Long Island City! Okej? Ale najpierw chciałbym, żeby wszyscy podeszli i wypełnili oświadczenia w kwestii poufności. Wszyscy słyszeli? Świetnie!

Omijam ludzi od przeprowadzek, którzy już rozładowują gabinet Guya, i wpycham resztę swoich rzeczy do torby. Dzwoni moja komórka.

— Halo?

— Dobrze, że cię złapałam. Jak poszło? — pyta Manley.

— Wyglądali na zdruzgotanych. — Pocieram czoło, patrząc jak Zdrowi ustawiają się w kolejce, żeby podpisać dokument Guya.

— Przejdzie im.

— Mam nadzieję. To co, przeprowadzamy się? — Idiotyczny szezlong jest właśnie znoszony ze schodów.

— Nie była nam potrzebna taka droga nieruchomość. Nie przejmuj się, włączyłam do nowego pakietu wynagrodzeń organizację dojazdu. Teraz proszę o drobną przysługę. Dziś rano w tym pośpiechu zapomniałam zabrać paru rzeczy z łazienki przy moim gabinecie. Mogłabyś wrzucić je do kartonu?

— Pewnie. — Jak chcesz.

— Mam nadzieję, że jesteś gotowa odgrywać istotną rolę w naszym nowym przedsięwzięciu. Wystartowaliśmy wczoraj wieczorem i mówię ci, Girl, wstępne wyniki wyglądają *fantastycznie*. Na dole powinien czekać na ciebie samochód. Postaraj się szybko przyjechać. Impreza na rozpoczęcie już się zaczyna.

Wzdrygam się, gorące szpilki na dnie oczu zapowiadają migrenę.

— Raczej nie czuję się na siłach iść na imprezę. Jeśli nie masz nic przeciwko temu, to wolałabym po prostu wrócić do domu i spotkać się we wtorek rano.

— Nie, nie, to cię rozweseli. Musisz też poznać nowy zespół, żebyśmy po święcie mogli od razu zabrać się ostro do roboty. Czekam na ciebie za jakieś czterdzieści minut, dobrze?

Sięgam po pusty karton.

— Dobrze.

Mija mnie Rex, w ręku trzyma egzemplarz różowego oświadczenia o poufności.

— Hej, Guy! — woła przez całą salę. — Od razu podpisz jeden z tych papierków, skoro już przy tym jesteśmy.

Wchodzę do pustego gabinetu Manley i idę do granitowej umywalni, która niegdyś była w wyłącznym władaniu Guya. Zamykam za sobą drzwi i doznaję nagłej ulgi, że nikt już na mnie nie patrzy. Opuszczam ramiona i czuję, że twarz mi się wykrzywia, tryskają gorące łzy. Zamykam drzwi na zasuwkę i opadam na zamkniętą klapę sedesową, płaczę w stulone dłonie, kiedy wracają do mnie wspomnienia ostatnich godzin, dni i miesięcy.

— Guyser, wstąp no tu na sekundkę... — woła Rex po drugiej stronie drzwi toalety. Wstrzymuję oddech. — Możesz zamknąć? — Drzwi do gabinetu Manley zatrzaskują się cicho.

— Wiem, nie powinienem tam być, ale słuchaj, Rex... musiałem. To byli moi ludzie, tam na dole, rozumiesz? Po prostu musiałem to poprowadzić do końca. Tak jak mnie uczyłeś.

— Tak. Możesz mi dać oświadczenie?

— Jasne. Proszę. Jestem cały podjarany tym, co będzie dalej. Napalony. Wiesz, Bovary zrobiło nas w chuja... no więc próbowaliśmy, wyciągnęliśmy wnioski, ale było warto zaryzykować, nie? Trzeba podejmować ryzyko...

— Guy, zwalniam cię. — W ciszy oczy wychodzą mi z orbit. — Nie patrz tak na mnie. Wiesz, że zarząd naciska na mnie od tygodni. Poprosiłeś o szansę, daliśmy ci ją i nie wyszło. Wierzę w twoje możliwości, Guy. Dasz sobie radę.

— Ale masz coś dla mnie? — Głos Guya brzmi słabo.

— Cóż... myślę, że lepiej będzie, jeżeli na jakiś czas damy sobie spokój.

— Rozumiem.

— Wiesz, jak to jest, Guy. Znalazłem się w kłopotliwej sytuacji wobec banku. Potrzebny nam czas, żeby ochłonąć.

— Jasne.

— Nie bądź taki załamany, chłopie. Pracujesz koncepcyjnie. Któryś pomysł będzie trafiony, tylko musisz próbować.

— Taaa, nie, masz rację. No to przynajmniej zapraszam cię na drinka...

— Muszę już iść. Ale zadzwonię do ciebie.

— Będę na wyspie przez cały weekend. Wpadnę...

— Będę zajęty. — Czuję na stopach powiew, kiedy drzwi do gabinetu Manley ponownie się otwierają. — W porządku?... Guy?

— Co? Jasne, Rex, pewnie... w porządku.

Siedzę i czekam.

I czekam. I czekam. Słucham z wytężoną uwagą. Odczekuję dziesięć minut, potem, dla pełnego bezpieczeństwa, jeszcze piętnaście. Chwytam przybory toaletowe Manley, wszystkie mięśnie mam napięte, kiedy podnoszę zasuwkę i otwieram drzwi łazienki.

— Kurwa mać. Siedziałaś tu przez cały czas?

— Co? Nie. Tak. — Guy siedzi bezsilny, oparty o okno, łokcie na podkurczonych kolanach, skóra pod kolor bladozielonej koszuli. — Przepraszam, Manley prosiła, żebym zabrała jej rzeczy, więc...

— Pewnie świetnie się bawisz.

Z zaskoczeniem stwierdzam, że nie, chwytam karton i staram się sprecyzować, co właściwie czuję. Głównie zmęczenie.

— Właściwie to nie.

— Jasne.

— Nie, Guy. To smutne. — Kiwam głową w kierunku pustoszejącego biura. — To wszystko jest smutne.

Odpycha się od biurka i wstaje.

— Nie bądź taką, kurwa, świętoszką.

— Nie byłam...

— Byłaś. Cała ty. Jedzie tym od ciebie.

Ruszam do drzwi.

— Nie oceniaj mnie — mówi zmienionym głosem. — Nie masz, kurwa, bladego pojęcia, o kierowaniu firmą.

— I nie musiałam mieć... nie takie było moje zadanie. — Wbijam paznokcie w karton. — To nie ja byłam dyrektorem.

— Właśnie... nie byłaś i nigdy nie będziesz. Pod tym całym przemądrzałym gównem jesteś kompletnie bezużyteczna. — Z tyłu za nim światło przesącza się przez szpary w żaluzjach, nadaje jego siwym włosom kolor upiornej bieli. — Nie umiesz obrać kierunku, dokończyć tego, co zaczęłaś, ani wywiązać się z powierzonych zadań. Nie masz wyobraźni, nie masz szacunku i ani grama, kurwa, odwagi. Jako gracz zespołowy jesteś po prostu gówno warta.

— O! O, przepraszam, to był jakiś *zespół*? Był jakiś kierunek? Było tylko... — Upuszczam karton na podłogę i młócę ramionami w lewo. — Tutaj. Albo nie, czekaj. Może tam. — Młócę w prawo. — Byłam tak zajęta „niemyśleniem", że mi to umknęło. Wiem. Może włam się do mojego mieszkania, kiedy jestem naga i odbędziemy na ten temat *niestosowną* rozmowę w ciemności! Albo, hej! Może dla ciebie wyrzucę wszystkich z pracy, co do jednego! Dla ciebie wszystko, Guy. Tu chodzi tylko o ciebie.

Patrzy na mnie spode łba zapadniętymi oczyma.

— Nieważne.

— Jasne. — Chwytam w ramiona karton. — Wiesz, Guy, miałeś informować i nadawać wyraźny kierunek. Miałeś motywować, konsekwentnie i uprzejmie, miałeś być wzorem do naśladowania.

— Jezu, Girl, jesteś *zdrowo* pojebana.

— Nie. — Stoję na wysokich obcasach i patrzę mu prosto w oczy. — Jestem... zatrudniona. — Dumnym krokiem wychodzę z przyborami Manley.

Rozdział 12

O tak, kochanie, jeszcze, jeszcze, jeszcze!

Limuzyna podjeżdża do rzędu innych limuzyn, zaparkowanych przed magazynem w sąsiedztwie magazynów, i ochoczo wyskakuję, lżejsza o milion funtów, jakie waży gówniany szef. Wdycham ciepłe powietrze, wyraźne odbicie światła od białego chodnika sprawia rozkosznie plażowe wrażenie, gdy badawczo przyglądam się połyskującym metalowym budynkom w poszukiwaniu wejścia do nowej ery.

Członkowie rady MF wysiadają z samochodów, któryś uderza dłonią w garażowe drzwi. Fruną do góry, z ciemnego wnętrza wypada lodowate powietrze i przechodzę za nimi pod transparentem z napisem GRATULACJE. Potrzebuję chwili, żeby przyzwyczaić wzrok do półmroku, zanim udaje mi się dostrzec w otchłani czarny sufit, który łukiem wznosi się dobre trzydzieści stóp wyżej, gdy tymczasem otwiera się przede mną długi centralny korytarz z przeszklonymi biurami po obu stronach. Manley miała rację; zapach nowej wykładziny przemieszany z utrzymującym się śladem zapachu świeżej farby jeszcze bardziej podnosi mnie na duchu.

— Szampana? — proponuje uprzejmy głos i wyciągam rękę obok najbliższego członka rady, przypadkiem przejeżdżając po nagiej skórze. Wychylam się zza ramienia odzianego w cienki garniturowy materiał, by zobaczyć kelnerkę topless — topless — oferującą wysokie kieliszki ustawione na tacy pomalowanej tak, że wygląda jak żółty notatnik.

— Przepraszam, chyba źle trafiłam. Czy wiecie państwo, w którym budynku mieści się Moja Firma...

— Uuups! Ostrożnie, kochanie. — Odwracam się i staję twarzą w twarz z kolejną półnagą kelnerką, przytrzymującą kieliszki na tacy-notatniku.

— Szukam Mojej Firmy.

— Ćśś — zwraca się do mnie mężczyzna, biorąc drinka. — Już jej tak nie nazywamy.

— To *Fajna* Firma — oświadcza dziewczyna z obsługi.

Otaczają nas jej klony, wszystkie mają identyczne okulary, koki, spódniczki i szpilki, wszystkie oferują przystawki i koktajle na notatnikach, ich włosy hojnie spryskano srebrzystą siwizną w spreju.

Zmieszana, delikatnie mówiąc, idę wśród rzędu szklanych ścian, szukam Manley w przyległych do korytarza pustych biurach, salach konferencyjnych pokojach z kopiarkami i kuchence.

Nagle rozlega się szkolny dzwonek. W tylnych ścianach wszystkich pomieszczeń gwałtownie otwierają się drzwi i wchodzą mężczyźni oraz kobiety w biznesowych strojach. Zastygają w pozach sugerujących, że są w trakcie pracy, jak biurowy Ken i biurowa Barbie. Mężczyźni są młodzi, kobiety zrobione tak, żeby wydawały się starsze, znacznie starsze. Jakiś występ dla uświetnienia przyjęcia? Przyglądam się im przez okna, kiedy drugi dzwonek wprawia kobiety w ruch, z wystudiowaną gestykulacją wrzeszczą na swoje męskie odpowiedniki. W kuchence kobieta poucza młodego mężczyznę przy puszcze z kawą, kiedy nagle, bez zapowiedzi, on bierze zamach i uderza ją na odlew. Odwracam się gwałtownie i wpada mi w oko kobieta z sali spotkań rady nadzorczej po przeciwnej stronie korytarza, odbijająca się od stołu konferencyjnego. Ląduje pod ścianą, nie może złapać tchu. Mężczyzna rozpina rozporek.

— Pełna interaktywność — wyjaśnia kolegom straszy

członek rady nadzorczej, wyciąga z kieszonki na piersi chusteczkę, żeby otrzeć piegowate czoło. — Użytkownik klika na tę, która najbardziej przypomina jego szefową, zaznacza, jak chce ją przelecieć, i aktor podejmuje akcję. — Biurowy Ken zrywa ubranie z Biurowej Barbie, leżącej na konferencyjnym stole, i dokonuje penetracji z siłą, która gwarantuje obrażenia, jej głowa wali o drewnianą okleinę. Kobieta odwraca od niego twarz i spotykamy się wzrokiem, wyraźnie widzę jej słowiańskie rysy.

— Ostrożnie, moja droga. — Starszy pan wyciąga piegowatą rękę, gdy walczę o zachowanie równowagi.

— Girl, tu jesteś. Zrobiłaś dziś po południu świetną robotę. — Manley wychodzi zza rogu, trzymając szampana, wolną ręką klepie się po ciężarnym brzuchu, ukrytym pod beżową lnianą suknią. Mrugam, kompletnie, kompletnie... — Mamy problemy z powietrzem — oznajmia bez emocji. — Za ciepło i sutki miękną, za zimno i mają gęsią skórkę, a to widać w kamerze. — Wykrzywia się. — Uczę się. Nie zaproponowano ci jeszcze drinka? Kelnerki powinny krążyć także tutaj. — Z dezaprobatą spogląda poprzez mnie na obsługę.

— Jak ty... jak ona... — wskazuję na Moldovę, z dziurki w nosie płynie jej strużka krwi.

— Guy ją odkrył. Co za pistolet. Siedzi tu, odkąd wczoraj zaczęliśmy nadawać na żywo... świetna etyka pracy.

— Manley, ona tu dotarła w *kontenerze*...

— A teraz zarabia majątek — odpowiada z uśmiechem. — Amerykańskie marzenie, prawda?

— Nie! Ja nie... Co to jest? To znaczy wiem, co to jest, ale co...

— Dojna krowa. — Bierze mnie za łokieć i odprowadza na ubocze. — Sześć rzędów od softu do hard core'u. Okazuje się, że nasi użytkownicy wchodzą na kolejne etapy dostępne w portalu znacznie szybciej, niż się spodziewaliśmy, więc będziemy musieli wzbogacić zawartość. Ale nie musimy się tym martwić do wtorku.

— Wtorku? — powtarzam ogłupiała.

— Dzisiaj świętujemy. Nie planowałam wprowadzania cię we wszystkie nudne szczegóły, żebyś mogła po prostu odprężyć się w wolnym czasie. — Zero. Kurwa. Szans. Obejmuje mnie spojrzeniem od drżących stóp do głów. — Albo możemy porozmawiać teraz, jeśli wolisz. — Opróżnia kieliszek i odstawia na pobliski „notatnik".

— Tak. Wolałabym.

Manley prowadzi mnie przez drzwi oznaczone ZARZĄD i nagle jesteśmy hermetycznie zamknięte w jej biurze. Z szarymi draperiami i wykresami stanowi identyczną replikę jej miejsca w MF.

— Najpierw proszę, tu masz premię za trzydzieści przepracowanych dni, którą obiecał ci Guy. — Wkłada złożony zielony papier w moje bezwładne ręce. — Siadaj. — Wskazuje na jasno oświetlony stół do pracy, stojący w centralnym punkcie pokoju.

Nie ruszam się.

— Cóż, ja siadam. — Opada na szare krzesło i opiera nabrzmiałą dłoń na brzuchu. — Girl, jestem pod wielkim wrażeniem zdolności organizacyjnych, które zaprezentowałaś przy reorganizacji. Uważam, że masz wielki zasób możliwości i chciałabym zaproponować ci stanowisko mojej głównej asystentki, zaczynając od wtorku. Oznacza to stuprocentową podwyżkę i roczną premię liczoną na podstawie zysków brutto, które zapowiadają się dobrze. — Uśmiecha się wyczekująco. Zamykam oczy, życząc sobie, żeby ktokolwiek inny czekał na moją odpowiedź, Jeffrey, Kat... nawet Doris.

— Girl.

Otwieram oczy.

— Chcesz... żebym poprowadziła portal pornograficzny.

— Och, nie poprowadziła. Jeszcze nie. Nie martw się, zdaję sobie sprawę, że potrzebujesz czasu na zdobycie doświadczenia, ale będę tu, żeby nadzorować twoje przejście, dopóki nie pójdę na macierzyński, a nawet wtedy będę dostępna pod te...

— *Portal porno?*

Kiwa pulchnym palcem.

— Zajmujący się rozrywką dla dorosłych, Girl... nie używamy słowa na „p"... Generuje większy dochód niż wszystkie razem koncesje profutbolowe, baseballowe czy koszykarskie. To przemysł przynoszący dwanaście miliardów dolarów, przemysł, który, na moje oko, mógłby wiele skorzystać na poważniejszym zaangażowaniu się kobiecych sił kierowniczych.

— Za tymi drzwiami są kobiety, które ktoś wali po głowie...

— Girl, siedemdziesiąt procent użytkowników stron porno korzysta z nich między dziewiątą a piątą... spójrz prawdzie w oczy... obsługujemy niewykorzystaną niszę rynkową...

— I to wszystko usprawiedliwia?

Wzdycha, masuje brzuch.

— Grecy umieszczali to na urnach, my umieszczamy w Internecie.

— Ale ja jestem... feministką. — Tylko na tyle umiem się zdobyć.

— Ja też — mówi, rozkładając ręce. — Jesteśmy kobietami, które zatrudniają kobiety. Co w tym niefeministycznego? I niech mi wolno będzie dodać, że dobrze je zatrudniają. Wszyscy pracownicy mają pełne świadczenia i bezprecedensową skalę płac za samo zdanie egzaminu GED. Girl, daję ci szansę, możesz zostać szefem...

— Alfonsem.

— *Nie alfonsem.* — Wilgotnieją jej oczy. — Uch, te hormony. — Szybko przesuwa palcem pod dolnymi rzęsami. — Uruchamiam korporację o zasięgu krajowym z planowanym ośmiocyfrowym dochodem. Te kobiety — mówi, gestem wskazując poza pokój — *zasługują* na dobre zarządzanie. — Stawia torebkę na biurku, grzebie w niej, wreszcie wyciąga błyszczyk, który nakłada wyraźnie drżącą ręką. — To wielka szansa — najwyraźniej przypomina samej sobie, przesuwając nim po rozchylonych wargach.

— To wielkie *gówno* — wybucham. — To pójście na łatwiznę, Manley. Z twoimi umiejętnościami mogłabyś zarabiać pieniądze i robić coś ważnego w wielu różnych miejscach. — Wzruszam ramionami. — Oczywiście, że zasługują na dobre zarządzanie; zasługiwali też niewolnicy.

— *Och, daj spokój*. — Wyrzuca ręce w górę, nie może znieść mojej sofistyki. — Te kobiety pracują dla mnie z własnej nieprzymuszonej woli.

— O tak. Bo miały udane dzieciństwo i najwyższej klasy wykształcenie, do wyboru było to albo medycyna.

Uderza ręką o biurko, błyszczyk wydaje głuchy stukot.

— Co ty sobie wyobrażasz, Girl? Że jeśli zamknę nasze drzwi, to wystąpią o stypendium Rhodes*, co do tej pory odkładały, albo będą miały dzieciństwo, którego ktoś je pozbawił? Nie. Skończą, pokazując cipę w klubie ze striptizem ulicę dalej. W najlepszym razie. — Oskarżycielsko wycelowuje we mnie błyszczyk. — A na razie stoisz tu i arogancko odrzucasz szansę na sukces, na to, by stać się niezależną i ewidentnie bogatą przed dwudziestymi piątymi urodzinami.

— Dzięki temu? — Kręcę głową. — Dzięki nim? — Z wysiłkiem zdobywam się na uprzejmość. — Opierając się na micie, że to zespół napalonych pracowników, którym udało się znaleźć *idealną pracę*. Manley, mogłabyś teraz nosić w sobie córkę.

— Noszę.

— I chciałabyś dla niej czegoś takiego? — mówię, wskazując na drzwi.

Krzyżuje ramiona na brzuchu.

— Świetnie. Zmarnuj kolejne piętnaście lat na parzenie kawy i etyczne głędzenie...

— To nie jest głędzenie! *Takie są moje przekonania*.

— Och, takie są twoje przekonania? — szydzi. — Ale sprzedawanie się Bovary, pisanie instrukcji, jak obsłużyć

---

* stypendium Uniwersytetu Oksfordzkiego

feminizm, a wszystko za jeden pokaźny czek, to było aksamitne. — Wstaje, mruży oczy, żeby rzucić finalne podsumowanie. — Kiedyś spojrzysz na to z perspektywy i sama się kopniesz.

— Za odrzucenie oferty na posadę prezesa należącej do banku strony porno, gdzie bijemy i gwałcimy kobiety? Wątpię.

— Nie do banku. Do Fajnej Firmy — poprawia mnie surowo, nieświadomie mi się podkładając. — Bank nie ma z tym nic wspólnego.

— Dlaczego, Manley? Jeżeli to taka dojna krowa, to czego się wstydzić? — pytam, rozkoszuję się tym, że sama zapędziła się w kozi róg.

— Nie można łączyć z tym banku, bo to niemoralne. — Uśmiecha się, dostraja do mojego złośliwego tonu. — Oglądanie tego, korzystanie, prowadzenie. I dzięki Bogu. Kiedy sprawa przestanie być tematem tabu, znikną zyski. Dopóki Kościół katolicki i prawicowcy będą nas potępiać, a Amerykański Związek Wolności Obywatelskich nie przestanie nas bronić, rozrywka dla dorosłych będzie prosperować. Być przeciw pornografii, to być antyamerykańskim, purytańskim, zahamowanym i po prostu nie na czasie. Więc proszę, osądzaj to wszystko... osądzaj mnie, to pieniądze w mojej kieszeni.

Chłodne powietrze zaczyna płynąć kanałami pod sufitem, napełniając pokój niskim mechanicznym szumem. Zdumiona dobrym samopoczuciem Manley, wpatruję się w nią, rozważam spędzone wspólnie godziny, żeby odkryć sedno tego, co jest między nami.

— Manley, dotarcie tu było zapewne niewiarygodnie trudną sztuką. Mogę się tylko domyślać, ilu Guyów i Reksów musiałaś strawić. — Mimo woli kiwa głową. — I muszę powiedzieć, że chociaż pracowałam dla ciebie zaledwie kilka tygodni, jesteś najlepszym menedżerem, z jakim miałam do czynienia. — Jej twarz trochę mięknie, wracają kolory, obejmuję spojrzeniem jej schludną lnianą sukienkę w oprawie schludnego otoczenia. — Mówisz jasno, jesteś zorganizowana, skuteczna — ciągnę szczerze. — I w widoczny sposób niesamowicie wiele osiągnęłaś. Naprawdę się cieszyłam, że będę się od ciebie uczyć. I z tego tak trudno mi zrezygnować. Ale rezygnuję. Muszę. I muszę wierzyć, że będziesz mnie za to szanować.

— Podpisz zobowiązanie do zachowania tajemnicy. — Jej głos łapie mnie w progu.

— Nie.

— Więc możesz powiedzieć Julii Gilman, że kosztowałaś ją dziewięćset tysięcy.

Odwracam się.

Wzrusza ramionami, podsuwa mi papier.

— To świat realny.

— Potrzebuję czasu...

— Nie. Muszę wracać na przyjęcie. Podejmij decyzję.

Wpatruję się w formularz. I czek bankowy na dziewięćset tysięcy, który kładzie obok.

— Nie bądź głupia, Girl. Bez względu na to, co sądzisz o mnie czy tym biznesie, nie odbieraj im tych funduszy. To samolubne, i dobrze o tym wiesz.

Wiem.

Podpisuję.

Biorę czek.

I wychodzę.

— Zaraz — ucina Julia. — Omówmy to na osobności. Wiele się tu dzieje, a ściany nie są dźwiękoszczelne. — Nagle docierają do mnie pogawędki kobiet, dzwonki telefonów i odległy odgłos zszywek wbijanych przy układaniu wykładziny. — Przepraszam, jasne. — Mój umysł wciąż kręci się jak szalony, idę za nią wąskim przejściem między owiniętymi w celofan biurkami do bardziej odosobnionego kąta siedziby Magdalenek.

Julia podciąga nogawki spodni i siada na worku cementu, w powietrze unosi się chmurka pudrowego kurzu.

Czoło mnie szczypie od potu, ciągnę:

— Teraz to portal porno i Moldova... — Julia blednie. — Zmusili mnie do podpisania zobowiązania do zachowania tajemnicy, zagrozili, że inaczej nie dadzą ci reszty pieniędzy...

— Które podpisałaś.

— Co? Tak. Które podpisałam. Więc czy powinnyśmy skonsultować się z prawnikiem? Albo masz kontakt z kimś, kto mógłby zawiadomić prasę?

— Masz je teraz, resztę pieniędzy?

— Tak. Proszę. — Ledwie zdążyłam wyjąć czek z kieszeni, kiedy chwyta go szybkim ruchem. Rozkłada zielony papier na kolanie, na jej zapadnięte policzki wypływa rumieniec.

— Julio, Moldova daje się pieprzyć do utraty tchu, żeby zarobić dla ciebie te pieniądze.

Wstaje, otrzepuje tył spodni.

— Nie upraszczaj. To są pieniądze dla pięćdziesięciu kobiet, które ich potrzebują. Rozpaczliwie.

— Czy to się wzajemnie nie zeruje?

— Nie będziemy z tego robić ćwiczenia z moralności, Girl. Te pieniądze przekazał bank.

— Co innego jest na czeku.

Zerka na nadruk Fajna Firma, jej twarz nie zdradza emocji.

— To, że nie przyjmę tych pieniędzy, nie spowoduje zamknięcia ich portalu. Co rozumiesz, bo inaczej nie podpisałabyś tego zobowiązania. — Zmarszczka między jej brwiami jeszcze się pogłębia. — Więc czemu próbujesz teraz przedstawić to w taki sposób, jakby rozwiązanie leżało w moich rękach?

— Nie próbuję niczego przedstawiać. — Opanowuję głos. — Czuję się z tego powodu obrzydliwie, Julio. Miałam nadzieję, że co najmniej to zaakceptujesz. Że przynajmniej przyjmiesz do wiadomości, że to — wskazuję na czek — gówniane pieniądze. Że sposób, w jaki te pieniądze są zarabiane, jest gówniany. I fakt, że musisz je wziąć, jest gówniany. I to, żeby tu teraz stać, musiałam pójść na kompromis w każdej niemal kwestii, w którą wierzę, jest gówniane. Miałam nadzieję, że będziesz, sama nie wiem, będziesz mentorką albo...

— Nie jestem twoją matką, Girl.

— Wiem o tym — mówię cicho, zaskoczona.

— Tak? Bo wygląda, jakbyś szukała tu jakiegoś rozgrzeszenia, którego nie mogę ci dać.

— Szukałam uczciwości. I wsparcia. I... — Wpatruję się w gołą podłogę i szybko ocieram łzy. — Pracy. — Robię wydech. — Nie wiem, co mam z tym zrobić.

— Przykro mi, że to dla ciebie takie trudne. — Wsuwa czek do kieszeni. — Nie wyrzucaj sobie podpisania tego zobowiązania. Nie ma publiczności, z którą mogłabyś się tą wiedzą podzielić. — Schyla się, żeby podnieść porzucony papierowy kubek, co nasuwa mi obraz Moldovy schylającej się, żeby zgarnąć płaszcz Julii z chodnika w parku, jej dziecinne dłonie, ściskające wełnę z daremnym uporem.

— Pocieszające.

— Nie, szczere. Codziennie staram się o pozyskanie jakichś funduszy. Nikt nie chce słyszeć o przemyśle związanym z seksualnością, który nie jest seksowny. — Wkłada marynarkę, spogląda na zegarek. — Co mi przypomina, że, niestety, ale naprawdę muszę...

— Jasne. — Kiwam głową.

Chwyta mnie za łokieć, żeby przeprowadzić przez gwar i zamieszanie organizującej się społeczności.

— No to bądźmy w kontakcie, okej? — mówi, otwierając frontowe drzwi.

— Oczywiście — odpowiadam mechanicznie. — Postaram się.

Przytrzymuje dla mnie ciężkie szklane drzwi, mruga w słonecznym blasku, co pogłębia zmarszczki wokół jej oczu, blizny po latach torowania sobie drogi uśmiechem.

— Jestem z ciebie dumna, jeżeli to coś znaczy.

— Ależ oczywiście. — Coś, lecz nie wszystko, i świadomość, że potrafię dokonać tego rozróżnienia, popycha mnie naprzód.

344

W domu wita mnie dźwięk wody z prysznica i torba Bustera z rzeczami na noc przy wejściu. Kopnięciem pozbywam się butów, przeglądam pocztę, rozdzieram kopertę z Chatsworth i wyciągam złożony kawałek gazety. Jack w stroju do piłki nożnej jedną stopę w korkach opiera na piłce, czerwony długopis Grace zakreślił nagłówek: UCZEŃ MIEJSCOWEGO LICEUM AGITUJE NA RZECZ ZAWIĄZANIA SZKOLNEJ LIGI. Uśmiecham się szeroko, ściągam bluzkę i wkładam świeżą koszulkę.

Otwieram drzwi do łazienki, para falami wypływa na korytarz.

— Kochanie, wróciłam — oznajmiam zasłonie, opieram plecy o wilgotne kafle i zsuwam się na podłogę.

— Hej — woła Buster spod prysznica. — Zanim znów zapomnę, rano dzwoniła Kira. Powiedziała, że ląduje na JFK o ósmej.

— Naprawdę? Miało jej nie być w domu jeszcze przez miesiąc.

— Taa, głos miała dosyć żałosny. Mówiła coś o biurokratach i inżynierach, i o tym, że nie była w stanie wykopać studni.

— Uch, parszywie. Powiedziała coś jeszcze?

— Nie. Tylko tyle.

— Super. — Spoglądam na zegarek, nie mogę uwierzyć, że naprawdę jest coraz bliżej z minuty na minutę. — Bardzo super. Więc... masz jakieś plany, w których mogłabym ci pomóc? No wiesz, w rodzaju powkładać zdjęcia do albumów albo poustawiać alfabetycznie kompakty? — Związuję włosy w koński ogon. — Gdybyś potrzebował kogoś bez pracy, to będę miała trochę wolnego czasu.

— Co ty gadasz? — Kran piszczy, kiedy zakręca wodę.

— Rzuciłam pracę. — Wdycham pachnącą mydłem parę.

— Rzuciłaś pracę — jak echo powtarza Buster, szarpnięciem odsuwając zasłonę.

— Tak jest. — Wyciągam nogi na podłodze, palcem popycham w jego stronę dywanik kąpielowy. — Rzuciłam.

Sięga po ręcznik, energicznie wyciera włosy i dopiero potem na mnie spogląda.

— Myślałem, że ustaliliśmy, że będziesz się trzymać tej roboty.

Podnoszę się, oplatam ramionami jego talię w ręczniku.

— Cóż, sytuacja się zmieniła. Zasadniczo. — Przysuwam usta do jego ucha. — Podpisałam zobowiązanie do zachowania tajemnicy, więc nie możesz nikomu powiedzieć. — Kiwa głową, idąc do sypialni. — Nikomu — wołam.

— Okej, jasne, rozumiem — mówi, wkładając szorty.

Zatrzymuję się w progu, chwytam za framugę, tak że moje ramiona tworzą literę V.

— Chcieli, żebym poprowadziła... uważaj... portal porno.

— Poprowadziła? — Wciera dezodorant. — To wielki awans.

— To samo powiedział Mengele. — Wykrzywiam się.

— To jednak nie Trzecia Rzesza.

— I jednak nie Disney.

Siada na łóżku, plecami opiera się o ścianę.

— Myślę, że postępujesz pochopnie.

Stoję nad nim, przyglądam mu się zmieszana.

— Pochopnie?

— Powinnaś przynajmniej spróbować, przez parę miesięcy. Mogłabyś być nową Christy Hefner. — Chwyta mnie za rękę i przyciąga do mokrego torsu, pochyla się do pocałunku.

Patrzę w jego zielone oczy, nasze usta są tak blisko.

— Mówisz poważnie?

— Jasne. — Wolną ręką przesuwa po moim udzie.

Wyrywam palce z jego dłoni i cofam się, jego ramię wali we framugę.

— Dlaczego?

— Bo nie ma pracy, pamiętasz? — Pociera zaczerwienione kostki. — Luke musiał się przeprowadzi do domu, a ty po prostu arbitralnie odrzucasz niesamowitą szansę.

— Czy nie powiedziałam jasno, skąd właśnie wróciłam? — Podnoszę ręcznik, który moczy kołdrę.

— A co z tym, skąd ja wróciłem? — Ze złością marszczy brwi. — Banda korporacyjnych skurwysynów z Atari mówi mi, że mam być wyczulony na „wielkość udziału mojego pokolenia w rynku" i na „dywidendę" i przy okazji pyta, czy następnym razem mógłbym przyjść w garniturze?

— Och, Buster. — Mięknę, ujmuję go za rękę, ściskam. — Musisz być strasznie wkurzony...

— Wszystko zaczyna się do tego sprowadzać... do włożenia garniturów i to, kurwa, fatalne.

— Muszą być mniejsze firmy, które zajmują się grami. Na pewno uda się nam znaleźć taką, w której będzie ci się bardziej podobało. Odłożyłeś trochę pieniędzy. Jeżeli naprawę tego nienawidzisz, to powinieneś odejść...

— JA nie chcę być bezrobotny. — Staje w ciasnym przejściu między łóżkiem a szafą.

Twarz mnie pali.

— Buster, ja nie protestuję przeciw noszeniu garnituru... te kobiety mają być gwałcone...

— Gwałcone? — Potrząsa głową w geście frustracji, spadają na mnie krople wody. — Twoje spojrzenie na pornografię jest kompletnie popieprzone... strasznie łatwo ci wszystkich osądzać.

— Nie. — Odsuwam się od niego. — Łatwo jest wtykać jej forsę w stringi razem z tobą. Udawać, że to jedna wielka szczęśliwa i seksowna gałąź gospodarki, w której uczciwie zarobimy po parę groszy.

— Mam dosyć tego gówna. — Pociera twarz. — Nigdy dla nikogo nie musiałem się tak bardzo starać.

— Ty masz dosyć?! To trzecia rozmowa, którą odbywam na ten temat przez ostatnie trzy godziny. Buster, prosiłeś, żebym pomogła ci nie być „takim facetem". Cóż, dokładnie w tym miejscu — zakreślam przestrzeń między nami — to się powiększa. Wszystko jest pogmatwane, złożone i mylące. I albo w to wchodzisz, albo nie.

— Chcę tego — mówi cicho.

— Ale czy w to wchodzisz? Nie mogę tkwić w miejscu,

347

obawiając się, że poczujesz się znużony. — Wpada mi w oko zegar przy łóżku, formułuję plan. — Jadę na lotnisko. — Podchodzę do drzwi, wrzucam do torebki klucze i wycinek z Jackiem.

— Kiedy wrócisz? — Opiera się o framugę drzwi sypialni.

— Nie wiem. — Wsuwam sandały.

— Słuchaj, jeżeli musisz rzucić tę pracę...

— Buster — ucinam.

Nasze oczy się spotykają, kiedy otwieram drzwi.

— Chyba w to wchodzę.

— Liczy się tylko „na pewno".

Kira opiera mi głowę na ramieniu, wpatrujemy się w rząd domów wzdłuż Grand Central Parkway, przesuwający się cal za calem. Wciśnięta między jej wypchany plecak i drewnianą figurkę płodności, owiniętą w gazetę sprzed tygodnia, trzymam ją za rękę. Za paznokciami wciąż jeszcze ma afrykański brud.

— Musisz przeżywać poważny szok kulturowy.

— Sześciogodzinna przerwa w podróży pozwoliła mi się nieco zaaklimatyzować, ale tak — mówi z westchnieniem — przeżywam.

Dotykam niedużego rozdarcia w jej dżinsach tuż nad kolanem, odsłaniam szramę pod spodem.

— Rany odniesione na wojnie?

— Skaleczyłam się łopatą. — Klepie moją torebkę od Gucciego. — Wynagrodzenie?

— To i to. — Wyciągam czek z premią.

— Rany. — Gwiżdże.

— Pieniądze na rozruch — stwierdzam, składając go i chowając do portfela.

Szturcha mnie w ramię.

— Mogłabyś założyć *własny* portal porno. Naprawdę zabijać te kobiety.

— Genialne... rozważałaś studia ekonomiczne?

348

— G, nie umiem nawet wykopać dziury. — Taksówka robi skok do przodu, znajdując przesmyk, i przyspieszamy na odcinku czterdziestu stóp, dopóki ponownie nie zatrzyma nas autobus Trailway. To właśnie zamierzasz robić? — pyta, kiedy oczy zaczynają się jej zamykać. — Zacząć coś własnego?

— Jeszcze nie wiem, nie umiem nawet wyrwać jednej kobiety z łap handlarzy ludźmi. Hej, jest jakiś skrót? — Wołam do kierowcy przez podrapany plastik, który nas oddziela.

— Nie, moja pani. Proszę spokojnie siedzieć. Świąteczny ruch. — Siedzimy cicho, podczas gdy pod nami cal za calem przesuwa się wjazd na most Triboro, co chwila stajemy i ruszamy.

— G? — Głos Kiry jest nabrzmiały łzami. — Czy dalej będzie tak ciężko?

— Och Boże, nie, nie — spieszę z pociechą. — A może tak. — Przyciągam ją do siebie. — A potem już nie — mówię w jej włosy. — A przynajmniej tak słyszałam.

— Od kogo? Swojej dobrej wróżki?

— Tak. — Śmieję się. — A ty nie masz własnej?

— Uwaga, moje panie. — I nagle korek się kończy i pędzimy w stronę, gdzie na horyzoncie widać zarys Manhattanu, koła rytmicznie dudnią po łączeniach mostu, a w polu widzenia pojawiają się budynki Citicorp i Chryslera, charakterystyczny zębaty zarys wysepki, na której mieszkamy.

— Zamknę oczy. — Kira mości się na swoim plecaku, kompletnie poddaje się zmęczeniu po zmianie stref czasowych. Taksówka gwałtownie zmienia pasy, rzucając mnie w bok, i mój palmtop z łomotem spada na podłogę. Wyciągam rękę, żeby go podnieść, i przed oczyma staje mi dający satysfakcję obraz, jak wirując srebrzyście, wpada do East River.

Opuszczam szybę. Ciepłe słone powietrze odgarnia nam włosy z twarzy, przynosząc obietnicę lata i kolejnych lądujących samolotów, kolejnych ziomków powracających do miasta, które znów tchnie przyjazną atmosferą i możliwościami, bo, do nędzy, mamy zaledwie po dwadzieścia cztery lata.

Wpycham palmtopa w bezpieczne miejsce w torebce, jedno i drugie ma teraz wartość pamiątkową. Nagle ciemne niebo rozświetlają fajerwerki z okazji Dnia Pamięci, wspaniała pirotechniczna eksplozja lśni na powierzchni wody, tworząc rozmazaną tęczę, gdy przemykamy połatanym asfaltem. Budzę Kirę kuksańcem.

— Popatrz.

Uśmiecha się szeroko, droga przed nami stoi otworem i przyspieszamy.

Podziękowania

Jesteśmy dozgonnie wdzięczne...

Naszej fenomenalnie oddanej „ulewa? świetnie, oszczędzisz na praniu" Zbiorowej Girl za wiarę w ten projekt i nieskończoną pracę po godzinach na jego rzecz: Suzanne Gluck, Erin Malone, Betsy Rapoport, Brendzie Copeland, Judith Curr, wszystkim w Atrii i Kenowi Weinribowi.

Naszym rodzicom, Peterowi i Evelyn, Joan i Davidowi, Johnowi i Janet oraz Joelowi i Norze za to, że groźni, lecz kochający, pomogli zachować nam kręgosłup moralny. Profesor Janet Gezzari za zręczne ukształtowanie tego, co możliwe w sztuce, życiu i feminizmie. I, oczywiście, mężowi Emmy, Joelowi, za to, że był niezmordowany.

I wreszcie ofiarujemy nasze przepełnione wdzięcznością serca babci Nicki, Xandy, prawdziwej Girl.

Spis treści